S0-BDL-273

EL TESTAMENTO FINAL

EL TESTAMENTO FINAL

SAM BOURNE

Traducción de
Fernando Garí Puig

Grijalbo

Título original: *The Last Testament*

Primera edición: mayo, 2009

Printed in Spain – Impreso en España

ISBN: 978-84-253-4307-0
Depósito legal: NA. 973-2009

Compuesto en Comptex & Ass., S. L.

Impreso y encuadernado en Rodesa Rotativas de Estella, S. A.
Pol. Ind. San Miguel parcelas E7 E8
Villatuerta (Navarra)

GR 43070

Para mi padre, como muestra de mi cariño
e inquebrantable admiración

Prólogo

Bagdad, abril de 2003

La multitud empujaba en esos momentos con más fuerza, como si hubiera olido la sangre. Cargaron contra la zona porticada y empujaron con la suma de su peso las grandes puertas de roble hasta que se derribaron con estrépito. Cuando se precipitaron dentro, Salam avanzó con ellos. No fue una decisión voluntaria. Sencillamente, formaba parte de una fiera en movimiento compuesta por hombres, mujeres y niños, algunos incluso más pequeños que él. Eran una bestia colectiva que rugía poderosamente.

Irrumpieron en la primera sala, muy espaciosa. El cristal de las vitrinas brillaba con la luz plateada de la luna que atravesaba los altos ventanales. Hubo una breve pausa, como si la bestia estuviera recobrando el aliento. Salam y sus compañeros bagdadíes contemplaron la escena que se desplegaba ante ellos. El Museo Nacional de Antigüedades, que había sido uno de los orgullos de Saddam Hussein, rebosante de joyas de Mesopotamia, yacía a su disposición. No había un solo guardia a la vista. Hacía horas que los últimos miembros del personal del museo habían abandonado sus puestos, y los vigilantes habían huido al ver la turba que se acercaba.

Un mazo se estrelló contra un cristal y quebró el breve instante de silencio. Fue la señal. Un ruido ensordecedor se adueñó de la sala cuando uno tras otro, entre gritos, blandieron pistolas, mazas, hachas, palos y hasta trozos de metal arrancados de los coches convertidos en chatarra..., cualquier cosa que pudiera servirles para sacar aquellos valiosos objetos de sus urnas.

Las vitrinas fueron hechas añicos una tras otra. Las estatuas de marfil cayeron, las antiguas cerámicas se hicieron pedazos contra el suelo. En la sala, arropada normalmente por la quietud del museo, resonó el estruendo de la piedra y el vidrio al romperse y de los disparos de los más impacientes que hacían saltar a tiros las cerraduras que se les resistían. Salam se fijó en dos hombres bien vestidos que se aplicaban metódicamente con material profesional para cortar vidrio.

El suelo se estremecía con las sucesivas oleadas de gente que irrumpían en el museo; pasaban de largo por la primera sala y buscaban nuevos objetos que rapiñar en cualquier otro sitio. Chocaban con los ansiosos que salían, llevándose su precioso botín en carretillas, cochecitos de niño, bicicletas o en cajas y bolsas de plástico. Salam reconoció a un amigo de su padre; huía con el rostro arrebolado y los bolsillos repletos.

El corazón le latía a toda prisa. En sus quince años de vida no había visto a nadie comportarse de aquel modo. Hasta hacía bien poco, toda la gente a la que él conocía se movía despacio, con la cabeza gacha y los ojos vigilantes. En el Irak de Saddam Hussein más te valía no infringir las normas y no llamar la atención. Sin embargo, ahora, esa misma gente —sus vecinos— se dejaba llevar por un impulso salvaje, robaban cuanto podían y destruían el resto.

Metió la mano en una urna para coger un collar hecho de piedras preciosas de color ámbar y naranja pálido, pero alguien le sujetó la muñeca antes de que pudiera alcanzarlo: una mujer de mediana edad, de ojos llameantes, lo inmovilizó con la mano derecha mientras cogía el collar con la izquierda. Salam retrocedió unos pasos.

Pensó que era como el saqueo de una ciudad de la antigüedad: una orgía impulsada no por la lujuria, sino por la codicia, en la que los participantes satisfacían un apetito reprimido durante décadas. De repente lo empujaron otra vez hacia delante. Un nuevo grupo de saqueadores había llegado y se dirigía hacia la escalera.

Salam fue arrastrado por ellos cuando bajaron: había corrido el rumor de que el personal del museo había guardado las piezas más valiosas en los almacenes del sótano. Vio a un grupo de hombres alrededor de una puerta que acababan de arrancar de sus bisagras. Tras ella se veía una pared de bloques de hormigón; el cemento aún estaba fresco. Primero un hombre, luego dos, empezaron a aporrearla con mazos. Otros se les unieron utilizando barras de hierro e incluso los hombros. Entonces se volvieron hacia Salam.

—¡Vamos! —y le pasaron la pata metálica de una mesa.

La improvisada pared no tardó en ceder como un castillo de arena golpeado por una ola. El cabecilla del grupo se introdujo por el agujero y al instante empezó a reírse. Otros se le unieron rápidamente. Salam no tardó en ver la razón de su alegría. La estancia que había al otro lado de la pared estaba llena de tesoros: tallas en piedra de reyes y princesas, grabados de carneros y bueyes, estatuas de mujeres y deidades nubias, jarrones de cerámica, urnas y cuencos. Había zapatos de cobre, fragmentos de tapices y, en una pared, un friso en el que unos soldados luchaban en una guerra hacía mucho tiempo olvidada.

Salam llegó a ver algunas de las etiquetas pegadas en aquellos tesoros ocultos. Una identificaba una «Lira de la ciudad sumeria de Ur, con cabeza de toro dorada, fechada en 2400 a.n.e.». La lira no tardó en desaparecer. También leyó: «Cáliz tallado en piedra arenisca de Warka, fechado en 3000 a.n.e.». Salam vio cómo iba a parar al fondo de una bolsa de deporte. Hicieron falta dos hombres para mover una «Estatua representando al rey Entemena de Ur, fechada en 2430 a.n.e.», y un tercero para sacarla por el agujero de la pared. Salam recordó lo que le habían enseñado en el colegio: el Museo de Bagdad albergaba tesoros de más de cinco mil años de antigüedad. «Dentro de ese museo se halla no solo la historia de Irak, sino la historia de la humanidad», les había dicho el maestro.

Sin embargo, en esos momentos el museo parecía un mercado de verduras donde los clientes manoseaban los productos. Salvo que ahí no se trataba de tomates aplastados ni de pepinos medio podridos, sino de obras de arte y utensilios que habían sobrevivido desde los albores de la civilización.

Salam oyó gritos. Dos de los cabecillas del grupo discutían. Uno golpeó al otro y ambos se enzarzaron en una pelea y tiraron al suelo una estantería metálica llena de vasijas de terracota que se hicieron pedazos. Alguien sacó un cuchillo; un hombre dio un fuerte empujón a Salam por la espalda, hacia el tumulto. Instintivamente, el chico se revolvió, salió a toda prisa por la abertura de la pared y echó a correr.

Bajó por la escalera, oía alboroto en cada piso. Cada una de las dieciocho galerías del museo estaba siendo objeto de pillaje. El ruido lo asustó.

Siguió bajando, planta tras planta, hasta que consiguió dejar atrás a la multitud. Nadie se molestaba en llegar tan abajo habiendo arriba tantos objetos valiosos al alcance de la mano. Allí estaría a salvo de la muchedumbre.

Empujó una puerta, y esta se abrió suavemente. En la penumbra vio unas cuantas cajas que alguien había volcado y cuyo contenido estaba desparramado por el suelo. Quienquiera que fuese el responsable había hecho bien en no entretenerse allí: no era más que un despacho. Vio unos cuantos cables arrancados que colgaban como las raíces de un árbol derribado. Alguien había robado el teléfono, el fax y había dejado el resto.

Tal vez se les había pasado algo por alto, pensó Salam. Abrió los cajones de la mesa con la esperanza de encontrar una estilográfica de oro o una caja con monedas. Pero lo único que encontró fueron papeles viejos.

Le quedaba un cajón grande por abrir. Tiró y lo dejó estar. Cerrado.

Se encaminaba hacia la puerta cuando el pie se le enganchó en algo. Miró hacia abajo y vio una piedra del suelo que parecía estar suelta. Su mala suerte de siempre. Las demás eran lisas y regulares. Sin pensar en lo que hacía, metió los dedos en las ranuras y levantó la losa. Estaba demasiado oscuro para ver nada, de modo que tanteó con la mano y se le hundió en un agujero estrecho y profundo.

Entonces notó algo duro y frío al tacto. Una caja de latón. ¡Por fin dinero!

Tuvo que tumbarse, con la mejilla pegada al suelo, para llegar al fondo del agujero. Sus dedos se esforzaron por aferrar su presa. Le costó levantar la caja, pero al final consiguió sacarla. Estaba cerrada, pero su contenido era demasiado silencioso para tratarse de monedas y demasiado pesado para que fueran billetes.

Se levantó y miró alrededor en la penumbra hasta que vio encima de la mesa lo que le pareció un abrecartas. Clavó la punta en la delgada hojalata de la tapa e hizo palanca contra el metal. Repitió la operación en todo un lado de la tapa y abrió la caja como si fuera una lata de alubias. La volcó y consiguió que saliera el objeto que había dentro. El corazón le palpitaba al galope.

Pero nada más verlo se llevó un chasco. Se trataba de una tablilla de barro con algunos garabatos grabados, como tantas otras que había visto aquella noche, muchas de las cuales habían acabado hechas trizas en el suelo. Salam estaba a punto de dejarla allí cuando de repente dudó. Si alguien del museo se había tomado tantas molestias para esconder aquel trozo de barro seco, quizá tuviera algún valor.

Subió corriendo por la escalera hasta que vio la luz de la

luna. Había salido a la parte de atrás del museo, donde vio una nueva multitud de saqueadores que se abrían paso. Esperó a ver un hueco y salió por las puertas medio desencajadas. Corriendo como un loco, se perdió en la noche de Bagdad llevando consigo un tesoro cuyo verdadero valor nunca llegaría a conocer.

1

Tel Aviv, sábado por la noche. Varios años después

Allí estaba la muchedumbre de siempre: los radicales de izquierda, los hombres con el pelo largo después de haber pasado un año viajando por la India, las chicas con *piercings* de diamantes en la nariz; la gente que siempre acudía a aquellos encuentros de los sábados por la noche. Juntos cantarían las conocidas canciones —«Shir l'shalom», *Canción por la paz*— y sostendrían los símbolos de siempre: las velas, abrigadas por las manos; o los retratos de Yitzhak Rabin, el héroe asesinado que había dado su nombre a aquel pedazo de terreno sagrado años atrás. Formarían un círculo en el centro de la plaza Rabin y repartirían panfletos y pegatinas o tocarían sus guitarras y las melodías flotarían en el cálido aire de la noche mediterránea.

Fuera de lo que era el núcleo principal, había rostros nuevos y menos conocidos. Para los veteranos de aquellas reuniones pacifistas, la visión más sorprendente eran las filas de *Mizrachim*, los judíos norteafricanos de clase trabajadora que habían llegado a pie o haciendo autoestop desde algunos de los rincones más pobres de Israel. Desde siempre se contaban entre los votantes de tendencia más dura. «Conocemos a los árabes», decían, refiriéndose a sus raíces en Marruecos, Túnez o Irak, «sabemos cómo son». Duros y siempre alerta ante sus vecinos palestinos, la mayoría de ellos solían mofarse de los izquierdistas que acudían a esas manifestaciones. Sin embargo, allí estaban.

Las cámaras de televisión —de la TV israelí, la BBC, la CNN y el resto de principales cadenas internacionales— recorrieron la multitud, descubriendo más rostros inesperados y banderas con lemas en ruso agitadas por emigrantes judíos llegados de la antigua Unión Soviética, otro sector habitualmente partidario de la línea dura. Un cámara de la NBC encuadró una toma que hizo que su director soltara un silbido de entusiasmo: un hombre tocado con una kipá, el casquete de los judíos practicantes, junto a una mujer negra de origen etíope, ambos rostros iluminados por el resplandor de las velas que sostenían.

Unas cuantas filas más atrás había un hombre mayor en el que las cámaras no se habían fijado. No sonreía, y su rostro estaba contraído por una expresión de determinación. Se palpó bajo la chaqueta: seguía allí.

En la plataforma erigida provisionalmente para la ocasión había una hilera de reporteros que describían la escena para las audiencias de todo el globo. Uno de ellos, estadounidense, hablaba más alto que los demás.

—Estamos con ustedes en Tel Aviv en la que se considera una noche histórica para los israelíes y los palestinos. Dentro de unos días los dirigentes de ambos pueblos se reunirán en Washington, en los jardines de la Casa Blanca, para firmar un acuerdo que pondrá punto final a más de un siglo de conflictos. En estos momentos, las dos partes están hablando a puerta cerrada en Jerusalén, a menos de una hora de aquí, tratando de llegar a un acuerdo sobre lo que será la letra pequeña del tratado de paz. ¿Y dónde se desarrollan esas conversaciones? Bien, Katie, el lugar no podría ser más simbólico: se trata de Government House, el antiguo cuartel general de los británicos cuando gobernaban el territorio, y se alza en el límite que separa el Jerusalén Oriental, predominantemente árabe, de la parte oeste de la ciudad, básicamente judía.

»Pero esta noche la acción está aquí, en Tel Aviv. El primer ministro israelí ha convocado esta manifestación para decir *"Ken l'shalom"*, o "Sí a la paz", una iniciativa política destinada a demostrar al mundo y a los escépticos dentro de su propio país, que cuenta con el respaldo necesario para llegar a un acuerdo con el enemigo histórico de Israel.

»Hay militantes de la oposición que afirman, enojados, que el primer ministro no tiene derecho a realizar las concesiones que se rumorea están sobre la mesa: devolver los territorios de Cisjordania, desmantelar los asentamientos judíos de los territorios ocupados y, sobre todo, dividir Jerusalén. Este último punto, Katie, constituye el principal escollo. Hasta el momento Israel había insistido en que Jerusalén debía seguir siendo su capital, como una ciudad unida, para toda la eternidad. Para los enemigos del primer ministro, así lo disponen las Sagradas Escrituras, y él está a punto de quebrantarlo, pero... Espera un momento, Katie. Creo que el mandatario israelí acaba de llegar...

Una corriente de energía agitó a la multitud cuando miles de rostros se volvieron para mirar hacia el escenario. El viceprimer ministro se acercó a los micrófonos entre educados aplausos. Aunque nominalmente era colega de partido del primer ministro, la multitud allí presente sabía que había sido desde siempre uno de sus más enconados rivales.

Habló demasiado, y solo consiguió ovaciones cuando dijo: «En conclusión...». Por fin, presentó al jefe, repasó sus logros, lo alabó como hombre de paz y luego tendió la mano y le pidió que subiera al estrado. Cuando el primer ministro apareció, la multitud estalló. Al menos treinta mil personas prorrumpieron en gritos y aplausos. Lo que expresaban no era afecto por él, sino por lo que se disponía a hacer, por lo que, según la opinión general, solo él podía hacer. Nadie más tenía credibilidad para llevar a cabo los sacrificios necesarios. En cuestión de días, al menos así lo esperaban todos, él pondría fin al conflicto que había marcado la vida de cada uno de ellos.

Tenía casi setenta años, era un héroe de cuatro guerras israelíes. Si hubiera lucido las medallas recibidas, no le habría bastado con una sola americana para prenderlas. Sin embargo, el único indicio de su paso por el ejército era la marcada cojera de su pierna derecha. Llevaba más de veinte años en la política, pero seguía pensando como un soldado. La prensa siempre lo había descrito como un halcón, perennemente escéptico ante los pacifistas y sus planes. Pero en esos momentos las cosas eran distintas, se dijo a sí mismo. Había una oportunidad.

—Estamos cansados —dijo, acallando a la multitud—. Estamos cansados de luchar todos los días, cansados de llevar el uniforme de soldados, cansados de enviar a nuestros hijos, chicos y chicas, a que empuñen un fusil o conduzcan un tanque cuando apenas han terminado el colegio. Luchamos, luchamos y luchamos, pero estamos cansados. Estamos cansados de gobernar a otra gente que nunca ha querido que la gobernáramos.

Mientras hablaba, el hombre que no sonreía se abría paso entre la multitud; respiraba pesadamente. «*Slicha*», repetía una y otra vez al tiempo que empujaba sin miramientos un brazo o un hombro para apartarlo de su camino: «Disculpe».

Tenía el cabello plateado y pecho de tonel. No era más joven que el primer ministro y su avance entre aquel gentío lo estaba agotando. Tenía el cuello de la camisa manchado de sudor. Parecía como si pretendiera coger un tren a punto de salir.

Llegó cerca de las primeras filas y siguió empujando. El agente de seguridad vestido de paisano situado en la tercera fila del público fue el primero que se fijó en él. De inmediato susurró un mensaje en el micrófono que llevaba en una manga. Eso alertó a los guardias de seguridad que acordonaban el escenario, quienes buscaron de inmediato su rostro entre el gentío. No tardaron en localizarlo. No hacía el menor esfuerzo por pasar inadvertido.

En esos momentos el oficial de paisano se hallaba a pocos pasos de distancia.

—*Adoni, adoni* —llamó. «Señor, señor.»

Entonces lo reconoció.

—¡Señor Guttman! —gritó—. ¡Señor Guttman, por favor!

Al oír aquello la gente se volvió. También ellos lo reconocieron. El profesor Shimon Guttman, erudito y visionario, o agitador de extrema derecha y charlatán, dependiendo del punto de vista. Siempre presente en las tertulias de la radio y la televisión. Se había hecho famoso meses antes, cuando Israel se retiró de Gaza y él acampó en la azotea de un asentamiento judío para gritar que era un crimen que los soldados israelíes tuvieran que devolver las tierras a los árabes, que no eran más que terroristas, ladrones y asesinos.

Siguió avanzando, pasó junto a una mujer que llevaba un niño sobre los hombros.

—¡Señor, deténgase ahora mismo! —le advirtió el guardia.

Guttman no le hizo el menor caso.

El agente empezó a abrirse paso hacia él a través de un grupo de adolescentes. Pensó en desenfundar su arma, pero decidió que no; eso desencadenaría el pánico colectivo. Volvió a llamar a Guttman y su voz quedó ahogada instantáneamente por la salva de aplausos.

—Nosotros no queremos a los palestinos, y ellos no nos quieren a nosotros —decía el primer ministro—. Nunca los querremos, y ellos tampoco nos querrán.

El agente se encontraba todavía a tres filas de Guttman, que avanzaba hacia el estrado. Estaba justo detrás del viejo. Una zancada más y podría agarrarlo. Pero la multitud era más compacta en aquella zona, y cada vez le costaba más abrirse paso. Se puso de puntillas, se echó hacia delante, rozando su hombro.

Guttman había llegado a una distancia del estrado desde donde hacerse oír. Alzó la vista y miró al primer ministro, que se acercaba al momento culminante de su discurso.

—¡Kobi! —gritó, llamándolo por un apodo hace mucho olvidado—. ¡Kobi! —Los ojos se le salían de las órbitas y tenía el rostro muy colorado.

Los agentes de seguridad estaban rodeándolo: dos a cada lado y el primero que lo había visto, detrás. Estaban listos para saltar sobre él, para reducirlo en el suelo tal como los habían entrenado, cuando un sexto agente que se hallaba a la derecha del estrado detectó un movimiento repentino. Tal vez solo fuera un saludo, resultaba imposible asegurarlo, pero Guttman, sin dejar de mirar fijamente al primer ministro, parecía estar metiendo la mano bajo la chaqueta.

El primer disparo fue directamente a la cabeza, tal como lo había practicado cientos de veces. Tenía que ser en la cabeza para asegurar una parálisis inmediata. Nada de movimientos reflejos que pudieran activar una bomba suicida; nada de segundos de agonía que el sospechoso pudiera aprovechar para apretar el gatillo. El cráneo de Guttman estalló como una sandía madura, salpicando sangre y sesos a cuantos estaban alrededor.

En cuestión de segundos habían sacado del estrado al primer ministro, rodeado por una nube de agentes de seguridad que lo empujaban hacia el coche. La multitud, que treinta segundos antes sonreía y aplaudía, temblaba presa del pánico. Los de las primeras filas gritaban mientra intentaban alejarse corriendo de la horrible vista del cadáver. Cogiéndose de los brazos, la policía formó un cordón de seguridad alrededor del cuerpo de Guttman, pero era casi imposible retener la presión de la multitud. La gente gritaba y pateaba en el desesperado intento de alejarse.

Dos oficiales del ejército del séquito del primer ministro se abrían paso en sentido contrario, decididos a romper el improvisado cordón y llegar hasta el presunto asesino. Uno de ellos mostró una placa de identificación al policía más cercano y luego se deslizó bajo su brazo y entró en el círculo formado alrededor del cuerpo.

Apenas quedaba nada de la cabeza del hombre para identificarlo, pero el resto del cuerpo estaba casi intacto. Se había desplomado boca abajo, y el oficial dio la vuelta al cadáver. Lo que vio lo dejó pálido.

No fueron las cuencas sin ojos ni el cráneo astillado; había visto eso antes. Fueron las manos o, mejor dicho, la mano derecha. Seguía cerrada, pero no alrededor de una pistola sino de un pedazo de papel que se había manchado de sangre. Ese hombre no había intentado sacar un revólver, sino una nota. Shimon Guttman no quería matar al primer ministro. Quería decirle algo.

2

Washington, domingo, 9.00 h

Gran día el de hoy, cariño.

—¿Mmm?

—Vamos, cielo. Es hora de levantarse.

—¿Mmm?

—Está bien. A la una, a las dos, a las tres y vamos... ¡sábanas fuera!

—¡Eh!

Maggie Costello se incorporó, agarró el edredón y volvió a taparse; esta vez se aseguró de que se cubría también la cabeza. Odiaba madrugar y consideraba que el rato que remoloneaba en la cama los domingos formaba parte de sus derechos constitucionales.

Pero Edward, no. Seguramente ya llevaba un par de horas levantado. No era así cuando se conocieron. En África, en el Congo, era tan trasnochador como ella; pero cuando volvieron, se adaptó muy deprisa. Era un hombre de Washington que salía de casa justo pasadas las seis. A través de un ojo, entrecerrado y hundido en la almohada, Maggie consiguió ver que iba vestido con un pantalón corto para correr y un suéter, ambos sudados. Ella seguía medio inconsciente, y él ya había vuelto de correr por el parque Rock Creek.

—¡Vamos, levanta! —le gritó Edward desde el cuarto de baño—. He organizado todo el día para amueblar este apartamento. Primero, Crate & Barrel; luego, Bed, Bath & Beyond; y por último, Macy's. Lo tengo todo planeado.

—Todo el día no —murmuró Maggie, sabiendo que él no la oiría. Ella tenía una reunión por la mañana, el margen que solía conceder a los clientes que nunca podían quedar entre semana.

—La verdad es que todo el día no —gritó Edward, haciéndose oír por encima del ruido de la ducha—. Tú antes tienes una reunión, ¿te acuerdas?

Maggie se hizo la sorda y, todavía en posición horizontal, cogió el mando del televisor. Si no tenía más remedio que despertarse a aquella hora espantosa, por lo menos le sacaría algún provecho: el programa de entrevistas de los domingos. Cuando sintonizó el canal de la ABC, el resumen de las noticias ya había empezado.

—«El nerviosismo reina a esta hora en Jerusalén después de los actos de violencia que ayer empañaron la manifestación a favor de la paz y durante la cual el primer ministro pareció ser el objetivo de un intento de asesinato. Se teme el impacto que estos últimos acontecimientos puedan tener en las negociaciones de paz para Oriente Próximo, de las cuales se espera que tengan un resultado...»

—Cariño, en serio, estarán aquí dentro de nada.

Maggie cogió el mando y subió el volumen. Las noticias seguían, y la conexión saltaba entre los corresponsales de Jerusalén y la Casa Blanca, que explicaban que el gobierno de Estados Unidos estaba tomando las medidas necesarias para que los interlocutores no perdieran los nervios y siguieran negociando.

«Menuda pesadilla», se dijo Maggie. De repente un suceso externo amenazaba con echar por tierra toda la confianza conseguida, todos los progresos logrados a fuerza de paciencia. Imaginó a los mediadores que habían llevado a israelíes y palestinos hasta ese punto. No los grandes nombres en política, el secretario de Estado o el ministro de Asuntos Exteriores que salían a la palestra en el último minuto, sino los negociadores entre bambalinas, los que hacían el trabajo duro durante meses e incluso años antes. Se imaginó su frustración y su angustia. «Pobres cabrones.»

—«El tiempo que se prevé en la costa Este hasta las nueve y cuarto...»

—¡Oye, que estaba viendo eso!

—No tienes tiempo. —Edward se secaba con la toalla frente al televisor, tapándole la vista de la pantalla, como si así subrayara sus palabras.

—¿Por qué ahora, de repente, te preocupas tanto por mi horario?

Él dejó de frotarse con la toalla y se volvió zalamero hacia Maggie.

—Porque me preocupo por ti, cariño, y no quiero que comiences el día con mal pie. Si empiezas tarde, llegas tarde. Deberías darme las gracias.

—De acuerdo —repuso Maggie mientras tiraba de sí misma hacia arriba—. Gracias.

—Además, ya no tienes que estar pendiente de este asunto. Ahora ya no es tu problema, ¿no?

Maggie lo miró: qué diferente era del hombre con unos chinos y un polo arrugado que había conocido tres años antes. Seguía siendo atractivo; sus facciones eran fuertes y masculinas. Sin embargo, desde que se trasladaron a Washington, Ed se había «aseado»; así lo habría expresado Maggie en sus días de colegio en Dublín. Trabajaba en el departamento de Comercio, era especialista en comercio internacional y siempre iba bien afeitado; camisas de Brooks Brothers recién planchadas y zapatos relucientes. Se había convertido en una criatura de Washington, no muy diferente de los sosos jóvenes blancos a los que veían en los *brunches* y en las fiestas a las que acudían desde que él era una pieza más del Washington oficial. En esos momentos, solo ella sabía que bajo ese pulcro exterior se ocultaba un hombre idealista, despreocupado por su aspecto, que había colaborado con una organización humanitaria repartiendo comida, y del que ella se había enamorado.

No empezaron a salir juntos enseguida porque a ella la trasladaron a Sudamérica poco después de que se conocieran. Cuando Maggie volvió a África, él estaba en los Balcanes. Así eran las cosas para las personas como ellos, una combinación de trabajo y azar. De modo que todo quedó en una chispa, en un «quizá algún día», hasta que volvieron a encontrarse en el continente africano. De eso hacía un año. Ella estaba atravesando la resaca de un episodio del que casi nunca hablaban, y él la rescató. Nunca se lo agradecería bastante.

Se metió medio dormida bajo la ducha y no había acabado de secarse cuando sonó el interfono: sus clientes aguardaban en la puerta del edificio. Les abrió la puerta. Teniendo en cuenta el trayecto en el ascensor, le quedaba más o menos un minuto para vestirse. Se recogió rápidamente el pelo en una cola de caballo y se puso un suéter holgado que le llegaba hasta las perneras de los vaqueros; luego abrió a toda prisa el armario y cogió los primeros zapatos planos que vio.

El tiempo justo de echarse un vistazo en el espejo de la entrada: nada demasiado fuera de lugar, nada en lo que fijarse. Eso se había convertido en una costumbre desde que llegó a Washington. «Vestirse para desaparecer», había dicho Liz, su hermana pequeña, cuando pasó por allí a visitarla. «Mírate —le dijo—. Todo negro y gris y jerséis en los que cabría una familia numerosa. Te vistes como si estuvieras gorda, ¿lo sabías? Tienes un tipazo increíble pero nadie lo sabe. Es como si tu cuerpo fuera una obra clandestina.» Liz, aspirante a escritora y *blogger* se rió de su propia broma.

Maggie le dijo que se fuera a paseo, aunque sabía que su hermana tenía razón. «Es mejor para el trabajo —se había justificado—. En la mediación entre parejas, el mediador debe ser como un cristal, de modo que el hombre y la mujer puedan mirar a través de él y verse mutuamente en lugar de verte a ti.»

Pero Liz no quedó convencida. Supuso que Maggie había sacado aquella bobada de algún manual. Y tenía razón.

De todas maneras, Maggie tampoco se atrevió a declarar que esa nueva apariencia era también la que prefería su pareja. Al principio con discretas sugerencias y después más abiertamente, Edward la había animado a que se a recogiera el pelo y descartara las camisetas ceñidas, los pantalones ajustados y las faldas por encima de la rodilla que habían sido su vestuario urbano. Tenía un argumento para cada ocasión —«Este color te sienta mejor»; «Creo que esto es más apropiado»—, y parecía sincero. Sin embargo, todas sus intervenciones apuntaban en la misma dirección: más discreta, menos sexy.

Pero Maggie no le diría una palabra de todo aquello a Liz. Su hermana, que había sentido desde el principio un absoluto e irracional rechazo hacia Edward, no necesitaba más munición. Además, no habría sido justa con él. Si Maggie había cambiado su forma de vestir, había sido por decisión propia, en parte tomada por una razón que nunca había compartido ni compartiría con Liz. Antes Maggie vestía sexy, para qué negarlo. Pero ¿adónde la había llevado eso? No volvería a cometer el mismo error.

Abrió la puerta a Kathy y Brett George y los hizo pasar a la habitación que reservaba para esas tareas. Ambos formaban parte del programa para parejas puesto en marcha por las autoridades del estado de Virginia, un nuevo sistema de «enfriamiento» que obligaba a los matrimonios a someterse a mediación matrimonial antes de que les concedieran el divorcio. Normalmente, en seis sesiones el matrimonio acordaba los términos de la ruptura, no hacía falta recurrir a abogados y se ahorraban disgustos y dinero. Al menos esa era la teoría.

Les indicó que tomaran asiento y les recordó dónde lo habían dejado la semana anterior y qué cuestiones seguían pendientes. Entonces, como si hubiera disparado el pistoletazo de salida, marido y mujer la emprendieron el uno contra el otro con una ferocidad que no se había repetido desde el primer día.

—Cariño, estoy dispuesto a darte la casa, y de paso también el coche. Solo pongo unas condiciones...

—Que me quede en casa cuidando a tus hijos.

—A nuestros hijos, Kathy, a nuestros hijos.

Tendrían unos cuarenta años, tal vez siete u ocho años más que Maggie, pero podrían ser de otra generación, por no decir de otro planeta. Maggie escuchó sin entender las discusiones sobre a quién correspondía el uso de la casa de veraneo de New Hampshire, lo cual dio paso a una agria disputa sobre si Kathy había sido una buena nuera para el padre de Brett cuando el viejo se puso enfermo, a lo que Kathy respondió que Brett siempre se había mostrado descortés cuando sus padres habían ido a visitarla.

Estaba harta de los George. Los dos se habían sentado en el sofá y se habían atizado mutuamente durante cuatro semanas consecutivas sin prestar la menor atención a lo que ella les decía. Lo había intentado por la vía discreta, diciendo poco y asintiendo de vez en cuando; lo había intentado implicándose e interviniendo en todos los aspectos de las discusiones, dirigiéndolas y canalizándolas como si fueran un torrente que atravesara la habitación. Ese segundo método era el que prefería: intervenir con sus propias preguntas y sus opiniones, sin importarle que aquella rata sabia arrugara la nariz ni que aquel gallito estirado pusiera mala cara. Pero tampoco había funcionado. Seguían acudiendo a su consulta tan confusos como al principio.

—Maggie, ¿ves lo que hizo este hombre? ¿Ves lo que hace?

Escuchar a aquella pareja hacía que Maggie se preguntara con desesperación por qué se había metido en aquel lío. En su momento le pareció que tenía sentido. El puesto decía «Mediadora», y eso era ella. De acuerdo, no era precisamente el campo al que estaba acostumbrada pero una mediación era una mediación, ¿no? ¿Tan diferente podía ser? Además, no soportaba la idea de volver al trabajo de antes. Desde que había visto lo que te podía ocurrir si fracasabas, le tenía miedo.

Aun así, si aquella pareja no era capaz de convencerla de que había cometido un terrible error, que Dios bajara y lo viera.

—Escucha, Maggie, espero que esto quede bien claro: estoy más que dispuesto a pagar la pensión que consideremos razonable. No soy ningún tacaño. Firmaré el cheque ahora mismo. Solo pongo una condición...

—¡Quiere controlarme!

—Mi condición, Maggie, es muy, muy simple: si Kathy quiere recibir mi dinero para la educación de nuestros hijos; en otras palabras, si quiere que de verdad yo le pague para que cuide de ellos, entonces exijo de ella que no se dedique a otro trabajo al mismo tiempo.

—¡No está dispuesto a pagar la alimentación de los niños a menos que renuncie a mi carrera profesional! ¿Has oído eso, Maggie?

Maggie percibió en el tono de Kathy algo que no había notado antes. Cual sabueso olfateando una nueva pista, decidió seguirla a ver adónde conducía.

—¿Y por qué va a querer que renuncies a tu profesión, Kathy?

—¡Vaya, esto es ridículo!

—Disculpa, Brett, pero la pregunta se la he hecho a Kathy.

—No lo sé. Dice que es mejor para los niños.

—Pero tú crees que es por otra cosa.

—Sí.

—¡Por el amor de Dios!

—Sigue, Kathy.

—A veces me pregunto si..., si Brett no prefiere que yo dependa de él.

—Ya veo. —Maggie se dio cuenta de que Brett guardaba silencio—. ¿Y por qué puede querer algo así?

—No lo sé. Quizá le guste que sea débil... Tú sabes que su primera mujer era alcohólica, ¿verdad? ¿Y sabías también que tan pronto como ella se puso bien él la dejó?

—Es indigno que mezcles a Julie en esto.

Maggie no dejaba de tomar notas sin dejar de mirar a la pareja. Era un truco que había aprendido tiempo atrás, en negociaciones de otro tipo.

—Edward, ¿qué tienes que decir a todo esto?

—¿Cómo?

—Lo siento, Brett. Disculpa. Brett, ¿qué opinas de esto, de la idea de que, de algún modo, intentas que Kathy sea débil? Creo que esa ha sido la palabra que ha utilizado, «débil».

Brett habló un momento, refutó la acusación e insistió en que llevaba dos años queriendo separarse de Julie, pero que consideró que no estaba bien hacerlo hasta que ella se hubiera recuperado. Maggie asentía, pero la verdad era que estaba distraída. Primero porque el interfono había sonado mientras Brett hablaba y a continuación había oído varias voces masculinas, la de Edward y las de otros hombres que no reconoció. Y, por el ridículo desliz de su lengua. Se preguntó si Brett y Kathy se habían dado cuenta.

Lamentando haber abordado aquel tema —territorio de un terapeuta más que de un mediador—, Maggie decidió cambiar radicalmente de enfoque. «Muy bien —se dijo—, tenemos que pasar a la fase final.»

—Brett, ¿cuáles son tus líneas rojas?

—¿Perdón?

—Sí, tus líneas rojas; las cosas en las que no estás dispuesto a transigir bajo ninguna circunstancia. Toma. —Le entregó una libreta y un lápiz, demasiado bruscamente para el gusto de Brett—. Y tú también, Kathy. Vuestra línea roja. Adelante. Ponedlo por escrito.

Pocos segundos después, los dos estaban escribiendo. Maggie se sintió como si estuviera otra vez en el colegio, en Dublín. El verano, la temporada de exámenes, las monjas merodeando para asegurarse de que no copiaba del Mairead Breen. Solo que en esos momentos ella era una de las monjas. «Por fin un momento de tranquilidad», pensó.

Observó a la pareja que tenía delante: dos personas que en su momento se habían enamorado tanto que habían decidido compartirlo todo, incluso engendrar tres nuevas vidas. Cuando se había encontrado de nuevo con Edward después de..., después de todo lo que había pasado, había soñado con un futuro parecido para ella. No más zonas de guerra, no más salas de reuniones anónimas, no más jornadas de veinticuatro horas a base de café y cigarrillos. Después de haber cruzado los treinta, por fin sentaría la cabeza y tendría una vida de familia. Sí, lo haría quince años más tarde que sus compañeras de colegio, pero tendría una familia y una vida.

—¿Has acabado, Brett? ¿Y tú, Kathy?

—Es que hay un montón de cosas que poner.

—Recordad, no todo es una línea roja. Hay que ser selectivo. Bien, Kathy, dinos tus tres líneas rojas.

—¿Tres? ¿Estás de broma?

—Recuerda que he dicho «selectivo».

—Está bien. —Kathy empezó a mordisquear el extremo del lápiz hasta que se dio cuenta y se lo sacó de la boca—. Dinero para los niños. Los niños deben tener una seguridad económica absoluta.

—De acuerdo.

—Y la casa. Debo quedarme con la casa para que los niños tengan sensación de continuidad.

—Una más.

—Plena custodia de los niños, desde luego. Me los quedo yo. Sobre eso no hay discusión.

—¡Por el amor de Dios, Kathy...!

—Un momento, Brett, primero tienes que decirme tus tres líneas rojas.

—¡Pero si ya hemos hecho esto un montón de veces!

—No. De este modo no. Quiero que me digas cuáles son tus tres líneas rojas.

—Quiero tener a los niños el día de Acción de Gracias para que puedan comer con mis padres. Eso lo quiero.

—Bien.

—Y libre acceso. O sea que pueda llamar y decir, no sé, «Hola Joey, los Redskins juegan esta noche, ¿quieres que vayamos?». Quiero poder hacer eso sin tener que avisar tres semanas antes. Acceso siempre que quiera.

—Ni hablar...

—Kathy, ahora no. ¿Y la tercera, Brett?

—Es que tengo más.

—He dicho tres.

—Lo que he dicho antes: nada de dinero si ella no se dedica a tiempo completo a los niños.

—¿No te parece que estás diciendo que no a la primera línea roja de Kathy? No puedes anularlas sin más.

—De acuerdo, lo plantearé de otra manera. Pagaré la educación de los niños solo si recibo a cambio de mi dinero un servicio de cinco estrellas. Y eso significa que a los niños los cuide su madre.

—¡Eso no es justo! ¡Estás utilizando a los niños para chantajearme y obligarme a dejar mi profesión!

Y volvieron a la carga, a gritarse el uno al otro y hacer caso omiso de Maggie. «Como en los viejos tiempos», se dijo Maggie sonriendo para sus adentros. Al fin y al cabo estaba acostumbrada a eso, a negociar divorcios entre dos personas que no podían ni mirarse a la cara, que se tiraban al cuello la una de la otra. Una imagen acudió a su cerebro, pero la apartó rápidamente.

Sin embargo, ayudó. Le dio una idea o, mejor dicho, le hizo ver algo en lo que no había reparado hasta ese instante.

—Muy bien, Brett y Kathy. Acabo de tomar una decisión. Estas sesiones se han convertido en un trámite inútil. Son una pérdida de tiempo tanto para vosotros como para mí. Vamos a dejarlo aquí —dijo cerrando de golpe la carpeta que tenía en su regazo.

Las dos personas que tenía delante dejaron de discutir de repente y la miraron. Maggie notó sus miradas, pero no les hizo caso y se dedicó a poner orden en sus papeles.

—No os preocupéis por el papeleo. Llevaré los documentos a las autoridades mañana. Cada uno tiene un abogado, ¿verdad? Sí, claro que sí. Bueno, ellos se encargarán de todo a partir de ahora.

Se levantó, como si se dispusiera a acompañarlos a la puerta.

Brett parecía petrificado; Kathy estaba boquiabierta. Al final, Brett se obligó a hablar.

—No puedes, no puedes hacernos esto.

—¿Hacer qué, exactamente? —Maggie le dio la espalda mientras devolvía el expediente a su lugar en la estantería.

—¡No puedes abandonarnos!

Kathy se unió a su marido.

—Te necesitamos, Maggie. No hay forma de que podamos salir de esta sin tu ayuda.

—Oh, no os preocupéis por eso. Los abogados lo arreglarán. —Maggie siguió moviéndose por el cuarto, evitando el contacto visual. Oyó de nuevo el interfono y el sonido de otra persona o personas entrando y saliendo del apartamento. ¿Qué estaba ocurriendo?

—¡Los abogados acabarán con nosotros! —exclamó Brett—. Se quedarán con nuestro dinero y convertirán el asunto en una pesadilla peor de la que ya es.

La cosa funcionaba.

—Escucha, Maggie —rogó Brett—. Nos pondremos de acuerdo. Te lo prometemos, ¿verdad, Kathy?

—Sí, lo prometemos.

—¿Vale? Te lo estamos prometiendo. Lo arreglaremos. Ahora mismo.

—Creo que es demasiado tarde para eso. Establecimos un tiempo para resolver las cosas...

—Oh, Maggie, por favor, no digas eso. —Era Kathy; imploraba—. No queda tanto por arreglar. Ya has oído cuáles son nuestras líneas rojas. No estamos tan alejados.

Maggie se dio la vuelta.

—Os concedo diez minutos.

En realidad tardaron quince. Pero cuando salieron del despacho de Maggie al sol de aquella mañana de septiembre en Washington, Kathy y Brett George habían acordado compartir los gastos del cuidado y la educación de sus hijos de forma proporcional a sus ingresos, Brett pagaría más porque ganaba más, y la contribución de Kathy se reduciría a cero en caso de que dejara de trabajar para ocuparse de los niños. Así pues, él pagaría su parte aunque ella siguiera trabajando. De todas maneras, Kathy tendría un verdadero incentivo para quedarse en casa. Los niños vivirían con su madre en la casa, salvo fines de semana alternos y siempre que a ellos y a su padre les viniera en gana verse. La regla sería que no habría reglas estrictas. Antes de marcharse, abrazaron a Maggie y, para sorpresa de esta, se abrazaron ellos también.

Maggie se dejó caer en un sillón y se permitió una sonrisa de satisfacción. ¿Así era como compensaba lo que había hecho hacía más de un año? ¿Poco a poco, pareja tras pareja, reduciendo la desdicha de este mundo? La idea le resultó reconfortante, durante un par de minutos, hasta que se dio cuenta del tiempo que le llevaría. Para compensar todas las vidas perdidas por su culpa y por ese maldito error, tendría que pasar la eternidad en aquella habitación. Y aun así no sería suficiente.

Miró el reloj. Tenía que ponerse en marcha. Edward estaría esperándola fuera, listo para recorrer todas las tiendas de Washington dedicadas a la casa con la intención de equipar su hogar casi marital.

Abrió la puerta y se llevó una sorpresa. En la pequeña zona que destinaba a sala de espera, hojeando uno de los números atrasados de *Vogue*, estaba sentado un hombre vestido al estilo de Washington. Al igual que Edward, llevaba el uniforme completo de los domingos: camisa, americana azul y mocasines. Maggie no lo reconoció, pero eso no significaba que no lo hubiera visto anteriormente. Ese era uno de los problemas con los hombres de la capital: parecían todos iguales.

—Hola, ¿tiene usted cita?

—No. Se trata de una especie de emergencia. No tardaré.

¿Una emergencia? ¿Qué demonios significaba eso? Avanzó por el pasillo y abrió la puerta de la cocina. Allí Edward estaba firmando en un aparato de recibos electrónico que sostenía un hombre vestido con un mono de trabajo.

—¿Qué está pasando aquí, Edward?

Le pareció que él palidecía.

—Ah, cariño, puedo explicártelo. Tenían que desaparecer. Ocupaban demasiado espacio y lo desorganizaban todo. De modo que lo he hecho. Ya no están.

—¿De qué narices estás hablando?

—De las cajas que has tenido en tu estudio durante casi un año. Me dijiste que las desharías, pero no lo has hecho. Así que este señor tan amable las ha cargado en su camión y ahora van camino del vertedero.

Maggie contempló al hombre del mono, que tenía la vista clavada en el suelo, y comprendió qué había pasado. Pero no pudo creerlo. Pasó hecha una furia ante Edward, y abrió de golpe la puerta del estudio y efectivamente, el rincón estaba vacío. La moqueta donde aquellas dos cajas habían descansado se veía aplastada y presentaba un tono diferente. Volvió corriendo a la cocina.

—¡Cabrón! En esas cajas estaban mis..., mis cartas y fotografías y..., y toda mi puñetera vida, y tú ¿vas y las tiras?

Maggie corrió hasta la puerta, pero el transportista, sin duda oliéndose problemas, se había largado. Maldiciendo en voz alta, llamó el ascensor una y otra vez.

—¡Vamos, vamos, vamos! —mascculló apretando las mandíbulas.

Cuando el ascensor llegó, Maggie deseó que bajara más deprisa. Tan pronto como se detuvo en la planta baja y las puertas empezaron a abrirse, se deslizó por la abertura, corrió hasta la entrada del edificio y salió a la calle. Allí miró a derecha e izquierda, luego de nuevo a la izquierda y entonces lo vio: un camión verde que arrancaba. Corrió cuanto pudo para darle alcance y llegó a estar a pocos metros. Agitaba frenéticamente los brazos, como alguien pidiendo socorro tras un accidente de tráfico. Pero era demasiado tarde. El camión aceleró y desapareció. Todo lo que tenía era un número de teléfono incompleto y lo que creyó que era un nombre: National Removals.

Corrió escalera arriba, cogió el teléfono febrilmente, marcó el número de información con dedos temblorosos y preguntó el teléfono de la empresa. Se lo encontraron y le ofrecieron pasarle la comunicación. Tres timbrazos, cuatro, cinco. Un mensaje grabado: «Lo sentimos, pero todas nuestras oficinas están cerradas en domingo. Nuestro horario comercial es de lunes a viernes...». Si esperaba hasta el día siguiente sería demasiado tarde: habrían destruido las cajas y todo lo que contenían.

Volvió a la cocina y se encontró a Edward de pie, en actitud desafiante.

—Las has tirado —empezó a decir en voz baja.

—En efecto, las he tirado. Hacían que esta casa pareciera un jodido antro de estudiantes. Todos esos trastos, toda esa basura sentimental... Tenías que desprenderte de ella, Maggie. Tienes que seguir adelante.

—Pero, pero... —Maggie no lo miraba, tenía los ojos clavados en el suelo mientras se esforzaba por asimilar lo que había ocurrido. No eran solo las cartas de sus padres, las fotografías de Irlanda, sino también las notas que había tomado durante negociaciones cruciales, los apuntes privados sobre los líderes rebeldes y los enviados de la ONU. Aquellas cajas contenían el trabajo de su vida. Y en esos momentos iban camino del vertedero.

—Lo he hecho por ti, Maggie. Ese mundo ya no es tu mundo. Ese mundo ha seguido adelante sin ti. Y tú tienes que hacer lo mismo. Tienes que adaptar tu vida a lo que es. Nuestra vida.

Ahí estaba la razón de que esa mañana Edward se hubiera mostrado tan impaciente por que ella se encerrara en su despacho. ¡Y ella que había creído que solo quería que empezara el día con buen pie...! ¡Si hasta le había dado las gracias! Lo cierto era que Edward había procurado que los del transporte acabaran antes de que ella pudiera detenerlos. Por primera vez, Maggie le sostuvo la mirada. Despacio y en voz baja, como si le costara creer sus propias palabras, dijo:

—Quieres destruir lo que soy.

Él la miró inexpresivamente; luego señaló con la cabeza el otro extremo del apartamento.

—Creo que te están esperando —contestó en un tono frío como el hielo.

Maggie salió casi tambaleándose, incapaz de asimilar lo sucedido. ¿Cómo podía haber hecho algo así sin pedirle permiso, sin consultarle siquiera? ¿Odiaba a la Maggie Costello que conoció tiempo atrás hasta el punto de desear borrar todo rastro suyo y sustituirla por alguien diferente, gris y servil?

Entró en la zona que hacía de sala de espera con la cabeza dándole vueltas. El hombre de la americana azul seguía allí. En esos momentos hojeaba las páginas del *Atlantic Monthly*.

—¿Es un mal momento? Lo siento.

—No, no —repuso Maggie con voz apenas audible, y preguntó maquinalmente—: ¿Su mujer está de camino?

El hombre hizo una curiosa mueca.

—No debería tardar en llegar.

Maggie le indicó que pasara a la consulta.

—Dijo usted que se trataba de una emergencia... —Intentó recordar el caso, averiguar si era uno de los pocos clientes a los que había dicho que podían ponerse en contacto con ella en domingo.

—Sí. Verá, mi problema es que me cuesta mucho adaptarme.

—¿A qué?

—A la vida de aquí. A la normalidad.

—¿Dónde estaba usted antes?

—En todas partes, viajando de un lugar problemático a otro. Siempre intentando hacer el bien, siempre intentando que el mundo fuera un lugar mejor y toda esa mierda.

—¿Es usted médico?

—De alguna manera podría decirse que sí. Intento salvar vidas.

Maggie notó que sus músculos se tensaban.

—Y ahora ha vuelto a casa y le cuesta adaptarse...

—¡A casa! Menuda broma. Ya no sé qué es eso que llaman «casa». No soy de Washington. Hace casi veinte años que no he estado en mi ciudad. Siempre en la carretera, en aviones, en habitaciones de hotel, durmiendo en cualquier sitio...

—Pero esa no es la razón por la que le está resultando tan difícil adaptarse, ¿no?

—No. Creo que echo de menos la adrenalina, la emoción. Suena fatal, ¿verdad?

—Siga.

Maggie estaba recordando todo lo que había en aquellas cajas. Una carta manuscrita que había recibido del primer ministro británico dándole las gracias después de las conversaciones de Kosovo. Una foto que guardaba como un tesoro del hombre al que había amado a los veintitantos.

—Antes, todo lo que hacía parecía tan importante... Las apuestas eran muy altas. En cambio ahora nada se le parece ni remotamente. Todo es tan banal...

Miró fijamente al hombre. Las palabras salían de sus labios

pero sus ojos eran fríos e indiferentes. Empezó a sentirse incómoda en su presencia.

—¿Puede decirme algo más sobre el trabajo que estaba haciendo?

—Empecé con una organización de ayuda humanitaria en África. Trabajé con la gente de allí durante una guerra civil particularmente cruenta. De alguna manera, en realidad por casualidad, acabé siendo una de las pocas personas que podía hablar con ambos bandos. Naciones Unidas empezó a utilizarme como mediador, y yo les conseguí resultados.

Maggie se estremeció. Su cerebro daba vueltas a toda velocidad, y se preguntó si debía llamar a Edward, aunque eso era lo último que deseaba hacer.

—Al final me convertí en una especie de mediador profesional. El gobierno de Estados Unidos me contrató para que interviniera en un proceso de paz que estaba bloqueado. A partir de ahí, una cosa llevó a la otra y acabaron mandándome por todo el mundo, a conversaciones de paz que habían encallado. Me llamaban el Telonero porque yo era quien acababa cerrando los acuerdos.

¿Y si salía corriendo? Pero algo le dijo que no mirara siquiera la puerta. No quería de ningún modo provocar a aquel hombre.

—¿Qué ocurrió entonces? —Su voz no delataba nada, salvo años de práctica.

—Yo era el mejor en mi campo. Estuve en todas partes, en Belgrado, Bagdad, volví a África...

Maggie tragó saliva.

—Entonces cometí un error.

—¿Dónde?

—En África.

Maggie no alzó la voz ni siquiera cuando dijo:

—¿Quién demonios es usted?

—Creo que ya sabe quién soy.

—No. No lo sé. Dígame quién es y a qué está jugando. Dígamelo ahora mismo o llamaré a la policía.

—Usted sabe quién soy, Maggie. Lo sabe perfectamente. Yo soy usted.

3

Washington, domingo, 10.43 h

No fue ninguna sorpresa. Lo supo en el instante en que el hombre mencionó África y las Naciones Unidas. Ese tipo le había estado explicando su propia historia fingiendo que era la de él. Un pequeño truco de lo más feo.

Aun así, no era eso lo que la inquietaba. Estaba acostumbrada a tratar con capullos. Aquel hombre parecía saberlo todo sobre ella, incluido su... ¿Cómo lo había llamado? Su «error».

—Créame, no estoy aquí para burlarme de usted —dijo el hombre.

—Pero tampoco ha venido porque necesita un mediador para un divorcio, ¿verdad?

—No tengo esposa de la que divorciarme. Estoy como solía estar usted: casado con mi trabajo.

—¿Y qué trabajo es ese, exactamente?

—Trabajo para la misma gente para la que usted trabajaba: para el gobierno de Estados Unidos. Me llamo Judd Bonham —dijo tendiéndole la mano.

Maggie hizo como si no la viera y se recostó despacio en el sillón. La cabeza le daba vueltas. Primero, Edward y las cajas; y ahora, eso. Al principio había tomado a Bonham por una especie de merodeador psicótico, un marido despechado que la consideraba culpable de su divorcio. No sería demasiado difícil buscar en Google los datos sobre su vida y después presentarse en su consulta para darle un buen susto. Sin embargo, sabía que se había equivocado. Sí, Bonham estaba allí por un asunto oficial, pero ¿cuál? Maggie no había hecho nada para la CIA o para el departamento de Estado desde... entonces. De eso hacía ya más de un año, y había cortado todo contacto: ni una carta ni una llamada. Nada. Si por ella fuera, ni siquiera estaría viviendo en los puñeteros Estados Unidos. No habría vuelto a Irlanda; eso no lo habría podido soportar. Pero sí pensó en seguir a Liz a Londres. Sin embargo, había acabado en el maldito Washington, en las entrañas de la bestia. Todo por estar con Edward.

—Debo felicitarle. No ha perdido su habilidad —dijo Bonham.

Ella lo miró.

—Sigue siendo buena en su trabajo. El truco del avión con los motores a todo gas, a punto de despegar ha estado bien. Me encanta.

—¿Qué?

—Su cita con Kathy y Brett. Eso de amenazar a ambas partes con largarse. Deberían enseñarlo en las escuelas de mediación. ¿No lo hizo Clinton en Camp David? Hay que poner en marcha las palas del helicóptero, como si fuera a despegar en cualquier momento. El mediador les dice que lo deja, y ellos se asustan, se dan cuenta de lo mucho que lo necesitan, a él y las conversaciones. De repente comprenden que cualquier otro acuerdo al que lleguen fuera de esa mesa será peor, y eso los une, hace que las dos partes quieran negociar. Ustedes, los mediadores, lo llaman «proyecto compartido», ¿no? La cuestión es que la amenaza los une incluso contra un enemigo común: usted. Genial.

—Ha estado escuchando...

—Qué quiere que le diga. Es deformación profesional.

—Hijo de puta.

—Me gusta cómo lo dice. Con su acento suena sexy.

—Lárguese.

—Sin embargo, veo que últimamente lo de ir sexy lo tiene un poco aparcado. Eso de juguetear con el pelo se ha acabado. ¿Es por influencia de Edward?

—Márchese.

—Me marcharé, desde luego. Pero antes tengo una propuesta que hacerle.

Maggie lo miró fijamente.

—No se preocupe, no es esa clase de propuesta. Y no es que no me tiente. Si alguna vez se cansa de Edward...

—Voy a llamar a la policía. —Maggie cogió el teléfono.

—No, no lo hará. Y ambos sabemos por qué.

Eso la detuvo. Dejó el teléfono en su sitio. Ese hombre estaba enterado de su «error». Y hablaría. El *Washington Post,* algún *blog*, daba igual. La verdadera razón de su exilio, conocida solo por un puñado de especialistas en diplomacia, sería del dominio público. Lo poco que quedaba de su reputación acabaría en el fango.

—¿Qué quiere? —preguntó con un hilo de voz.

—Queremos que salga de su retiro.

—No.

—Por favor. La primera norma en cualquier negociación es que hay que escuchar.

—Yo no estoy negociando con usted. Quiero que se largue.

—La gente para la que trabajo no suele aceptar un «no» como respuesta.

—¿Y para quién trabaja exactamente? Lo de «para el gobierno de Estados Unidos» suena un poco vago.

—Digamos que esto viene de lo más cerca del nivel más alto al que se puede llegar en esta ciudad. Tiene usted toda una reputación, señorita Costello, ya lo sabe.

—Bien, puede decirles que me siento halagada. Pero la respuesta es «no».

—¿Ni siquiera siente curiosidad?

—No. Ese ya no es mi trabajo. Ahora trabajo aquí. Soy mediadora matrimonial. Y no acepto casos de emergencia. Lo que significa que tiene usted un minuto para levantarse y marcharse.

—No voy a menospreciar su inteligencia, Maggie. Usted lee los periódicos. Sabe lo que está pasando en Jerusalén. Nos falta esto para cerrar un acuerdo. —Alzó el índice y el pulgar a menos de medio centímetro—. Nunca antes habíamos estado tan cerca de conseguirlo.

Maggie no contestó.

—Y también sabe lo que ocurrió ayer: un atentado contra el primer ministro. O lo que pareció un atentado. Los servicios de seguridad acabaron matando a un individuo crítico con el proceso de paz. Todo se podría venir abajo.

—La respuesta sigue siendo «no».

—Lo poderes que están en juego han decidido que esta oportunidad es demasiado importante para dejarla escapar. Necesitan que vaya usted allí y haga lo que sabe hacer, que ponga en marcha su magia. Vamos, sigue teniéndola. Lo acabo de oír. Y es algo que vale la pena de verdad. ¡La paz en Oriente Próximo, por Dios santo...! ¿Podría renunciar a algo así? ¡Es el equivalente a las World Series de las paces del mundo!

—No juego al béisbol.

—No. Vale. —Su tono había cambiado, hablaba con más suavidad. Maggie sabía qué había detrás de aquello: un cambio de táctica—. Lo que quiero decir es que usted es mediadora. Es su vocación. Ha nacido para ello. Es buena y además le gusta hacerlo. Esta es la oportunidad de volver al trabajo que ama. Y al nivel más alto posible.

Pensó en las imágenes que había visto esa mañana en la televisión y en el sentimiento que había experimentado pero que no había querido reconocer. Envidia. Había envidiado a los hombres y las mujeres sentados a la mesa de negociaciones de Jerusalén, a los responsables de llevar la más pesada y la más apasionante de las cargas: mediar por la paz. Se los imaginó en cuanto vio las primeras informaciones. Igual que pescadores, soltando y recobrando el sedal para sacar una especie escasa y muy apreciada. Obrando a la vez con mucha fuerza y con mucha delicadeza. Tirando con firmeza en un momento determinado y soltando hilo al siguiente. Sabían hasta qué punto podía doblarse la caña y qué podía partirla. Era un trabajo exigente que requería gran habilidad. Pero también era la actividad más embriagadora que conocía.

Bonham le leyó el pensamiento.

—Seguro que lo echa de menos. No sería usted humana si no lo hiciera. Me refiero a que aconsejar y mediar entre parejas está muy bien, desde luego; pero lo que está en juego no es tan importante. Con eso nunca experimentará las mismas emociones que en Dayton o en Ginebra, ¿verdad?

Maggie deseó asentir en gesto de conformidad. Aquel hombre parecía conocer su mente mejor que ella. No obstante, se resistió y volvió la cabeza para mirar por la ventana.

—Maggie, sé que para usted esto no es un deporte. Nunca lo ha sido. Le gusta el desafío profesional, por supuesto, pero eso es secundario. Su objetivo es la consecución de la paz. Es usted una de las pocas personas de este planeta que sabe lo mucho que importan estos esfuerzos. Y lo que puede ocurrir cuando las cosas salen mal.

Su error.

—Y pocas cosas son más importantes que esta, Maggie. Miles de israelíes y de palestinos han muerto durante este conflicto. Y seguirá y seguirá. Dentro de diez años, pondrá la tele y volverá a ver a niños palestinos abatidos en los parques y a jóvenes israelíes volando por los aires en un autobús.

—¿Y cree que puede ponerle fin?

—¿Yo? No, yo no. Yo no puedo poner fin a nada. Pero usted sí.

—No lo creo. Ya no.

—Vamos, no ha cambiado tanto...

—Mire, no es que de repente me haya olvidado de que la gente está muriendo allí y en otras partes. Sé muy bien, demasiado bien, cómo se mata y asesina en cada rincón de este jodido planeta. Pero resulta que me he dado cuenta de que no hay nada que pueda hacer al respecto. Así pues, es mejor que me mantenga alejada de todo eso.

—La Casa Blanca no está de acuerdo.

—Bueno, la Casa Blanca se puede ir al cuerno, ¿no le parece?

Bonham se echó hacia atrás en su asiento, como si sopesara su presa. Al cabo de un momento dijo:

—Esto es por..., por lo que pasó, ¿no?

Maggie siguió mirando por la ventana, deseando que sus ojos siguieran secos.

—Mire, Maggie, sabemos lo que pasó. Es cierto que lo estropeó todo. Pero eso no es más que un borrón en un expediente excepcional. La Casa Blanca considera que ya ha cumplido usted su penitencia y que no ayuda a nadie con este exilio. Aquí no salva ninguna vida. Es hora de que regrese.

—¿Me está diciendo que estoy perdonada?

—Le estoy diciendo que ha llegado el momento de cambiar. Pero si lo prefiere, sí: está perdonada.

Por primera vez Maggie lo miró a los ojos.

—¿Y si yo todavía no me he perdonado?

—Ah, esa es otra cuestión, ¿verdad? Pero no debería resultarle tan difícil. Al fin y al cabo, borrar los pecados mediante el arrepentimiento es una especialidad de los católicos, ¿no es cierto? La redención y todo lo demás. Bien, esta es su oportunidad.

—No es tan sencillo.

—Es verdad. No podrá devolver las vidas que se perdieron por culpa de lo que ocurrió. Su error. Pero sí puede evitar que se pierdan más vidas. Y eso no es poco, creo yo.

Maggie estuvo a punto de decir que en una ocasión prometió a Edward que no volvería a viajar, pero calló.

—Es su elección, Maggie. Si cree que nada importa aparte

de la vida y de la relación que tiene aquí... —Maggie comprendió que había oído la discusión de la cocina—, no me hará caso y me enviará a paseo. Pero si echa de menos el trabajo para el que nació, si le preocupa poner fin a un conflicto que no ha hecho más que sembrar amargura y dolor, si lo que desea es hacer lo correcto, entonces dirá que sí.

—Contésteme a una cosa —dijo Maggie después de una larga pausa—. ¿Por qué ha venido directamente a mi casa? ¿Por qué ha jugado a los espías haciéndose pasar por un cliente?

—Intentamos ponernos en contacto con usted por teléfono, pero no nos devolvió ninguna de nuestras llamadas. La verdad, no creí que me abriera la puerta del edificio.

—¿Dice que me han llamado?

—Llevamos dejándole mensajes desde ayer por la tarde. Esta mañana, temprano, dejamos unos cuantos más.

—Pero...

Estaba segura de que había comprobado el buzón de voz y de que no había ninguno.

—Quizá alguien los borró antes de que usted pudiera leerlos.

Notó que le faltaba la respiración. «Edward.»

Judd dejó un sobre grueso y pesado encima de la mesa.

—Aquí tiene los billetes y la información que necesita. El avión sale hacia Tel Aviv esta tarde. Usted elige, Maggie.

4

Jerusalén, sábado, 23.10 h

Las reuniones nocturnas formaban parte de la tradición de aquella administración. Ben Gurion lo había hecho en los años cincuenta, debatiendo y decidiendo hasta altas horas de la madrugada. También Golda Meir trabajaba siempre hasta bien entrada la noche, en especial cuando los egipcios lanzaron su ofensiva sorpresa el día del Yom Kippur de 1973; la leyenda decía que la mujer no había dormido durante días. De algún modo, aquella sala, con su sillón de respaldo recto reservado para el primer ministro, era ideal para aquel tipo de reuniones. Era pequeña e íntima y tenía dos sofás dispuestos en forma de L donde los consejeros y los ayudantes podían sentarse y charlar durante horas. El escritorio era funcional, diseñado más para trabajar que para presumir. Rabin solía sentarse allí, solo y en plena noche, a escribir con su estilográfica cartas a los padres de los soldados, lo cual, tratándose de Israel, significaba a todos los padres y madres del país.

Rabin había desaparecido hacía tiempo, y con él los ceniceros que acompañaban su manía de fumar un cigarrillo tras otro. Su sucesor de aquellos momentos prefería, cuando estaba nervioso, mordisquear pipas de girasol; una costumbre que lo emparejaba con los conductores de autobús y los dueños de los puestos de los mercados de todo el país. Hizo un gesto al hombre del Shin Bet, la agencia de seguridad interior, para que empezara a hablar.

—Señor primer ministro, el muerto era Shimon Guttman. Todos sabemos de quién se trataba, el famoso escritor y activista de setenta y un años. Los primeros informes que indicaban que iba armado se han desestimado. Nuestros investigadores no encontraron nada que demostrara que llevaba un arma. El examen del cuerpo reveló que murió por una bala que le atravesó el cerebro.

El primer ministro hizo una mueca y partió una pipa con los dientes.

—Como usted sabe —prosiguió el funcionario—, fue hallado sujetando una nota manuscrita dirigida a usted. Los de Inteligencia dicen que tardarán unos días en descifrarla porque las palabras están manchadas de sangre...

El primer ministro lo mandó callar con un gesto. El responsable del Shin Bet dejó a un lado la hoja que había estado consultando. El viceprimer ministro se miraba la punta de los zapatos mientras los ministros de Defensa y Exteriores contemplaban a su superior intentando prever su reacción. Ninguno de ellos quería ser el primero en hablar.

Amir Tal, asesor especial del primer ministro y el más joven de los presentes, decidió romper el silencio.

—Como no podía ser de otro modo, esto va a tener repercusiones políticas inmediatas. Para empezar, nos acribillarán...

El primer ministro alzó una ceja.

—Perdón, quería decir que nos lloverán las críticas por haber cometido un grave error y haber matado a un inocente. De todas maneras, eso es algo que siempre nos reprochan. En segundo lugar, si estábamos a punto de firmar un tratado de paz, nos lo pondrán mucho más difícil. Los partidos de la derecha no estaban de acuerdo, pero ahora además ya pueden decir que tienen su primer mártir. Insistirán en que no ha sido ninguna desafortunada coincidencia. Guttman era uno de nuestros más feroces críticos. Y no solo de nosotros: dijo lo mismo cuando lo de Oslo y volvió a repetirlo en Camp David: «Cualquiera que hable de paz con los árabes es un criminal al que deberían procesar por traición». Hace una hora, Arutz Sheva ha salido en antena diciendo: «Ahora ya sabemos cuáles son los planes del gobierno: quieren silenciar a la oposición a tiros».

—¿Y no podría ser que tuvieran razón? —Era el ministro de Exteriores que se dirigía a Tal, evitando la mirada de su jefe.

—¿Perdón?

—No digo que lo matáramos deliberadamente, pero no fue una coincidencia. ¿No podría haber sido un acto deliberado de la otra parte, precisamente lo contrario de lo que afirma Sheva?

—¿Qué quieres decir?

—Me pregunto si no ha habido un montaje. Guttman sabía cómo funcionan estas cosas. Uno no se acerca corriendo a un primer ministro gritando y metiéndose la mano bajo la chaqueta. Guttman era un tipo listo. Tendría que haberlo sabido.

—¿Estás diciendo que...?

—Sí. Me estoy preguntando si no es posible que Guttman quisiera que le pegaran un tiro. Si no nos estaba engañando deliberadamente, retándonos a que matáramos a un destacado opositor del gobierno.

—Eso es una locura.

—¿Lo es? Se trata de un tipo que ha dedicado su vida a los grandes gestos, las grandes protestas. Y ahora, por fin, llega el gran momento: vamos a firmar la paz con los árabes y vamos a entregarles la santa Judea y la sagrada Samaria. Para evitar semejante catástrofe, un fanático como Guttman tendría que hacer el mayor gesto posible, uno que galvanizara a todos los partidos de la derecha.

—¿Crees que sería capaz de sacrificar su propia vida?

—Lo sería. —Eran las primeras palabras que el primer ministro pronunciaba desde que había dado comienzo la reunión.

Hasta entonces se había limitado a asistir al debate. Ese era su estilo. Primero, escuchar las distintas opiniones de los miembros de su gabinete; luego, bombardearlos con preguntas. «¿Cómo responderán?» «¿Cuáles son nuestras alternativas?» Los allí presentes se habían preparado para el interrogatorio. Sin embargo el primer ministro había permanecido en silencio masticando pipas saladas de girasol. Hasta que dijo esas dos palabras: «Lo sería».

Tras una larga pausa, como si acabara de desarrollar el pensamiento que se había formado en su mente, añadió:

—Conocía a ese hombre, del derecho y del revés.

El jefe del Estado Mayor, vestido con un impecable pantalón de color aceituna y una camisa de color caqui con la gorra doblada y sujeta bajo una charretera —el uniforme del soldado cuyo campo de batalla era la política—, rompió el silencio que siguió con lo que creyó que era la pregunta pertinente. Preguntó lo que todos en aquella habitación, incluidos los que habían escuchado en televisión el testimonio de los testigos presenciales, querían saber desde el principio:

—¿Por qué lo llamó Kobi?

—¡Ah! —repuso el primer ministro.

—Yo pensaba que Guttman lo odiaba con toda su alma. Sin embargo, se dirigió a usted como si fueran viejos amigos.

—Rav Aluf, si alguien debería conocer la respuesta a esa pregunta es usted. —El primer ministro se recostó en su asiento. Normalmente prefería fijar la vista en un punto en el espacio en lugar de mirar a sus colegas—. Kobi era el hombre que yo fui hace mucho, mucho tiempo. —El ministro de Defensa se movió en su asiento y lanzó una mirada al general—. Así me llamaban mis compañeros del ejército. Formábamos una buena unidad, una de las mejores. En el sesenta y siete tomamos una colina, solo nosotros: una treintena de hombres. ¿Y saben quién fue el más valiente, mucho más que yo a pesar de lo que Amir, aquí presente, declara a los periódicos? Un joven profesor de la Universidad Hebrea llamado Shimon Guttman.

5

Jerusalén, lunes, 9.28 h

Por primera vez desde que llegó, los que le registraban el equipaje eran árabes. Todas las personas con las que se había cruzado desde que su vuelo transoceánico había aterrizado, eran judíos israelíes. Pero en ese momento, ante la entrada del consulado de Estados Unidos, situado en la calle Agron, estaba aguardando a que un palestino le permitiera pasar. Eso sí, un palestino que lucía en su uniforme las insignias de Estados Unidos. En circunstancias normales, a una funcionaria del gobierno estadounidense —y eso era Maggie nuevamente— la habrían dejado pasar sin más trámites; pero el conductor le había explicado que estaban viviendo momentos especialmente tensos, de modo que tardaría un poco más. Uno de los guardias insistió en que Maggie le entregara el móvil hasta que apareció un superior que le ordenó que la dejara pasar.

La hicieron entrar en un pequeño vestíbulo de seguridad atendido por un marine situado detrás de un vidrio blindado que controlaba una serie de monitores de televisión. Mientras observaba las pantallas, Maggie repasó por enésima vez su escena con Judd Bonham. El tipo la había manipulado como un maestro y había seguido los mismos pasos que ella habría dado en su lugar. Apeló a su conciencia y halagó su ego, como ella había hecho cientos de veces con delegados, embajadores y asesores presidenciales. La puso a su mismo nivel, al revelarle lo que sabía, y le ofreció una zanahoria. Y, tal como dictaban los manuales, esta última había sido elegida para tocar la fibra sensible del bando que se resistía: en su caso, su deseo de borrar el pasado y hacer tabla rasa. Siempre intentaban descubrir el punto débil del adversario, pero la mortificaba que el suyo hubiera sido tan evidente.

Bonham sabía que sería coser y cantar. Primero un poco de presión para intimidar; luego una demostración de amabilidad y empatía. El modelo clásico. El policía que interroga, primero te tira de la silla y después te da una palmadita y te ofrece un cigarrillo. El poli bueno y el poli malo interpretados por la misma persona. Ella misma lo había hecho un montón de veces.

Su mirada se posó en el marine. Le costaba creer que hubiera vuelto a todo aquello. Instintivamente, examinó la escena. Era lógico que los niveles de seguridad realmente importantes se confiaran solo a personal estadounidense. La contratación de gente local era una cuestión política: la presencia de personal palestino subrayaba el hecho de que el consulado de Estados Unidos en Jerusalén constituía la delegación estadounidense ante los palestinos; una operación totalmente distinta de la de la embajada en Tel Aviv, que representaba a Estados Unidos ante los israelíes.

Una puerta zumbó, se abrió y un hombre alto y de cabello rubio entró.

—Bienvenida al manicomio. Soy Jim Davis, el cónsul. Me alegro de verla. —Le tendió la mano—. Como puede ver, trabajamos en los dos edificios más bonitos que el departamento de Estado tiene en todo el mundo —le dijo mientras salían a un jardín cuyo césped se extendía ante un lujoso edificio de estilo colonial. Los sonidos de la calle Agron no llegaban hasta allí, lo único que se oía era la melodía que tarareaba un anciano jardinero que podaba un rosal—. Y esta es nuestra última adquisición, el monasterio de los Padres Lazaristas. —Davis señaló hacia su izquierda, a una estructura que parecía medio iglesia, medio fortaleza. Su aspecto era austero, ni campanarios ni torres, y las ventanas de arco estaban decoradas alrededor con ladrillo, como un refuerzo contra posibles proyectiles. Estaba construida con la misma piedra áspera y clara que imperaba en el resto de la ciudad. Todos los edificios, las casas, las oficinas, los hoteles, incluso los supermercados, estaban hechos con «piedra de Jerusalén», así la había llamado el conductor que la había recogido en el aeropuerto. «¡Es la ley, es la ley!», decía mientras su cara mal afeitada intentaba mirarla por encima de su hombro y ella asentía y le indicaba con gestos de la cabeza que mirara la carretera.

Maggie ya había estado allí en varias ocasiones, de eso hacía diez años, pero no había participado en la acción. La Casa Blanca había dirigido el espectáculo. No les importaba que los pardillos del departamento de Estado se ocuparan de África o de Timor Oriental, incluso de los Balcanes, si tenían un buen día, pero Oriente Próximo era el destino de lujo, diplomacia de primera división, las únicas noticias del extranjero que salían siempre en portada. Así que a Maggie la habían mantenido invariablemente en segundo plano.

Alzó la vista y se protegió los ojos con la mano. La luz era tan brillante allí que parecía reflejarse y rebotar en los muros de piedra. Un monasterio en Jerusalén. Seguramente llevaría allí siglos, desde las Cruzadas. A Maggie le recordó el colegio de monjas de sus días de estudiante.

—Nos lo quedamos hace ya tiempo —le explicó Davis, que mantenía intacto su acento sureño, algo raro en un diplomático de larga carrera—. Los hermanos, o los padres, hablando con propiedad, han abandonado la mayor parte del monasterio, pero unos pocos aguantan en una zona que sigue siendo de ellos. Lo demás, pertenece a Estados Unidos.

Davis parloteaba, una reacción típicamente masculina a la que Maggie estaba acostumbrada. Lo había visto en sus ojos cuando él la saludó: el primer instante de sorpresa seguido por el intento de recobrar la compostura y actuar con naturalidad. Siempre había creído que una vez hubiera pasado los treinta aquello terminaría, atraería menos la atención de los hombres. Pero estaba claro que, a pesar de su discreción en el vestir, se equivocaba. Era alta, medía un metro setenta y ocho, y seguía teniendo buen tipo. Tenía el cabello castaño y abundante y, cuando se lo soltaba, le llegaba por debajo de los hombros.

—Bueno, este es el trato —dijo Davis, que la había llevado hasta un círculo de sillas de hierro a la sombra de unos cipreses—. Como sabe, la Casa Blanca está convencida de que esta es la semana decisiva. Espera que se firme un acuerdo definitivo en la Rosaleda en cuestión de días. Justo a tiempo para el día de las elecciones.

—O para el día de la reelección, como al presidente le gusta llamarlo, según tengo entendido —contestó Maggie—. ¿Cree usted que conseguirá lo que quiere?

—Bueno, hemos tenido dos delegaciones en Government House sentadas una frente a la otra durante casi dos semanas. Eso ya es un gran paso.

—¿El qué? ¿Que hayan aguantado dos semanas?

—No. Me refiero a las conversaciones sobre el terreno.

—Claro. Perdone. —Tragó saliva. Aquello iba a costarle un poco. Estaba oxidada.

—No había ocurrido nunca. En Camp David, en Wye River, en Madrid, en Oslo... pero nunca aquí. Desde el año 2000, Camp David tiene mal fario; de modo que la Casa Blanca, en su infinita sabiduría, decidió que sería bueno que ambos bandos se sentaran a trabajar in situ.

—¿Y lo están haciendo? ¿Se han puesto manos a la obra?

—Claro que no. Podríamos habérselo dicho. Esos tipos filtran a sus respectivos medios más de lo que hablan entre ellos. Resulta imposible aplicar un apagón informativo cuando uno está en medio de la maldita zona de conflicto.

—Pero, a pesar de todo, la Casa Blanca ha seguido adelante.

—Es su espectáculo. Pero, créame, corren a consultarnos cada vez que alguien estornuda.

—O sea que, no ha cambiado nada.

—¿Cómo dice?

—Olvídelo. Así pues, parte de lo más duro lo está haciendo el departamento de Estado, ¿no?

—¿Parte? La mayor parte. Pero todo el mundo intenta meter el remo. La Unión Europea, Naciones Unidas, los británicos, los países árabes, Indonesia, Malaisia... Tenemos a millones de musulmanes pendientes de lo que pasa, imames y mulás desde aquí hasta Mohammadsville, en Alabama, predicando que esta es la línea del frente en la guerra entre el islam y Occidente. Los países del mundo árabe están movilizando sus ejércitos. Si llegan a la conclusión de que se está empujando a los palestinos para que acepten un acuerdo de segunda, una especie de rendición ante el malvado Occidente, esta vez no habrá solo un puñado de manifestantes cabreados en Gaza o una algarada en Damasco. La región entera podría ¡pum! —Representó una nube atómica con las manos—. Y eso significa la Tercera Guerra Mundial, aquí mismo.

Maggie asintió para que Davis comprendiera que su pequeña y teatral exposición había dado en la diana.

—Hasta ahora —prosiguió el cónsul— las cosas han marchado bien; pero ha llegado el momento de la verdad, de poner los puntos sobre las íes, y las partes están poniéndose nerviosas.

—¿Todavía no han hablado sobre los refugiados y Jerusalén? —preguntó Maggie para hacerle saber que conocía el código. Como los otros campos, la diplomacia tenía su propia jerga, y la de Oriente Próximo tenía además su propio dialecto. Después de un año apartada de todo aquello, Maggie confiaba en no haber perdido práctica.

—Se ha hecho un montón de trabajo preparatorio en la cuestión del derecho de retorno —explicó Davis—. De todas maneras, una advertencia: que nadie la oiga decir estas palabras o los israelíes se la comerán con patatas. No se trata de un derecho, sino de una aspiración. Y no es necesariamente un retorno porque buena parte de los palestinos provenían originariamente de otros lugares. Tampoco es el hogar porque esta es la tierra natal del pueblo judío. En fin, bla, bla bla. Ya me entiende.

Maggie asintió, pero había dejado de escuchar. Estaba recordando la pelea que había tenido con Edward. Ni siquiera se había molestado en negar que había borrado los mensajes de Bonham, simplemente añadió que lo había hecho por el bien de Maggie. Ella se enfureció y lo acusó de pretender aislarla, de querer convertirla en una esposa al estilo Washington con un insignificante trabajo como consejera matrimonial. Le dijo que pretendía negar lo que era o, al menos, lo que había sido. Edward le contestó que se había tragado demasiados manuales de autoayuda y que solo hacía que vomitarlos; pero ella insistió en que él parecía decidido a evitar que superara lo que le había pasado en África, como si de alguna manera pretendiera mantenerla en el mismo estado en que la había encontrado: rota.

Después de eso, no hubo mucho más que decir, y nadie lo dijo. Maggie hizo las maletas a toda prisa y partió hacia el aeropuerto. Se sentía culpable al recordar todo lo que Edward había hecho por ella cuando estaba en su momento más bajo, y se sentía tremendamente triste al ver hasta qué punto su intento de llevar una vida normal había fracasado. Sin embargo, la verdad era que no creía que se hubiera equivocado. Se preguntó entonces por qué nunca había vaciado aquellas cajas. Sabía cuál sería su respuesta de haberse tratado de otra persona: que inconscientemente seguía aferrándose al pasado, que no se atrevía a dar el paso adelante definitivo con Edward. Igual que un niño que se niega a quitarse el abrigo cuando llega al colegio, aquellas dos cajas sin abrir eran la manera que tenía ella de decir, y decirse, que estaba de paso.

Así pues, había subido al avión y contemplado por la ventanilla cómo Washington —con Edward dentro— se hacía cada vez más pequeño, hasta que al fin decidió distraerse y sumergirse en las trescientas páginas del informe que Bonham le había preparado.

—Como puede imaginar, esta historia del asesinato ha puesto a todo el mundo de los nervios. Normalmente están con el dedo en el gatillo, pero ahora más que nunca. Ese es el motivo de que hayan decidido enviar a la caballería —dijo Davis señalándola—. Para que cierre el trato.

—Sí, pero parece que todavía no me toca entrar en acción.

—¿Ah, no? ¿Y cómo es eso?

—Washington ha decidido que el ambiente se ha enrarecido durante las horas que ha durado mi vuelo. Según parece, el momento no está maduro para que yo intervenga.

—Oh, ya veo.

—Por ahora, mi tarea más inmediata consiste en mantener a todo el mundo en calma. Como si no pasara nada; y que los partidos se mantengan al margen.

—Ah, los partidos. —Davis hizo la señal de comillas con los dedos—. La verdad es que, después de lo ocurrido la otra noche, los partidos de la derecha israelí son los primeros a los que hay que mimar. Se han puesto como locos, gritan que el tipo al que mataron es un mártir.

—¿Creen que fue algo deliberado?

—Dicen toda clase de cosas. —Una mirada de súbita comprensión asomó a los ojos de Davis—. Por eso va a ir usted a la casa de la *shivá*.

—¿Qué?

—La casa del duelo. Acaban de pasarme una nota que dice que debe usted ir como representante no oficial. Al parecer lo han pedido los israelíes. Es una forma de mostrar respeto hacia ese pobre tipo, la prueba de que no ha sido eliminado porque se oponía al proceso de paz respaldado por Estados Unidos, la demostración de que nadie lo consideraba un enemigo.

—Pero nada demasiado oficial, no vaya a parecer que hacemos nuestros sus puntos de vista.

—Exacto. Arriba creen que eso puede ayudar a enfriar un poco las cosas.

—Y nosotros hemos dado nuestra conformidad.

—La hemos dado. El funeral se ha celebrado esta mañana, tan pronto como han entregado el cuerpo tras la autopsia. Aquí se dan prisa con estas cosas, por motivos religiosos, como ocurre con todo lo demás. Sea como fuere, la *shivá* durará toda la semana. Seguramente ya tendrá todos los detalles en la BlackBerry.

—No tengo BlackBerry, lo siento.

—Bueno, no pasa nada. Los de comunicaciones le proporcionarán una. Me ocuparé de...

—Quería decir que no uso BlackBerry. Nunca lo he hecho. Te mantiene demasiado atada. Escuchas a Washington o a Londres o a quien sea, cuando deberías estar escuchando a la gente que está en la habitación. No soporto esos aparatos.

—Como quiera.—Parecía como si Maggie acabara de confesarle que era adicta a la heroína.

—Y por la misma razón, si pudiera tampoco llevaría móvil.

Davis hizo caso omiso del comentario.

—Su hotel se encuentra solo a una manzana de aquí. Puede ir a refrescarse. El chófer la llevará a la *shivá*. La viuda se llama Rachel.

6

Jerusalén, lunes, 19.27 h

La calle estaba atascada. Los coches aparcaban a ambos lados, invadiendo la calzada. Maggie vio que era un barrio elegante: los árboles estaban llenos de hojas y los automóviles eran casi todos BMW y Mercedes. Incluso con el banderín con las barras y estrellas que ondeaba en el capó, el chófer de Maggie tenía dificultades para abrirse paso. En Washington hacía frío, pero allí, a pesar de la hora, seguía haciendo calor, y los árboles dejaban en el aire un olor dulzón y pegajoso.

El camino que llevaba al edificio estaba lleno de gente. Mientras se abría paso, percibió la mirada de algunos de los hombres que aguardaban; sus ojos la seguían, igual que antes.

—Es usted de la embajada, ¿verdad? Estadounidense, ¿no? —Era el hombre de la puerta. Maggie no hubiera podido decir si era un familiar o un guardia. En todo caso, era obvio que estaban al corriente de que iría—. Por favor, pase.

Acompañaron a Maggie hasta una amplia estancia llena de gente, como el metro en hora punta. Su altura le supuso una ventaja: veía todas las cabezas —las de los hombres cubiertas con la kipá—, y al fondo un hombre barbado al que tomó por un rabino.

Yitgadal, v'Yitkadash...

En la sala flotaba el murmullo de la plegaria en memoria del fallecido. El rabino pronunciaba unas cuantas frases en hebreo y de vez en cuando se volvía hacia una fila de tres personas sentadas en unas sillas extrañamente bajas. Al ver sus ojos rojos y su nariz húmeda, Maggie supuso que era la familia de Guttman: su viuda, su hijo y su hija. De los tres, el hijo era el único que no lloraba. Tenía la mirada fija en el frente; sus negros ojos estaban secos.

Maggie podía notar la multitud que tenía detrás. No estaba segura de qué debía hacer. Debería esperar su turno para dar el pésame a la familia, pero la sala estaba abarrotada y podía tardar una hora en llegar hasta el fondo. Pero, si se iba, su gesto se interpretaría —y así se propagaría— como un desprecio. Por otra parte, tampoco podía ponerse a charlar con aquellos desconocidos. No estaba en una fiesta.

Se fue abriendo paso despacio, sonriendo educadamente. Su porte y el pantalón negro que llevaba convenció a la mayoría de que era alguien importante, de modo que la dejaron pasar. (Se le hacía raro ir vestida con traje chaqueta; había pasado mucho tiempo desde la última vez.) Aun así, avanzó lentamente.

Se fue acercando hasta que se encontró encajonada junto a una estantería con libros. Lo cierto era que toda la sala estaba llena de libros. De vez en cuando, los interrumpía un jarrón, un plato decorativo —había uno con un llamativo diseño azul—, pero sobre todo había libros. De una punta a la otra de cada pared y del suelo al techo.

Estaba lo bastante cerca para poder leer los títulos. La mayoría estaban en hebreo, pero había un grupo sobre política estadounidense, incluyendo algunos de los ejemplares neoconservadores que habían figurado en las listas del *New York Times* de los libros más vendidos: *Terrorism: How the West Can Win*; *Inside the New Jihad*; *The Coming Clash*; *The Gathering Storm*. De repente sintió que ya tenía una imagen de Guttman. Al fin y al cabo, Washington estaba lleno de personas que compartían sus puntos de vista en política. Ella había conocido a unos cuantos en varias recepciones a las que había acompañado a Edward, mientras este se trabajaba la sala y ella observaba sin apartarse de su lado. El recuerdo surgió en su mente, y con él una punzada de dolor. Edward.

—Por favor, sígame, sígame.

Su guía no oficial había reaparecido y la hacía avanzar. La gente formaba una fila a la espera de presentar el pésame a la familia. Intentó entender qué decían los que tenía delante, pero no pudo: hablaban en hebreo.

Al fin le llegó el turno de estrechar la mano a los familiares, de inclinar la cabeza respetuosamente ante cada uno de ellos y de poner expresión compungida. Primero la hija, que solo la miró brevemente a los ojos. Tenía unos cuarenta años, el pelo corto, castaño y salpicado de canas. Era atractiva; su rostro denotaba un carácter fuerte y práctico. Maggie supuso que era la persona que en esos momentos se hallaba al frente de la situación.

Luego, el hijo. Medio sentado, medio de pie, la miró fríamente. Era alto e iba más informalmente vestido de lo que ella habría esperado en un velatorio: vaqueros oscuros y camisa blanca; ambas prendas parecían caras. Llevaba el pelo, abundante y oscuro, bien cortado. Por la forma en que la gente se movía a su alrededor, parecía una persona de éxito o importante en algún sentido. Maggie calculó que no llegaba a los cuarenta; nada evidenciaba que estuviera casado.

Y por último la viuda. El guía de Maggie se agachó para que la mujer pudiera oírlo sin esfuerzo. Deliberadamente, el hombre habló en inglés.

—Señora Guttman, esta señora viene de Estados Unidos. De la Casa Blanca. De parte del presidente.

Maggie pensó en corregirlo, pero lo dejó estar.

—Lamento mucho su pérdida —dijo inclinándose y tendiéndole la mano—. Deseamos que sepa que usted y su familia están en las oraciones de los estadounidenses.

La viuda alzó la vista de repente. Llevaba el pelo teñido de negro, y sus ojos eran casi del mismo color. Sujetó a Maggie por la muñeca y la obligó a mirarla mientras la fulminaba con los ojos.

—¿Viene usted de parte del presidente de Estados Unidos?

—Bueno...

—¿Sabe? Mi esposo tenía un mensaje importante. Un mensaje para el primer ministro.

—Eso es lo que tengo entendido, y la tragedia es tal...

—No, no, usted no lo entiende. Mi marido llevaba días intentando hacer llegar ese mensaje a Kobi. Lo llamó a su despacho, fue al Knesset, pero no lo dejaron acercarse a él. ¡Eso lo enloqueció! —La presa en la muñeca de Maggie se hizo más fuerte.

—Por favor, no se altere.

—¿Cómo se llama usted?

—Maggie Costello.

—Ese mensaje era urgente, señorita Costello. Una cuestión de vida o muerte, pero no solo de la vida de mi marido o la de Kobi, sino de la vida de todos los de este país, los de esta región. Mi marido había visto algo, señorita Costello.

—Por favor, señora Guttman... —Era el hombre que las había presentado, pero la viuda le hizo un gesto para que se apartara.

Maggie se agachó más.

—¿Ha dicho usted que su marido vio algo?

—Sí. Un documento, puede que una carta, algo. No sé exactamente qué, pero sí que se trataba de algo de la mayor importancia. Durante los últimos tres días de su vida no durmió. Se limitaba a repetir una y otra vez: «Kobi tiene que saber esto, Kobi tiene que saberlo».

—¿Kobi? ¿El primer ministro?

—Sí, sí. Por favor, entiéndalo: lo que Shimon debía decir a Kobi todavía tiene que serle dicho. Mi marido no era estúpido. Sabía el riesgo que corría, pero decía que no había nada más importante. Tenía que explicar a Kobi lo que había visto.

—¿Y qué había visto?

—*Ima, dai kvar!* —Fue el hijo, su voz era firme, la voz de alguien acostumbrado a dar órdenes. «¡Madre, ya basta!»

—No me lo dijo. Solo sé que era una especie de documento, algo que estaba escrito. Y me dijo: «Esto lo cambiará todo». Eso fue lo que dijo: «Esto lo cambiará todo».

—¿Qué cambiará todo?

El hijo se levantó.

—No lo sé —prosiguió la viuda—. No me lo quiso contar. Por mi seguridad, decía.

—¿Por su seguridad?

—Yo conocía bien a mi marido. Era un hombre serio, no de los que se vuelven locos de repente y salen corriendo para ir a gritar al primer ministro. Si tenía algo que contarle, sin duda era como Shimon decía: un asunto de vida o muerte.

7

Beitin, Cisjordania, martes, 9.32 h

No necesitaría quedarse mucho rato. Diez minutos en la oficina, recoger los papeles y marcharse. Solo que «oficina» no era la palabra correcta. Los dos recios candados que cerraban la puerta de hierro lo atestiguaban. «Cuarto de trabajo» habría sido más acertado, incluso «almacén». Dentro olía a invernadero. Los fluorescentes brillaron y revelaron estanterías llenas no de papeles, archivadores o discos de ordenador, sino de cajas de cartón rígido. Dentro de ellas había fragmentos de cerámica antigua, el material que Ahmed Nur había desenterrado en aquella misma aldea.

En todas las excavaciones trabajaba igual: montaba una base lo más cerca posible del sitio, lo que permitía llevar al instante hasta allí los últimos hallazgos para catalogarlos y almacenarlos sin pérdida de tiempo. Si podía, lo hacía todos los días; los restos de cerámica que no se llevaba desaparecían de la noche a la mañana. Los saqueadores son la maldición de los arqueólogos en cualquier rincón del mundo.

Ahmed se acercó a su mesa, metálica y espartana, como la del capataz de una obra. «Tampoco estamos tan alejados —pensó—. Los dos nos dedicamos al negocio de las viviendas: ellos las construyen nuevas; yo desentierro las antiguas.»

Los papeles que necesitaba para la reunión con el departamento de Antigüedades de la Autoridad Palestina se hallaban allí mismo, en un pulcro montón. «La dulce Huda», se dijo. Su joven protegida lo había dejado todo preparado: el impreso para la solicitud de renovación, el permiso para excavar en Beitin y la solicitud de una subvención solicitando el dinero para llevarlas a cabo. En esos momentos, Huda se encargaba de todos los contactos con el mundo exterior. Lo había dejado solo, sin ninguna distracción —ni llamadas telefónicas, ni correos electrónicos, ni radio ni televisor a todo volumen—, para que pudiera sumergirse en su trabajo. Si se concentraba lo suficiente podía pasar de cualquier modernidad.

Eso era lo que había hecho aquel fin de semana. Y habría seguido así de no ser por esa fastidiosa reunión. El responsable del departamento de Antigüedades era un ignorante. Carecía de cualquier formación en arqueología y se comportaba como un vulgar político arribista. Además, llevaba barba, lo cual significaba que su política era de la variedad más reciente: la religiosa.

«Mi prioridad, doctor Nur —le había dicho a Ahmed en su primer encuentro—, es la glorificación de nuestra herencia islámica.» No era de extrañar, porque el nuevo gobierno estaba medio en manos de Hamas. Traducido, significaba: «Pagaremos cualquier excavación posterior al siglo VII. Si usted quiere investigar cualquier cosa anterior a eso, se las arreglará por su cuenta».

A Ahmed no se le escapaba la ironía de aquello. En el pasado había sido un héroe de la clase política palestina. Fue uno de los miembros fundadores del grupo de estudiosos que, décadas atrás, habían insistido en buscar en el subsuelo con un enfoque radicalmente distinto. Hasta entonces, y desde la época de las expediciones de Edward Robinson en el siglo XIX, todos los que habían empuñado una pala lo habían hecho en busca de una sola cosa: la Biblia. No estaban interesados en Palestina ni en la gente que había vivido allí durante miles de años. Buscaban la Tierra Santa.

Naturalmente, eran todos extranjeros: estadounidenses o europeos. Llegaban a Jaffa o Jerusalén atiborrados de escrituras, deseosos de seguir el camino transitado por Abraham y de contemplar la tumba de Jesucristo. Ansiaban hallar vestigios de los antiguos israelitas o de los primeros cristianos. Los palestinos, ya fueran antiguos o modernos, no eran más que un estorbo.

Las nuevas generaciones, a las que pertenecía Ahmed, habían crecido aprendiendo arqueología bíblica —¿qué otra podía haber?—, pero no tardaron en desarrollar sus propias ideas. En los años sesenta, varios de ellos colaboraron con un grupo de estudiosos luteranos de la Biblia, procedentes de Illinois, mientras excavaban en Tell Ta'anach, una loma situada no lejos de Yenín, en Cisjordania. El interés de los estadounidenses era tal, que excavaron durante varios años. Ta'anach aparecía mencionada en la Biblia como una de las ciudades cananeas conquistadas por Josué, el hermano de Moisés y jefe militar de los israelitas.

Pero Ahmed y los suyos empezaron a ver algo más. Regresaron al lugar, pero esta vez con los ojos puestos no en la Ta'anach bíblica, sino en el poblado palestino situado al pie de la loma: Ti'innik. Aquellos nuevos arqueólogos deseaban aprender cuanto pudieran de la vida cotidiana de la comunidad que había vivido en ese lugar durante más de cinco mil años. Cada una de sus paletadas, cada uno de sus esfuerzos constituía una declaración política: aquella iba a ser una excavación palestina en Palestina.

La iniciativa situó a Ahmed Nur en el centro mismo del floreciente Movimiento de Liberación Palestino. Le hicieron saber entre susurros que la organización —entonces todavía clandestina y dirigida desde el extranjero— veía con buenos ojos su trabajo. Contribuía a alimentar el orgullo nacional y demostraba, en una época en que la mayoría de los líderes israelíes todavía negaban la existencia de un pueblo palestino, que las comunidades que habitaban aquellas tierras tenían las raíces más profundas posibles.

Su reputación aumentó aún más cuando dirigió a un grupo de estudiantes en la excavación de un antiguo campo de refugiados abandonado y desenterraron la basura —viejas latas de sardinas y bolsas de plástico— que revelaba cómo vivía la gente de una generación desaparecida, aquellos que habían huido de sus hogares en 1948. Después, su trabajo en Beitin extendió su fama aún más lejos.

Académicos anteriores se habían entusiasmado con aquel lugar, que consideraban el Bet-El de la Biblia, el lugar donde Abraham, en su camino hacia el sur, se detuvo para construir un altar, el lugar donde Jacob descansó la cabeza en una almohada de piedra y soñó con ángeles que bajaban por una escalera. Sin embargo, Ahmed estaba decidido a examinar no solo las ruinas de alrededor de Beitin, sino la aldea en sí misma, ya que la humilde Beitin había sido gobernada por helenísticos, romanos, bizantinos y otomanos. Había sido cristiana y musulmana: a finales del siglo XIX, los turcos habían levantado una mezquita sobre las ruinas de una iglesia bizantina. Todavía podían verse los restos de una torre helenística, un monasterio bizantino y un castillo de las Cruzadas. De los tres. Para Ahmed ahí residía la grandeza de Palestina. Incluso en un lugar olvidado y remoto como Beitin podía contemplarse la historia de la humanidad estrato sobre estrato.

Eso le dio una idea. Buscó una de las cajas más recientes, la que contenía los últimos hallazgos de la excavación. Miró dentro y arrugó la nariz ante el penetrante olor a moho: cráneos humanos de cinco mil años de antigüedad, de la Edad del Bronce, junto con vasijas para el almacenamiento y recipientes para cocinar. Sonrió al pensar que podía hacerlo mejor, que aún podía retroceder más en el tiempo. Abrió un armario cerrado con llave y halló los fragmentos de pedernal, las herramientas de piedra y los huesos de animales que se habían encontrado en Beitin en los años cincuenta y que databan de aproximadamente cinco mil años antes de nuestra era. Le hablaría a aquel patán del departamento de Antigüedades de las manchas de sangre que se habían descubierto, señal evidente de un sacrificio ritual, la prueba de que Beitin había sido la sede de un templo cananeo. Pensó, no sin cierto sentimiento de culpa, que quizá estuviera recurriendo al viejo truco bíblico; pero no le quedaba más remedio que utilizar lo que tenía.

Aun así, era posible que no consiguiera nada. El hombre de Hamas reaccionaría sin duda ante la mención de una mezquita del siglo XIX y bostezaría con lo demás; aunque también cabía la posibilidad de que viera Beitin como lo que en realidad era: un lugar rebosante de la historia de aquella tierra.

Mientras se ponía de puntillas para devolver la más valiosa de las cajas a su lugar en lo alto del armario, oyó un ruido. Metálico.

—¿Hola...? ¿Huda...?

No hubo respuesta. Seguramente no había sido nada. Habría dejado la puerta del cuarto de trabajo entreabierta y el viento la había cerrado. Daba igual, sellaría aquella caja y se pondría en camino.

Pero entonces se oyó otro ruido. Esta vez, pasos. Inconfundibles. Ahmed se dio la vuelta y vio a dos hombres que se le acercaban. Ambos llevaban una capucha negra que les ocultaba el rostro. El más alto levantó el dedo índice y se lo llevó a los labios. Silencio.

—¿Qué...? ¿Qué es esto? —exclamó Ahmed; las piernas le temblaban.

—Limítese a venir con nosotros —dijo el más alto, que hablaba con un acento extraño—. ¡Ahora!

Y por primera vez Ahmed vio la pistola que lo apuntaba.

8

Consulado de Estados Unidos en Jerusalén, martes, 14.14 h

Nuestra información dice que el cuerpo, acribillado a balazos, fue arrojado en la plaza principal de Ramallah por dos hombres encapuchados alrededor de las once menos cuarto. El cadáver fue exhibido ante la multitud durante un cuarto de hora y después retirado por los mismos encapuchados que lo habían llevado.

—¿Un ajuste de cuentas con un delator?

—Exacto. —El jefe local de la CIA se volvió hacia Maggie para ilustrar a la recién llegada—. Es el procedimiento habitual que los palestinos aplican a cualquiera de los suyos que consideran culpable de colaborar con los servicios de información israelíes. Normalmente se les acusa de dar pistas a los israelíes sobre el paradero de terroristas o advertirles de un inminente atentado terrorista.

—¿Cuál ha sido la reacción de los israelíes? —La pregunta surgió de un altavoz situado en medio de la mesa de madera barnizada: la voz del secretario de Estado desde Washington, que había dejado que su ayudante se encargara de las últimas negociaciones sobre el terreno. Quería mantener una prudente distancia en caso de que fracasaran.

—Hasta el momento, bastante discreta. La típica soflama que

los palestinos necesitan para demostrar que creen en el imperio de la ley. Pero fue solo el comentario de un portavoz de segunda fila al ser preguntado durante una entrevista. No salió de las altas esferas. Me da la impresión de que quieren tratar esto como algo interno que...

—¿Existe alguna posibilidad de que quieran romper las negociaciones por culpa de este incidente?

—Creemos que no, señor.

—A menos que estén buscando una excusa.

—No creo. —Su ayudante alzaba la voz para que el teléfono la captara—. En estos momentos las conversaciones pasan por una fase difícil, pero nadie quiere levantarse de la mesa.

—¿Siguen atascadas en el asunto de los refugiados?

—Y Jerusalén. Sí.

—No lo olviden: no podemos permitir que esto se eternice. Si no tenemos cuidado, habrá un retraso, luego, otro, y antes de que nos demos cuenta estaremos...

—En noviembre. —Era Bruce Miller, oficialmente asesor político del presidente; extraoficialmente, su consejero de más confianza desde que logró el cargo de fiscal general de Georgia hacía más de veinte años. Los dos pasaban más tiempo juntos que con sus respectivas esposas. La presencia de Miller en Jerusalén confirmaba lo que todos sabían: que el respaldo presidencial a las negociaciones de paz iba indefectiblemente unido a consideraciones de política interior.

—Hola, Bruce.

Maggie detectó una repentina docilidad en el tono del secretario de Estado.

—Estaba a punto de coincidir con usted, señor secretario —empezó a decir Miller con su acento sureño marcado por el chicle de Nicorette que masticaba día y noche. Hacía once años que había dejado el tabaco con la ayuda de toda una serie de sustitutivos. Ya no utilizaba parches, pero el chicle se había convertido en su nueva adicción—. Me refiero a que esta gente lleva más de sesenta años pensando en posibles respuestas, ¡pero nosotros no podemos aceptar que sigan a este ritmo, por Dios!

Estaba inclinado hacia delante, con su delgado cuerpo encorvado para que la cabeza le quedara cerca del teléfono. Su cuello parecía sobresalir en los momentos importantes, y los dos mechones de cabello que flanqueaban su calva le colgaban a los lados de las sienes. Maggie intentó averiguar a qué le recordaba: ¿a un gallito joven moviendo rítmicamente la cabeza o a un pendenciero peso pluma en un ring ilegal de alguna callejuela oscura del viejo Dublín, listo para pelear sucio si la situación lo exigía? Mirarlo era fascinante.

—No dejamos de repetir —Miller señaló el mudo televisor del rincón donde aparecía el noticiario de la Fox— que todo se resolverá esta misma semana. Si no es así, volveremos a encontrarnos en la casilla de salida. El único problema es que en Oriente Próximo ¡no existe tal cosa! Aquí nadie se queda quieto. No hay más que ver lo que pasó después de Camp David. Los israelíes abatían a los árabes por la calle y estos volaban las cafeterías de Jerusalén. Y todo porque los tipos que estaban sentados en estas sillas quisieron hacerlo bien pero acabaron jodiéndola.

Se hizo el silencio, también al otro lado de la línea telefónica. Todos sabían qué significaba aquello: una reprimenda desde lo más alto, y sin duda habría más.

—Señor, tenemos más datos sobre el asesinato del delator —dijo el hombre de la CIA en un intento de aliviar la tensión.

—¿Sí? —preguntó el secretario de Estado.

—Como he dicho antes, algo tan insignificante no merecería que se le prestara más atención. En el momento culminante de la última Intifada, este tipo de ejecuciones sumarias eran de lo más corriente y se producían a ritmo de más de una a la semana. Sin embargo, teniendo en cuenta que ambas partes han declarado un alto el fuego, incluso una infracción interna como esta podría...

—Nada de eso es nuevo. Ha dicho que tenía más información —lo interrumpió Miller haciendo llegar otro mensaje del jefe: «Al grano. No hay tiempo que perder».

—Algunos detalles curiosos. Primero, la víctima tenía casi setenta años. Era mucho más viejo que el perfil habitual en estos casos, que suele corresponder al de los militantes de base.

Miller alzó una ceja de desaprobación ante aquella palabra: «militantes».

—O a los terroristas —corrigió el de la CIA—. Segundo, hemos hablado con nuestros colegas israelíes y nos han confirmado que ese hombre era exactamente lo que parecía: un anciano arqueólogo que nunca había trabajado para ellos.

—Entonces, ¿los palestinos se han equivocado de hombre?

—Es posible, señor secretario. Que maten a alguien porque lo han confundido con otra persona no es nada raro en estos parajes. De todas maneras, caben otras posibilidades.

—¿Como cuáles?

—Podría haber sido la obra de una facción rebelde. En estos momentos el nivel de seguridad en Israel es tan alto que difícilmente podrían cometer un atentado terrorista. —Puso un ligero énfasis en la palabra «terrorista», dedicado a Miller—. En cambio, liquidar a uno de los suyos, especialmente si es un palestino inocente y conocido como Nur, sería lo siguiente en lo que pensarían. Sembraría disensiones en el bando palestino y podría provocar que los israelíes rompieran las negociaciones. Desestabilizaría el proceso.

—Me parece una conjetura muy arriesgada —contestó Miller, que seguía inclinado hacia delante, concentrado—. Los israelíes podrían decir que eso demuestra que los palestinos son una gente sin ley y que no se les puede confiar un estado propio, pero la opinión pública israelí no se lo tragaría. ¿Liquidar el proceso de paz solo porque se han cargado a un árabe? Ni hablar. ¿Qué más?

—Los otros datos curiosos tienen que ver con los informes

de los testigos presenciales en la plaza Manara de Ramallah. Los encapuchados apenas hablaron, pero cuando lo hicieron, tenían un acento extraño.

—¿Qué clase de acento?

—No dispongo de esa información, señor. Lo siento.

—Pero ¿podría haber sido israelí?

—Es una posibilidad.

Miller se echó hacia atrás en la silla, se quitó las gafas y alzó los ojos al techo.

—¡Señor! Pero ¿qué estamos diciendo? ¿Que esto podría ser una operación encubierta del ejército israelí?

—Bueno, sabemos que Israel siempre ha mantenido operativas unidades encubiertas. Reciben el nombre clave de Cherry y Samson. Son fuerzas especiales vestidas como los árabes. Esta podría ser su última operación.

Miller se frotó los ojos y preguntó:

—¿Y por qué demonios iban a hacer algo así precisamente ahora?

—Repito: podría ser un intento de desestabilizar las conversaciones de paz. Todos sabemos que en las fuerzas armadas israelíes hay quien está ferozmente en contra de las concesiones que el primer ministro se muestra dispuesto a hacer ante...

—Y si esto les saliera bien, la muerte de una de sus figuras nacionales, ¿los palestinos se enfadarían tanto que se levantarían de la mesa?

—Sí. E incluso aunque la Autoridad Nacional Palestina estuviera dispuesta a hacer la vista gorda, la calle no se lo permitiría.

—Y por eso el no tan accidental desliz del acento, ¿no? —Las palabras de Miller apenas fueron audibles a través del ruido de mascar chicle.

—Es una de las líneas de investigación que estamos siguiendo.

—¡Esto es como la maldita sala de los espejos! —exclamó

Miller—. Tenemos a árabes e israelíes lanzándose al cuello los unos de los otros, y ahora tenemos también elementos díscolos en cada bando.

—Como mínimo es una posibilidad. Esa es la razón de que estemos siguiendo tan de cerca el asesinato de Guttman.

—¿Qué tiene que ver con todo esto?

—Estamos haciendo preguntas acerca del organigrama de seguridad que protege al primer ministro, por si hubiera algún infiltrado. No podemos descartar la posibilidad de que el hombre que abatió a Guttman lo hiciera deliberadamente, porque trabajaba para otra facción.

Maggie se inclinó hacia delante con la intención de mencionar su extraño encuentro con la viuda de Guttman la tarde anterior. «Ese mensaje era urgente, señorita Costello. Una cuestión de vida o muerte.» No sabía si sonaría descabellado en aquel entorno, por otra parte...

Demasiado tarde. Miller se levantó.

—Bueno, me parece que hemos tenido suficiente Oliver Stone para una sesión. Señor secretario, vamos a seguir empujando las negociaciones de paz como si nada de esto hubiera ocurrido. ¿Está usted de acuerdo?

—Desde luego.

—¿Informará usted al presidente?

—Sí, por supuesto.

Todos los presentes, y también el secretario de Estado, a diez mil kilómetros de distancia, sabían que se trataba de una cortesía. Miller y el presidente hablaban una docena de veces a lo largo del día; no importaban los husos horarios que pudieran separarlos. Si alguien iba a informar al presidente, ese sería Miller, y seguramente lo haría en cuestión de minutos.

—¿Algo más? —preguntó alzando la vista. Miró a Maggie, que negó con la cabeza, y al cónsul, que hizo lo mismo—. Bien.

La reunión se disolvió. Todos estaban impacientes por demostrar al hombre de la Casa Blanca la prisa que tenían por regresar a sus ocupaciones. Maggie salió tras Davis.

Se marcharon demasiado deprisa para poder ver a Miller sacar su móvil y oírle decir las tres breves palabras que susurró cuando consiguió conectar con Washington:

—Todo en orden.

9

Jerusalén, martes, 15.17 h

Maggie se dirigió al cuarto que Davis había acondicionado para ella, una zona de trabajo para los visitantes del departamento de Estado. Un escritorio, un teléfono y un ordenador, nada más. Era cuanto necesitaría. Cerró la puerta.

Primero, comprobó su correo electrónico. Tenía un mensaje de Liz en respuesta al que ella le había dejado en el contestador automático avisándola de su repentino viaje a Jerusalén.

> Asunto: ¡Ahí estás!
>
> Así que mi seria hermana por fin ha entrado a formar parte de mi loco mundo... ¿Sabías que eres un personaje de Second Life? Sí, esa cosa de internet en la que malgasto mi tiempo. En serio, sales en una especie de simulación de conversaciones de paz en Oriente Próximo. Incluso te pareces, aunque te han puesto un culo mejor del que te mereces. Aquí tienes el enlace. Échale un vistazo.

Intrigada, Maggie entró en el enlace. Liz le había hablado un par de veces de Second Life, insistía en que no era otro juguecito estúpido, sino un añadido virtual al mundo real. A Liz le encantaba, y no dejaba de pregonar sus ventajas para viajar y conocer gente —ni orcos ni cazadores de dragones, sino gente de verdad— sin necesidad de despegarte del ordenador. A Maggie le sonaba horrible, pero también le picaba la curiosidad. ¿A qué se refería Liz con eso de que Maggie era un «personaje» del juego? Lo de «simulación de conversaciones de paz» lo entendía; en la red había varios juegos de esos, donde los estudiantes recién graduados desempeñaban un papel en las últimas sesiones de las negociaciones de paz. Era impresionante que ya se supiera que estaba en Jerusalén. Supuso que algún periódico local había dado la noticia de su llegada.

El buscador del ordenador estaba funcionando y de repente se bloqueó. Apareció un mensaje diciendo algo de un cortafuegos de seguridad del consulado. «No importa —se dijo Maggie—, otra vez será.»

Volvió a la bandeja de entrada. Seguía sin tener noticias de Edward. Se preguntó si aquello significaba el final, si no volverían a dirigirse la palabra si no era para organizar la recogida de sus cosas, que, gracias a él, no eran muchas.

Cerró el correo electrónico y, como hacía siempre, abrió las páginas del *New York Times* y el *Washington Post*. En el *Times* había un artículo sobre el tiroteo del sábado por la noche que incluía un perfil del muerto. Contenta de poder distraerse un rato, lo leyó de cabo a rabo.

> Shimon Guttman destacó por primera vez en 1967, después de la guerra de los Seis Días, donde tuvo una señalada participación militar. Aprovechando la oportunidad de sacar el máximo partido al nuevo control por parte de Israel de los históricos territorios de Samaria y Judea, en Cisjordania, Guttman formó parte del grupo de activistas que se hicieron famosos al hallar una ingeniosa manera de restablecer la presencia judía en la ciudad mayoritariamente árabe de Hebrón. Disfrazados de turistas, él y sus compañeros alquilaron varias habitaciones de un hotel palestino, aparentemente para celebrar una cena de Pascua o *seder*.

> Una vez instalados, se negaron a marcharse. En las discusiones que siguieron con las autoridades judías, Guttman llevaba la voz cantante e insistió en que los vínculos que unían al pueblo judío con Hebrón eran más fuertes que ningún otro en el territorio de Israel: «Aquí es donde se halla el roble de Abraham, el viejo árbol donde Avraham Avinu, nuestro padre Abraham, levantó su tienda», dijo a los reporteros en 1968. «Aquí está la Tumba de los Patriarcas, donde Abraham, Isaac y Jacob fueron enterrados. Sin Hebrón, no somos nada». Al final, Guttman y sus compañeros activistas llegaron a un acuerdo con las autoridades israelíes para abandonar el hotel y trasladarse a una colina situada al nordeste de Hebrón, donde fundaron el asentamiento de Kirat Arba. Desde entonces, ese puesto avanzado en lo alto de la montaña ha ido creciendo hasta convertirse en la moderna ciudad que es hoy, aunque sobre ella pesa un dudoso destino en función de los acuerdos de paz que pueden firmarse esta semana.

«Eso lo explica», se dijo Maggie. A Guttman le preocupaba que el asentamiento que había fundado fuera entregado a los palestinos junto con la gran cantidad de aldeas y pueblos judíos que Israel se disponía a ceder. Seguro que había intentado convencer al primer ministro para que cambiara de opinión. Sin duda, disfrutaba montando el espectáculo. Se había apoderado de un hotel en Hebrón y había trepado a las azoteas de Gaza antes de eso. «Los números habituales en un artista», pensó Maggie.

Lo investigó en Google. Entró en las pocas páginas web en inglés que contenían noticias de Israel. Todas contaban historias similares: Guttman había sido un héroe de guerra antes de convertirse en un extremista de derechas aficionado a montar el espectáculo. Una de las páginas incluía un vídeo de lo que le parecía una manifestación de protesta: Guttman aparecía al frente de la multitud, que ondeaba banderas israelíes, en lo alto de una polvorienta colina. Maggie dedujo que se trataba de algún asentamiento en vías de crecer o desaparecer.

Guttman, con su blanca melena al viento y su prominente barriga, constituía una poderosa figura que llenaba el encuadre. «Los palestinos deberían echar un vistazo a la historia —decía—, porque la historia lo dice alto y claro: los judíos llegaron aquí antes. Esta tierra nos pertenece. Toda.»

Las cosas parecían bastante claras. Guttman era un halcón decidido a resistir hasta el último momento apelando directamente al primer ministro. Se acercó demasiado y lo abatieron. Así de simple.

Sin embargo, lo que Rachel Guttman le había dicho, y cómo se lo había dicho, la intrigaba. La mujer había insistido en que, su marido, en sus tres últimos días de vida, había visto algo, un documento o una carta, que cambiaría las cosas por completo. Maggie se miró la muñeca que la viuda le había agarrado con tanta fuerza. Pobre mujer, estaba tan destrozada por el dolor que la había tomado con ella, una completa desconocida. Maggie había visto otros casos de gente que había perdido a sus seres queridos y que intentaba hallar una explicación elevada para la violenta muerte de un marido, una esposa, una madre, un hijo. Afirmaban que la persona asesinada había previsto de algún modo su propia muerte, que estaba a punto de cometer una hazaña, que estaba preparada para hacer las cosas bien. Quizá Rachel Guttman sufría el mismo delirio melancólico. Maggie se frotó la muñeca.

Llamaron a la puerta, y Davis entró sin esperar respuesta.

—Bueno, Estados Unidos ha decidido desplegar su arma secreta.

—¿Ah, sí? ¿Y cuál es?

—Usted.

Davis le explicó que, tal como temían, la delegación palestina que negociaba en Government House amenazaba con retirarse por culpa de la muerte del arqueólogo. Veían en ella la mano de Israel.

—Necesitamos que les hable y los convenza de que no salten al vacío. El vicesecretario quiere verla dentro de cinco minutos.

Maggie recogió sus papeles y se volvió para desconectar el ordenador. Se disponía a cerrar la página web del diario israelí *Haaretz*, el último que había consultado en busca de información sobre Guttman, cuando cambió de opinión y echó un vistazo rápido a la primera página, por si acaso había algo nuevo sobre el caso Nur.

Y lo había: una noticia de última hora que leyó en diagonal. Describía el suceso como la simple eliminación de un delator; no mencionaba la posibilidad de una implicación israelí. La acompañaba una foto del palestino muerto que parecía sacada de un álbum familiar. En ella, el arqueólogo, con su canoso mostacho, sonreía a la cámara con una copa en alto. Un brazo le rodeaba los hombros; tal vez un amigo que quedaba fuera del encuadre.

Maggie se levantó para seguir a Davis pero algo la atrajo de nuevo hacia la imagen. Había visto algo que le resultaba familiar y no sabía qué era. Observó los ojos de Nur, pero no le dijeron nada. ¿Qué había visto? Por un breve instante, creyó que lo había atrapado..., pero se le escapó. No obstante, volvería a verlo. Y mucho antes de lo que podía suponer.

10

Ramallah, Cisjordania, martes, 16.46 h

Su primera sorpresa fue la brevedad del trayecto. Hacía solo quince minutos que había subido al asiento trasero del Land Cruiser negro del consulado, y en esos momentos el conductor, el sargento de marines Kevin Lee, le anunciaba que estaban cruzando la Línea Verde, saliendo del «Israel original» y adentrándose en los territorios que el país había ganado en la guerra de los Seis Días, en 1967.

Sin embargo, era una frontera invisible. No había indicadores ni guardias, ni carteles de bienvenida. Parecía que se hubieran adentrado en otro barrio residencial de Jerusalén; los edificios de apartamentos se sucedían uno tras otro, todos construidos con la misma piedra clara.

—Esto es Pisgat Ze'ev —dijo Lee—. La gente que vive aquí no es consciente de que está al otro lado de la Línea Verde. —Se volvió para mirar a Maggie—. O no quiere ser consciente.

Maggie miró por la ventanilla. No le extrañaba que todo lo relacionado con aquellas negociaciones pareciera una pesadilla. El plan establecía que Jerusalén sería dividida en dos partes —el eufemismo que utilizaba la diplomacia estadounidense era «compartidas»— y se convertiría en la capital de ambos países. Pero Maggie comprendió entonces que esa escisión sería imposible.

Jerusalén Oriental y Jerusalén Occidental eran como dos árboles que habían crecido tan cerca el uno del otro que se habían entrelazado. Se negaban a separarse.

—Ahora se hará una idea más precisa —dijo Lee; la carretera empezaba a girar—. Pisgat Ze'ev a un lado y Beit Hanina al otro —añadió, señalando a derecha e izquierda.

Maggie enseguida vio la diferencia. El lado árabe era casi un páramo: casas de bloques de hormigón gris a medio acabar de donde asomaban varas de hierro como tendones seccionados; aceras llenas de agujeros y hierbajos limitados por barriles de aceite oxidados. Por la otra ventanilla, Pisgat Ze'ev era líneas rectas y pulcros setos. Podría haber sido un barrio residencial de Estados Unidos, pero construido con piedra bíblica.

—Sí, es bastante sencillo —continuó Lee—. A un lado la infraestructura es magnífica, y al otro lado es una mierda.

Siguieron en silencio mientras Maggie escrutaba el paisaje que la rodeaba. Podías leer cien informes y estudiar otros tantos mapas, pero no había nada como ver el terreno con tus propios ojos. Así fue en Belfast y en Bosnia, y también allí.

—¡Un momento! —exclamó Lee mirando al frente—. ¿Qué es eso?

A ambos lados de la carretera se veían sendas hileras de personas.

—¿Podemos parar? —preguntó Maggie—. Me gustaría echar un vistazo.

Lee se detuvo en la cuneta y la gravilla crujió bajo los neumáticos.

—Señora, permítame que salga yo primero para comprobar que la situación es segura.

«Señora.» Maggie intentó calcular cuántos años se llevaba con el sargento de marines Lee. Él no debía de tener más de veintidós. Así que, al menos en teoría, Maggie era lo bastante mayor para ser su madre.

—De acuerdo, señorita Costello. Creo que puede usted salir.

Maggie se apeó del coche y vio que a un lado de la carretera la gente formaba una fila que se estiraba, subía por la colina y se perdía en la distancia. En la otra dirección, al otro lado de la carretera, lo mismo. Algunos ondeaban pancartas, los demás se cogían de las manos. Era una cadena únicamente humana interrumpida por la carretera.

Entonces Maggie lo comprendió. Iban vestidos de color naranja, el color del movimiento de protesta que había surgido para oponerse al proceso de paz. Leyó los lemas de las pancartas. Uno decía: «Detened a los traidores»; el otro: «Yariv se despedirá con fuego y sangre». En el primero aparecía una caricatura del primer ministro tocado con una *kefiya* blanca y negra, el pañuelo tradicional palestino. En el segundo, Yariv aparecía vestido con el uniforme nazi de las SS.

La mujer que sostenía la pancarta de la *kefiya* vio que Maggie la miraba y la llamó:

—¿Quiere salvar Jerusalén? ¡Esta es la manera de hacerlo! —Tenía acento de Nueva York.

Maggie se acercó.

—Somos Brazos Alrededor de Jerusalén. —La mujer le entregó un panfleto—. Estamos formando una cadena alrededor de la capital eterna e indivisible del pueblo judío. Y vamos a quedarnos aquí hasta que Yariv y el resto de los criminales se hayan ido y nuestra ciudad vuelva a estar a salvo.

Maggie asintió.

La mujer bajó un poco la voz, como si compartiera un secreto.

—Si por mí fuera, nos llamaríamos Manos Fuera de Jerusalén, pero no se pueden ganar todas las batallas. Debería quedarse un rato por aquí para ver lo que los verdaderos israelíes piensan de esta gran traición.

Maggie señaló el coche que la esperaba y se disculpó con un gesto. Mientras caminaba hacia el Land Cruiser oyó una canción que llegaba de lo alto de la colina. Las voces, separadas por la distancia, no cantaban todas al unísono pero creaban una melodía hermosa e hipnótica.

Mientras el sargento Lee le abría la puerta y se ponía al volante, Maggie pensó en lo que acababa de ver. Yariv no tenía ninguna posibilidad ante una oposición tan decidida. Aun suponiendo que al final consiguiera persuadir a los palestinos, le quedaba por convencer a su propio pueblo, un pueblo dispuesto a formar un anillo humano en torno a la ciudad y a mantenerlo noche y día durante semanas e incluso meses.

En esos momentos circulaban por una carretera lisa y sin casi tráfico, salvo por los ocasionales 4×4 de la ONU y un vehículo caqui del ejército israelí, las FDI. Según le explicó Lee, todos los demás coches pertenecían a los colonos.

—¿Dónde están los palestinos?

—Tienen que pasar por otro sitio. Por eso se dice que esta carretera es de circunvalación. Porque es para circunvalarlos a ellos.

Lee se detuvo en la cola del control de paso. Un cartel en inglés indicaba quiénes estaban autorizados para cruzarlo: organizaciones internacionales, personal médico, ambulancias, prensa. Debajo, una clara advertencia: «¡Deténgase aquí! ¡Espere a que los soldados lo llamen!».

El conductor cogió el pasaporte de Maggie, bajó la ventanilla y se lo entregó al centinela. Maggie agachó la cabeza para observar mejor su rostro. Era moreno y delgado, con algunos granos de acné en el mentón. No podía tener más de dieciocho años.

Los dejaron seguir y pasaron ante la carcasa vacía de un edificio que Lee identificó como el City Inn Hotel. Sus paredes estaban acribilladas de agujeros de bala.

—En la segunda Intifada lucharon aquí durante semanas. El ejército tardó lo suyo en conseguir expulsar a los palestinos. —Se volvió y sonrió a Maggie—. Tengo entendido que ahora las habitaciones son baratísimas.

A los pocos minutos de haber dejado atrás los barrios periféricos israelíes, se adentraron en un paisaje completamente distinto. Los edificios estaban construidos con la misma piedra clara que había visto en Jerusalén, pero tenían un aspecto mucho más sucio y polvoriento, abandonado. Los carteles estaban en árabe e inglés: AL-RAMI MOTORS, AL-AQSA ISLAMIC BANK. En una esquina vio un montón de sillas de caña y mimbre y a unos cuantos jóvenes haraganeando y fumando. Los muebles estaban a la venta. Los niños que se dirigían al colegio cargados con grandes mochilas caminaban esquivando los socavones de las aceras. Maggie apartó la mirada.

En todas las paredes y en las ventanas de los comercios abandonados había carteles con los rostros de hombres y muchachos, todos ellos enmarcados con los colores verde, blanco, rojo y negro de la bandera nacional palestina.

—Mártires —explicó Lee.

—¿Terroristas suicidas?

—Sí, pero no solo. Ahí también están los niños que tirotean a los colonos o que lanzan cohetes.

El coche se metió en un socavón y dio una brusca sacudida. Maggie siguió mirando por la ventana. Allí, al igual que en la mayoría de los lugares donde había trabajado, los dos bandos acababan matando a los niños del lado contrario. Parecía que casi todos los que mataban y los que morían eran muy jóvenes. Era algo que ya sabía, pero en los últimos años no había visto otra cosa. Una y otra vez, en un sitio tras otro, lo había presenciado y le había repugnado. Una imagen, la misma de siempre, flotaba en su cerebro y tuvo que cerrar los ojos con fuerza para ahuyentarla.

Se abrieron paso por calles abarrotadas; pasaron frente a una cafetería llena de mujeres que llevaban la cabeza cubierta con un pañuelo negro. Lee sorteó unos cuantos carros tirados por muchachos y cargados de fruta: peras, manzanas, fresas y kiwis. Todo el mundo avanzaba por la calzada: gente, coches y animales. El tráfico se movía lenta y ruidosamente entre constantes pitos y bocinazos.

—Aquí es —anunció Lee.

Habían aparcado ante un edificio que tenía un aspecto distinto al resto: era grande, no había polvo y tenía los cristales intactos. Vio un cartel que daba las gracias a Japón y a la Unión Europea. Un ministerio.

Cuando entraron, los condujeron a una espaciosa oficina donde había un largo sofá en forma de L. La estancia era demasiado grande para los muebles que había. Maggie sospechó que su tamaño lo había dictado la grandiosidad más que el sentido práctico.

Un individuo corpulento apareció con una bandeja en la que había dos vasos de humeante té a la menta para ella y el marine que la escoltaba. Al subir, Maggie había visto a media docena de tipos como él sentados aquí y allá, fumando, matando el tiempo, tomando té o café. Supuso que oficialmente serían personal de seguridad, pero sabía que en realidad pertenecían a ese grupo que había visto en todos los rincones del mundo: el de los vagos que habían tenido la suerte de contar con un cuñado o un primo que los había enchufado a cargo del Estado.

—El señor al-Shafi la recibirá ahora. Por favor, sígame.

Maggie recogió su pequeño maletín negro y siguió al guía fuera de la estancia. Entró en una habitación más pequeña y amueblada menos ostentosamente. Parecía que allí las cosas se habían hecho mejor. Había varios ayudantes sentados en las sillas y en el único sofá. En la pared colgaba un retrato de Yasir Arafat y un mapa de Palestina que incluía no solo Cisjordania y Gaza, sino Israel. Toda una declaración de intenciones que hablaba de línea dura.

Jalil al-Shafi se levantó para estrechar la mano de Maggie.

—Buenos días, señorita Costello. Tengo entendido que ha interrumpido usted su retiro y ha venido hasta aquí para que dejemos de pelearnos como niños.

La broma y el conocimiento interno que revelaba, no la sorprendieron. En su nota informativa, Davis le decía que su interlocutor era inteligente. Después de haber pasado más de diez años en una cárcel israelí, acusado no solo de terrorismo sino de varios cargos de asesinato, al-Shafi se había convertido en un símbolo de la lucha. Durante el cautiverio aprendió hebreo de sus carceleros y después inglés, y los utilizó para publicar declaraciones mensuales a través de su esposa: unas veces era una llamada a las armas; otras, sobrios análisis políticos; otras, sutiles maniobras diplomáticas. Cuando los israelíes lo pusieron en libertad, pocos meses antes, fue la señal inequívoca de que podía avanzarse por el camino de la paz.

En esos momentos al-Shafi era reconocido como el líder de facto de al menos la mitad de la nación palestina: la parte que no se identificaba con Hamas sino con el movimiento secular y nacionalista al-Fatah fundado por Arafat. No ostentaba cargo político —seguía habiendo un presidente—, pero nada se movía en al-Fatah sin su aprobación.

Maggie intentó leer en él. Las fotografías de un rostro barbado y de rasgos toscos la habían preparado para un luchador callejero y no alguien sofisticado. Sin embargo, el hombre que tenía delante mostraba un refinamiento que la sorprendió.

—Me dijeron que valía la pena —contestó—. Que ustedes y los israelíes estaban muy cerca de llegar a un acuerdo.

—Sí. El tiempo verbal es exacto: «estábamos».

—¿Ya no?

—No si los israelíes siguen matando a los nuestros y engañándonos.

—¿Matándolos?

—Es imposible que a Ahmed Nur lo asesinara un palestino.

—Parece usted muy convencido. Por lo que tengo entendido, los palestinos han liquidado a un montón de palestinos a lo largo de los últimos años.

Los ojos de al-Shafi le lanzaron una mirada glacial. Maggie

le devolvió una sonrisa. Lo había hecho deliberadamente: era mejor mostrar carácter desde el principio; de ese modo sus interlocutores abandonaban toda tentación de tratarla como si fuera una débil mujer.

—Ningún palestino mataría a un héroe nacional como Ahmed Nur. Su trabajo era motivo de orgullo para todos nosotros y un claro desafío a la hegemonía y la dominación de los israelíes.

Maggie recordó que al-Shafi se había doctorado en ciencias políticas durante su cautiverio.

—Pero quién sabe si no se dedicaba a otras actividades...

—Créame si le digo que era la última persona de este mundo que habría colaborado con los israelíes.

—Oh, vamos, todos sabemos que no simpatizaba con el gobierno actual. Nur no soportaba a Hamas.

—Está usted bien informada, señorita Costello. Pero Ahmed Nur comprendía que en estos momentos, en Palestina, tenemos un gobierno de unidad nacional. Cuando al-Fatah se coaligó con Hamas, Nur lo aceptó.

—¿Qué otra cosa podía decir públicamente? Se supone que los colaboracionistas de Israel no llevan una camiseta con el lema «Soy colaboracionista» escrito en el pecho.

Al-Shafi se inclinó hacia delante y miró fijamente a Maggie.

—Escúcheme bien, señorita Costello. Conozco a mi pueblo y sé quién es un traidor y quién no. Los que colaboran con el enemigo o son jóvenes o son pobres o están desesperados o guardan algún secreto del que se arrepienten o los israelíes tienen algo que ellos necesitan. Nur no encajaba en ninguna de esas categorías. Además...

—Nur no sabía nada —dijo Maggie, que de repente había comprendido lo obvio—. No era más que un académico ya mayor. No tenía ninguna información que ofrecer.

—Sí, eso es. —Al-Shafi parecía perplejo; se preguntó dónde se ocultaba la trampa. Aquella estadounidense se había plegado demasiado pronto—. Por eso los que lo mataron tienen que ser israelíes.

—Lo cual explicaría el acento extraño de los asesinos.

—Exacto. Así, ¿está usted de acuerdo conmigo?

—¿Y el motivo?

—El mismo de siempre ¡durante los últimos cien años! Los sionistas dicen que quieren la paz, pero no es verdad. La paz les da miedo. Cada vez que están cerca, encuentran alguna razón para echarse atrás. Pero esta vez lo que quieren es que seamos nosotros los que nos echemos atrás. Por eso nos matan y hacen que los nuestros se vuelvan locos e ¡impidan que sus líderes estrechen la mano del enemigo sionista!

—Si los israelíes quisieran engañar de verdad a los palestinos, ¿no habrían matado a un montón de gente en vez de a un simple y viejo académico?

—¡Los sionistas son demasiados listos! Si lanzaran un bombazo, el mundo les echaría la culpa. ¡De este modo, nos la echa a nosotros!

Maggie pensó que había algo sospechoso en el tono de al-Shafi. ¿Qué era? Hablaba demasiado alto. Era algo que ya había detectado antes: en Belgrado, un oficial serbio que hablaba con un tono forzado. Entonces lo comprendió: al-Shafi no hablaba para ella, estaba actuando, y su verdadera audiencia eran los otros hombres que había en la habitación.

—Doctor al-Shafi, ¿cree que podríamos hablar en privado?

Al-Shafi miró al puñado de funcionarios y los mandó salir con un rápido gesto de la mano. Tras un breve frufrú de papeles y un tintineo de vasos, se quedaron solos.

—Gracias —dijo Maggie—. ¿Hay algo que quiera decirme ahora?

—Ya le he dicho lo que opino. —Su voz había recobrado un tono normal.

—Me ha dicho que cree que los hombres que mataron a Ahmed Nur ayer eran agentes encubiertos israelíes.

—Sí.

—Pero eso no es lo que usted cree de verdad, ¿no? ¿Hay algo que quizá no quería decir delante de sus colegas?

—¿Así logra usted la paz, señorita Costello? ¿Leyendo la mente de los hombres que se están peleando? —Sonrió, compungido.

—No intente halagarme, doctor al-Shafi —repuso Maggie, devolviéndole la sonrisa—. Usted sospecha de Hamas, ¿verdad? —Maggie tomó su silencio como una afirmación e insistió—: ¿Por qué? ¿Porque era crítico con ellos?

—¿Recuerda lo que los talibanes hicieron en Afganistán antes del 11 de septiembre? Fue algo que llamó la atención del mundo entero.

—Volaron en pedazos las estatuas gigantes de Buda excavadas en la montaña.

—Correcto. ¿Y por qué lo hicieron? Porque aquellas estatuas demostraban que había habido algo antes del islam, una civilización más antigua que el Profeta. Eso es algo que los fanáticos no pueden soportar.

—¿Y usted cree que Hamas ha podido matar a Nur solo por eso, porque encontró unos cuantos platos y jarrones que databan de antes del islam?

Al-Shafi suspiró y se recostó en su asiento.

—Señorita Costello, no es solo cosa de Hamas. Hamas está sometido a presiones por parte de todos los islamistas del mundo, que los llaman traidores por hablar con Israel.

—¿Al-Qaida?

—Entre otros, sí. Están siguiendo con mucha atención lo que está ocurriendo aquí. Es posible que Hamas haya sentido la necesidad de demostrar que los tiene bien puestos, y disculpe la expresión, matando a un académico que ha desvelado el lado antipático de la verdad.

—Pero ¿por qué lo disfrazarían como el asesinato de un colaboracionista? Sin duda preferirían que se considerara una ejecución de Estado, de ese modo mejoraría su imagen ante Al-Qaida. —Maggie hizo una pausa—. A menos que también quisieran echarle la culpa a Israel, y entonces los palestinos se enfadarían hasta tal punto que sería imposible firmar el acuerdo de paz. ¿Cree que sería posible?

—Es algo que ya me he preguntado. Si Hamas tendría reparos.

Maggie sonrió. Siempre desconfiaba de las primeras impresiones, incluidas las suyas; pero había algo en la arruga de angustia que se formaba en la frente de aquel hombre, y reflejaba su lucha interior, que la llevaba a confiar en él.

Al-Shafi se mesó la barba, y Maggie intentó descifrar su expresión.

—Hay algo más, ¿verdad?

Él alzó los ojos y le sostuvo la mirada. Ella no apartó la vista ni rompió el silencio.

Al fin, el palestino se levantó y empezó a caminar arriba y abajo con la vista fija en el suelo.

—El hijo de Ahmed Nur ha venido a verme hace una hora. Estaba muy alterado.

—Es comprensible.

—Me ha dicho que ha estado revisando las cosas de su padre en busca de una explicación. Encontró cierta correspondencia, unos cuantos correos electrónicos, entre ellos uno, extraño, de alguien a quien no conocía.

—¿Sabe si ha hablado con los colegas de su padre? Puede que fuera de alguien con quien trabajó.

—Naturalmente, pero es que la ayudante de Nur tampoco reconoce el nombre. Y ella era la que se ocupaba de esos asuntos.

—Tal vez Nur tuviera una aventura...

—Era un nombre de hombre.

Maggie estuvo a punto de arquear una ceja, pero lo pensó mejor.

—¿Y su hijo cree que esa persona podría estar relacionada con la muerte de su padre?

Al-Shafi asintió.

—¿Que incluso podría estar detrás de su asesinato?

El palestino hizo un leve movimiento afirmativo con la cabeza.

—¿De qué clase de persona estamos hablando?

Al-Shafi miró hacia la puerta, como si temiera que alguien pudiera estar escuchando.

—El correo electrónico fue enviado por un árabe.

11

Jerusalén, martes, 20.19 h

Maggie estaba tumbada en la cama del David's Citadel Hotel. Era un hotel enorme, construido con una versión moderna y pulida de la piedra de Jerusalén y, por lo que había podido ver, estaba lleno de estadounidenses cristianos. Había visto a un grupo de ellos en el vestíbulo formando un círculo y cerrando los ojos mientras su guía israelí los miraba con ojos pacientes.

Davis la había instalado allí. Estaba a una manzana del consulado. Desde la ventana de su habitación veía la calle Agron. Ella y Lee habían regresado de Ramallah al anochecer por una carretera aún más desierta y en silencio. Maggie había estado reflexionando, intentando no pensar que su misión, lejos de estar destinada a restaurar su reputación, parecía condenada al fracaso.

Lo que Judd Bonham le había presentado como el simple cierre de un acuerdo se estaba convirtiendo en otro de los desastres de Oriente Próximo. Nadie parecía llevar la cuenta de la cantidad de veces que aquellos dos pueblos habían estado a punto de firmar la paz y habían vuelto a caer en la guerra. Y cada vez que eso había ocurrido, el nivel de violencia había aumentado. Maggie no se atrevía a pensar en el infierno que se desencadenaría en cuestión de días si fracasaban otra vez. Con el tiempo había aprendido a reconocer los síntomas, y el asesinato de personajes destacados de ambos bandos, fuesen cuales fueran las circunstancias, era un aviso fidedigno de los serios problemas que se avecinaban.

Se levantó y fue al minibar. Se sirvió un dedo de whisky y se sentó junto a la ventana. Desde allí vio a un hombre que salía de la tienda abierta las veinticuatro horas, iluminada con luces de neón, que había al otro lado de la calle. Llevaba una bolsa de plástico; dentro de la bolsa, una botella de leche, quizá un tarro de miel. Un hombre que regresaba a casa por la noche.

Fue una visión de lo más simple, sin embargo, la fascinó. Por alguna razón, aquel aspecto doméstico de la vida le había sido esquivo. Envidió a aquel hombre que volvía a su casa con una botella de leche para sus hijos, que beberían un vaso a la hora de acostarse, junto con el cuento para dormir. Probablemente hacía lo mismo todas las noches y había llegado hasta allí sin experimentar la necesidad de romper amarras.

Mientras apuraba el vaso pensó en llamar a Edward. Se preguntó si el número de teléfono aparecería en el móvil de él y si al verlo descolgaría. Imaginó lo que se dirían, si Edward se disculparía por lo que había hecho o, al contrario, esperaría que ella pidiera perdón por haberse marchado a Jerusalén.

Siguió sentada mientras se tomaba otro whisky y las palabras que Edward le había dicho en la cocina de su apartamento de Washington le daban vueltas en la cabeza. ¿Acaso era cierto que ella siempre salía corriendo, que era incapaz de permanecer en ninguna parte el tiempo necesario para que las cosas funcionaran? Quizá. Quizá una persona normal habría superado lo ocurrido un año atrás y seguido adelante.

Llamó desde su móvil para que Edward supiera que era ella y tuviera la opción de cortar la comunicación si lo deseaba. Mientras escuchaba el tono miró la hora. La una y media del mediodía en Washington. Edward contestó.

—Maggie. —No fue una pregunta ni un saludo. Fue una afirmación.

—Hola, Edward.

—¿Cómo está Jerusalén? —Una pausa. Luego—: ¿No has salvado el mundo todavía?

—Quería hablar.

—Bueno, no es el mejor momento, Maggie.

Oyó ruido de cubiertos y platos y una suave música de fondo. «Está comiendo en La Colline», se dijo.

—Dame un par de minutos.

Oyó el apagado murmullo de Edward disculpándose y levantándose de la mesa para ir a un rincón tranquilo desde donde hablar. Sabía que en realidad aquello no le molestaría: interrumpir una comida por una llamada urgente era algo normal en Washington, una manera de que se viera lo indispensable que eras.

—Sí... —dijo Edward al fin. «Dispara.»

—Solamente quería hablar sobre lo que va a pasar con nosotros.

—Bueno, la verdad es que confiaba en que recobraras pronto el juicio y volvieras a casa. Luego podríamos empezar a partir de ahí.

—¿Recobrar el juicio?

—Vamos, Maggie. No puede ser que te tomes en serio eso de jugar a la pacificadora.

Maggie cerró los ojos. No pensaba contestar para ponerse a su altura.

—Quería que comprendieras por qué me enfadé tanto con lo de las cajas.

—Mira, no tengo tiempo para esto.

—Porque si no lo entiendes, si no eres capaz de entenderlo...

—Entonces, ¿qué, Maggie? ¿Qué? —Estaba alzando la voz. La gente del restaurante lo miraría.

—Entonces no sé cómo...

—¿Qué? ¿Cómo seguiremos? Creo que ya hemos terminado, ¿tú no? Creo que tomaste esa decisión en el momento en que subiste a ese avión.

—Edward...

—Te ofrecí una vida aquí, Maggie. Y no la quisiste.

—¿No podemos hablar?

—No hay más que decir, Maggie. Tengo que colgar.

Se oyó un clic y después una voz electrónica que decía: «La otra persona ha colgado, por favor inténtelo más tarde». «La otra persona ha colgado, por favor inténtelo más tarde.»

Maggie creyó que se echaría a llorar, pero sintió algo peor que eso: una pesadez que se extendía por su interior, como si su pecho estuviera convirtiéndose en cemento. Se inclinó con los codos apoyados en las rodillas. Su intento de llevar una vida normal había fracasado y volvía a estar como siempre: sola, en una habitación de hotel en el extranjero.

Y todo por culpa de lo que había ocurrido un año antes. Eso lo entendía. Había confiado en que su relación con Edward acabaría con los fantasmas, pero al final había ocurrido todo lo contrario. Levantó la cabeza y contempló la oscuridad que rodeaba Jerusalén; sabía que era muy propio de ella quedarse así, mirando e inmóvil, toda la noche. La perspectiva tenía su atractivo y se entregó a ella durante casi una hora.

Pero por fin afloraron otros sentimientos, la idea de que le habían brindado la oportunidad de liberarse de aquellos horribles acontecimientos del año anterior, de equilibrar de alguna manera la balanza. Y para aprovecharla iba a tener que hacer lo mismo que había hecho en tantas ocasiones: apartar sus sentimientos y concentrarse exclusivamente en el trabajo. Debía culminar con éxito su misión. No podía permitirse fracasar.

«De acuerdo —se dijo mientras se echaba agua fría en la cara, obligándose a empezar de nuevo—, ¿cuál es el problema?

La oposición interna en ambos bandos a raíz de los dos asesinatos. Guttman y Nur. La primera prioridad es llegar al fondo de ambos casos y conseguir tranquilizar a las partes diciéndoles que no tienen motivos para preocuparse y que sigan negociando.»

Volvió a mirar la página web de *Haaretz* y vio la misma fotografía que había visto cinco horas antes: Ahmed Nur con su enigmática sonrisa.

—¿Qué te ocurrió? —le preguntó en una voz susurrada—. ¿Acaso todas las negociaciones se van a ir al traste por tu culpa?

Había hecho todo lo que estaba en su mano con al-Shafi, animándolo para que no perdiera la confianza, para que siguiera negociando. Le aseguró que si Hamas flaqueaba, Estados Unidos tenía elementos para conseguir que volviera a ponerse de su lado. Insistió en que Washington tenía la convicción absoluta de que los israelíes iban en serio y que podían tener un estado palestino propio en cuestión de días. Le recordó que tenía una responsabilidad histórica y, al hacerlo, miró sin querer el retrato de Arafat.

No tenía forma de saber si había funcionado. Él la había acompañado a la puerta sin decir palabra y luego ordenó a sus subordinados que volvieran a entrar. Maggie comprendía que estaba acorralado y que sospechaba de sus socios de coalición de Hamas e incluso de los miembros de su círculo más íntimo; dudaba de su lealtad. Temía que estuvieran arrastrándolo a una trampa en la que, tras haber tendido la mano a Israel, los islamistas lo acusarían de traidor. Si podían presentar a al-Fatah como un siervo de Israel, tendrían asegurada su supremacía durante décadas. No había pasado diecisiete años en las cárceles judías para acabar así.

Contempló la foto de Nur como si sus ojos pudieran de algún modo penetrar en su interior y arrancarle las respuestas que necesitaba. Si pudieran resolver el asesinato del arqueólogo, poner un poco de orden y despejar la situación, quizá las aguas volverían a su cauce.

Se movió hacia abajo en la pantalla y vio que *Haaretz* había ampliado la información con un perfil más extenso de Shimon Guttman. Por las cuestiones que lo rodeaban, vio que la noticia seguía considerándose importante. Un titular decía que los líderes de los distintos asentamientos exigían una comisión de investigación sobre el asesinato de Guttman; otro titular decía: «Un rabino lanza una maldición a la escolta del primer ministro».

Maggie repasó el nuevo perfil, más extenso. Aparecían los mismos detalles que antes: las hazañas militares, la personalidad egocéntrica y dominante, la incendiaria retórica. No obstante, abundaban las anécdotas y las citas eran más largas. Había leído unas dos terceras partes y se disponía a dejarlo cuando algo llamó su atención.

> En la campaña de 1967 y después, Guttman demostró la deuda que tenía con los primeros héroes israelíes como Moshe Dayan y Yigal Yadin. Como ellos, combinaba las proezas militares con su pasión de erudito por la historia de esta tierra. Se convirtió en lo que la gente educada llama un «arqueólogo con músculos» y que para los palestinos no es más que un «saqueador subido a un tanque». Veía las colinas conquistadas y las aldeas capturadas no solo como casillas en el tablero de los planificadores militares, sino como lugares donde excavar. Guttman cambiaba entonces el rifle por la pala y se ponía a cavar. Sus admiradores —y sus enemigos— decían que había reunido una importante colección compuesta por piezas con miles de años de antigüedad. Todas ellas tenían algo en común: servían para confirmar la presencia ininterrumpida de los judíos en estas tierras.

Maggie abrió otra botella en miniatura de whisky escocés. Tal vez solo fuera una coincidencia. Guttman y Nur, ambos arqueólogos, ambos nacionalistas, ambos asesinados con menos de veinticuatro horas de diferencia. Siguió leyendo:

> ...era un hombre hecho a sí mismo, pero se convirtió en una autoridad respetada que acabó especializándose en inscripciones antiguas y esoterismo. ¿Tomó algún atajo, tanto ético como legal, a la hora de levantar su patrimonio? Seguramente. Pero así era el hombre, el último de los audaces sionistas, el aventurero que pertenecía a la generación de 1948, si no a la de 1908...

Dos hombres que tenían aproximadamente la misma edad, ambos dedicados a excavar Tierra Santa para demostrar que era de ellos, que pertenecía a su tribu. «Pura coincidencia», se dijo Maggie, pero no por ello dejaba de resultar extraño. Uno de los asesinatos había movilizado a la derecha israelí; el segundo estaba agitando a los palestinos partidarios de la línea dura. Y entre ambos amenazaban con hacer naufragar la mejor esperanza de paz que las dos naciones iban a tener antes de la Segunda Venida.

Maggie miró el minibar y pensó en repostar, pero volvió su atención a la pantalla, entró en la ventana de Google y escribió nuevas palabras clave: «Shimon Guttman, arqueólogo».

La página se llenó. Un perfil del *Jerusalem Post* de hacía diez años; la transcripción de una entrevista que la Canadian Broadcasting le había hecho en Cisjordania y en la que describía a los palestinos como «intrusos» y los llamaba «falsa nación». Para su decepción, ambas fuentes apenas hacían referencia en lo que el *Post* definía como su «patriótica pasión por excavar en el pasado judío».

Luego aparecía *Minerva, International Review of Ancient Art and Archaeology*. No vio nada significativo sobre Guttman, de manera que hizo una búsqueda de texto, pero aun así su presencia no era importante. Solo encontró su nombre, pequeño y en cursiva, junto con el de alguien más, al pie de un artículo que anunciaba el hallazgo de un singular cáliz relacionado con la ciudad bíblica de Nínive.

Repasó el texto buscando... no sabía qué. Toda aquella palabrería sobre adornos, inscripciones y escritura cuneiforme no tenía sentido para ella. Quizá había llegado a un callejón sin salida. Se masajeó las sienes, apretó el botón de apagado del ordenador y empezó a cerrarlo.

Pero la máquina se resistía a apagarse. Le preguntaba si deseaba que antes cerrara todas las ventanas, todas las páginas que había estado mirando. Tenía el cursor encima del «sí» cuando volvió a ver el nombre de Guttman, pequeño y en cursiva. Y entonces, por primera vez, leyó el nombre que había al lado: Ehud Ramon.

Se le ocurrió que quizá ese hombre supiera algo y lo investigó en Google. La búsqueda arrojó solo tres resultados relevantes. Uno de ellos la devolvía a *Minerva*, pero en los tres aparecía junto a Shimon Guttman. De Ehud Ramon como individuo independiente no había nada.

Encontró una base de datos de arqueólogos israelíes e introdujo el nombre de Ehud Ramon. Salieron un montón de Ehud y un solo Ramon, pero ningún Ehud Ramon. Lo mismo le ocurrió en el Archaeological Institute of America. ¿Quién era ese hombre relacionado con Guttman pero de quien no había rastro?

Entonces lo vio. Se le puso la carne de gallina mientras cogía papel y lápiz y anotaba las palabras tan deprisa como podía, solo para asegurarse. Por supuesto que ese nombre, que aparentemente pertenecía a un académico israelí o norteamericano, no podía ser... Y, sin embargo, allí estaba, materializándose ante sus ojos. No existía ningún Ehud Ramon. O, mejor dicho, sí existía, pero ese no era su verdadero nombre. Se trataba de un anagrama, como esos que Maggie resolvía a una velocidad extraordinaria durante las interminables y deprimentes tardes de domingo en el colegio de monjas. Ehud Ramon era un académico dedicado a exhumar los secretos del terreno, pero también era el más improbable compañero de Shimon Guttman —sionista de derechas, zelote convencido y enemigo declarado de los palestinos—, ya que Ehud Ramon era en realidad Ahmed Nur.

12

Bagdad, abril de 2003

Aquella mañana, Salam fue al colegio más por costumbre que por lo que pudiera esperarle allí. No creía que las clases siguieran impartiéndose como si no hubiera pasado nada, pero a pesar de todo había ido. Por si acaso. Bajo el régimen de Saddam, saltarse el colegio suponía, como cualquier otro acto de desobediencia, un riesgo que nadie que apreciara su integridad física estaba dispuesto a asumir.

Por mucho que Saddam hubiera huido y que su estatua de la plaza del Paraíso hubiera caído ante las cámaras de televisión de todo el mundo, entre los habitantes de Bagdad seguía predominando la cautela que habían aprendido a cultivar a lo largo de los últimos veinticuatro años. Salam no era el único que había soñado que el dictador surgía de las aguas del Tigris cual Poseidón, empapado y furioso, exigiendo la sumisión de todos sus súbditos.

Así pues, fue al colegio. Saltaba a la vista que muchos otros habían sufrido el mismo miedo: al menos la mitad de los compañeros de clase de Salam deambulaban fuera, jugando a la pelota o compartiendo chismorreos. Ninguno demostraba especial alegría. Había demasiados profesores baazistas, meras marionetas del régimen, para arriesgarse. No obstante, Salam percibió una energía, una especie de carga eléctrica que parecía atravesarlos a todos. Era una sensación nueva, ninguno de ellos había sido capaz de definirla. De haber conocido las palabras y haber podido librarse del miedo que los atenazaba habrían dicho que, por primera vez, se sentían emocionados ante la idea de un futuro.

Ahmed, el bocazas de la clase, se le acercó tranquilamente y lanzó una mirada por encima del hombro.

—¿Dónde estuviste anoche?

—En ninguna parte. Me quedé en casa. —El reflejo del miedo.

—¿A que no adivinas dónde estuve yo?

—Ni idea.

—Prueba.

—¿En casa de Salima?

—No, idiota. Prueba otra vez.

—No lo sé. Dame una pista.

—¡Estaba haciéndome rico, tío!

—¿Estabas trabajando?

—Llámalo así, si quieres. Sí, anoche trabajé de lo lindo. Y gané más dinero del que verás en toda tu vida.

—¿Cómo? —preguntó Salam entre susurros a pesar de que su compañero hablaba alegremente a todo volumen.

Ahmed sonrió y mostró los dientes.

—En una tienda llena a rebosar de los tesoros más valiosos del mundo. Anoche tenían una oferta especial: «Llévese lo que quiera. ¡Gratis total!».

—¡Estuviste en el museo!

—Exacto. —Ahmed exhibió su sonrisa de joven hombre de negocios.

Salam se fijó en la pelusa que le ensuciaba el mentón y comprendió que su amigo intentaba dejarse barba.

—¿Y qué conseguiste?

—Vaya, te gustaría que te lo dijera, ¿verdad? Como dice el profeta, la paz eterna sea con él, «Los tesoros acumulados de oro y plata parecen complacer los ojos de los hombres». Desde luego, a mí me complacen.

—¿Te llevaste oro y plata?

—Y otras muchas más cosas que complacen los ojos de los hombres.

—¿Cuánto tiempo estuviste?

—Toda la noche. Hice cinco viajes. Para el último me llevé una carretilla.

Salam contempló la gran sonrisa de Ahmed y tomó una decisión: no confesaría que él también había estado en el museo la noche anterior, pero no porque temiera la ley —no había ley en esos momentos— o el castigo de los baazistas, sino porque se sentía avergonzado. ¿Qué se había llevado él del Museo Nacional? Un simple e inútil pedazo de arcilla. Quiso maldecir a Dios por haberle hecho tan cobarde. Como de costumbre, había pecado de timorato, había evitado el peligro y había permitido que otros se llevaran la gloria. En el campo de fútbol le pasaba lo mismo, nunca se atrevía a entrar a fondo y mantenía las distancias para evitar problemas. Esta vez ese hábito le había costado una fortuna. Ahmed lo lograría, se haría millonario, tal vez hasta huyera de Irak y se fuera a vivir como un príncipe en Dubai o, por qué no, en Estados Unidos.

Aquella noche, cuando Salam miró debajo de su cama no le acompañó la emoción que había sentido cuando había hecho eso mismo por la mañana. Su botín seguía allí; pero cuando lo cogió le pareció anodino y desprovisto de valor. Imaginó los cubiletes con incrustaciones de pedrería y las figuras bañadas en oro que tendría Ahmed y se maldijo. ¿Por qué no había encontrado él esos tesoros? ¿Qué lo había impulsado a hurgar en un sótano oscuro cuando tenía las deslumbrantes maravillas de Babilonia al alcance de la mano? El azar tenía la culpa. O el destino. O ambos, que parecían confabularse para que, pasara lo que pasase, Salam al-Askari fuera siempre un perdedor.

—¿Qué es eso?

Instintivamente, Salam se dobló sobre la tablilla de arcilla como si lo estuvieran azotando. Pero no iba a servirle de nada: su hermana de nueve años la había visto.

—¿Qué es qué?

—Esa cosa. En tu regazo.

—Ah, esto. Nada. Lo he cogido hoy en el colegio.

—Pero si dijiste que no había clase...

—Y no había. Esto lo encontré fuera.

Leila ya había salido del cuarto y corría por el pasillo hacia la cocina.

—¡Papá, papá! ¡Salam tiene algo que no debería tener! ¡Salam tiene algo que no debería tener!

Salam alzó los ojos al techo. Estaba acabado. Iba a ganarse una paliza por nada, por un trozo de barro sin valor. Cogió la tablilla, se encaramó a la silla que había junto a la cama e intentó abrir la ventana. Tiraría aquel pedazo de barro seco y al cuerno con él.

—¡Salam!

Se giró y vio a su padre en la puerta. Una mano estaba desabrochando ya la hebilla del cinturón. Salam volvió de nuevo hacia la ventana e intentó abrirla con dedos temblorosos. Pero estaba atascada. Por mucho que empujó solo se abrió unos pocos centímetros. De repente una mano le sujetó la muñeca y le retorció el brazo. Notó el aliento de su padre. Forcejearon. Salam estaba decidido a abrir la ventana y lanzar fuera aquel maldito pedazo de arcilla.

La silla que lo sostenía se tambaleó. Su padre lo empujó con fuerza, y Salam notó que caía hacia atrás.

Aterrizó violentamente sobre el costado y dejó escapar un grito de dolor. Comprendió entonces que ese había sido el único sonido. No había oído ningún ruido que delatara que algo se había hecho añicos contra el suelo. Sin embargo, la tablilla ya no estaba en sus manos. Alzó la vista y vio que su padre la cogía con calma de la cama, donde había caído.

—Padre, es...

—¡Silencio!

—La conseguí en...

—¡Que te calles!

Todo aquello había sido un error de principio a fin. ¡Cómo deseaba no haber puesto los pies en el museo! Empezó a explicarse: cómo el fervor de la pasada noche lo había arrastrado, cómo la multitud lo había empujado hasta allí, cómo había tropezado con la tabilla... Todo el mundo se había llevado cosas. ¿Por qué no él?

Pero su padre no le escuchaba. Estaba examinando el objeto, sus manos no paraban de darle vueltas. Fijó su atención en la funda de barro que protegía a la tablilla propiamente dicha.

—¿Qué es, padre?

El hombre levantó los ojos y fulminó a su hijo con la mirada.

—No hables.

Luego, salió de la habitación de Salam y avanzó despacio y con mucho cuidado por el pasillo, sin apartar la vista del objeto. Poco después, Salam oyó que su padre hablaba en susurros por teléfono.

Sin atreverse a salir del dormitorio, y menos aún a provocar de nuevo la ira de su padre, Salam se sentó en el borde de la cama y dio gracias a Alá por haberle ahorrado una paliza, al menos por el momento. Permaneció así, sin moverse, hasta que unos minutos después oyó que su padre abría la puerta del piso y salía a la noche. Salam pensó en la tablilla que había sido suya durante menos de un día y comprendió que nunca más volvería a verla.

13

Jerusalén, martes, 20.45 h

Amir Tal llamó a la puerta con dos rápidos golpes de los nudillos y, sin esperar respuesta, entró en el despacho del primer ministro. El sillón de Yaakov Yariv estaba vuelto de espaldas a la puerta, y Tal solo pudo ver la coronilla rodeada de blancos cabellos. Como en otras ocasiones, se preguntó si el anciano estaría echando una cabezada.

—*Rosh Ha'memshalah?*

El sillón giró al instante: el primer ministro estaba despierto y alerta. Aun así, Tal se fijó en que no tenía la pluma en la mano y que en la mesa no había ningún documento a medio terminar. De hecho, nada evidenciaba que no hubiera estado dormido. Sin duda un truco que había aprendido en el ejército.

—Señor, tengo noticias importantes. Los técnicos dicen que han conseguido recuperar el texto de la nota que dejó Guttman. La han limpiado de sangre y restos de tejidos hasta conseguir que sea legible. El laboratorio enviará el resultado dentro de unos minutos.

—¿Quién más sabe algo de esto?

—Nadie más, señor.

Volvieron a llamar a la puerta. El viceprimer ministro.

—He oído que tenemos noticias. ¿Del laboratorio?

Yariv lanzó a Tal una mirada fatigada.

—Convoca una reunión aquí para dentro de quince minutos. Ah, y será mejor que venga también Ben Ari.

El primer ministro sacó del cajón de su mesa el texto en el que había estado trabajando las últimas veinticuatro horas. Era un borrador preparado en la Casa Blanca y llevaba anotaciones de puño y letra del presidente. Llevaban tanto tiempo trabajando en aquello que Yariv podía reconocer al instante aquella pequeña y retorcida caligrafía. El presidente había resumido los puntos en los que estaban de acuerdo y las diferencias que subsistían. Yariv no tenía más remedio que admitir que era un trabajo brillante; había enfatizado hábilmente las primeras y resumido tan concisamente las segundas que apenas ocupaban unas pocas palabras. Yariv suspiró al pensar que seguramente, a ojos de la mayoría de los extranjeros, aquellas breves frases —algunas de las cuales se referían a franjas de terreno de no más de dos metros de ancho y que ambos bandos se disputaban con encono— parecían simples cuestiones de detalle, asuntos técnicos que podían resolverse con dos equipos de abogados. Sin embargo, Yariv sabía que cada una de ellas podía representar para su pueblo la diferencia entre la tan anhelada serenidad y una nueva generación sumida en la sangre y el llanto.

Cuando oyó que Tal y los demás regresaban, guardó el documento en el cajón y sacó una bolsa de *garinim*, las pipas saladas que se habían convertido en su sello personal. Ninguno de los miembros de su gabinete había visto el documento presidencial. Y no lo harían hasta que él y su equivalente palestino hubieran manifestado su conformidad en cuanto al texto. No tenía sentido enfrentarse a una revuelta en el seno de su gabinete por un acuerdo de paz que estaba por definir. Más valía reservarse para el texto definitivo. Hizo un gesto a Tal para que diera comienzo la reunión.

—Caballeros, nuestros científicos de Mazap, el departamento de Identificación Criminal, han trabajado sin descanso para poder desentrañar a través de las manchas de sangre y tejido, el mensaje que Guttman deseaba hacer llegar al primer ministro. Nos advierten de que esta versión es provisional, y sujeta a las pruebas finales que...

El ministro de Defensa, Yossi Ben-Ari, carraspeó y empezó a juguetear con la kipá que llevaba en la cabeza. Estaba hecha de croché, señal de que Ari además de ser un hombre religioso provenía de una de las tribus específicas de Israel: un sionista religioso. Nada que ver con él los trajes negros y las camisas blancas que constituían el uniforme de los ultraortodoxos, la mayoría de ellos indiferentes, cuando no declaradamente hostiles, a la idea de un Estado laico. Al contrario, Ben-Ari era un israelí moderno y un nacionalista furibundo, el líder de un partido convencido de que Israel debía tener necesariamente las fronteras más amplias posibles. Guttman lo había acusado de traición solo por formar parte del gabinete de Yariv, y lo mismo habían hecho los que representaban al sector duro de la política de asentamientos. Sin embargo, Ben-Ari estaba convencido de que realizaba una labor patriótica y vital al actuar como el freno que evitaría que Yariv, según sus palabras, «vendiera los derechos de nacimiento del pueblo judío a cambio de un plato de lentejas». Él impediría que el primer ministro cediera tierras demasiado importantes históricamente para ser entregadas; o al menos conseguiría que fueran las mínimas posibles. Y si finalmente Yariv iba demasiado lejos, Ben-Ari retiraría su apoyo al gobierno y desmontaría la débil coalición que popularmente se conocía como el «gobierno de desunión nacional». Eso le concedía un gran poder de veto, aunque dicho poder tenía un precio: el día que lo ejerciera, Ben-Ari sería considerado dentro y fuera de Israel, entonces y siempre, la persona que había hecho imposible la paz.

Tal observó los gestos, comprendió lo que significaban y fue al grano.

—Resulta que esto es más que una nota. Es una carta. Guttman llenó las dos caras de un folio con una letra pequeña y enrevesada. Por eso nuestros técnicos han tardado tanto en descifrar su contenido. Se la voy a leer: «Mi querido Kobi: He sido tu adversario durante más tiempo del que fui tu camarada de armas. He dicho cosas duras y desagradables de ti, y tú de mí. Tienes buenas razones para no fiarte de mí. Tal vez por eso todos mis intentos de ponerme en contacto contigo han sido bloqueados. Esa es la razón de que esta noche me haya decidido a tomar una medida tan desesperada. No puedo correr el riesgo de entregar esta carta a un miembro de tu personal y que acabe en la papelera. Perdóname por ello. Te escribo porque he visto algo ante lo que no puedo cerrar los ojos. Si vieras lo que yo he visto, lo entenderías. Cambiarías profundamente y cambiaría también lo que te propones hacer. He considerado la idea de compartir este conocimiento con el gran público a través de los medios de comunicación, pero creo que tienes derecho a conocerlo antes. Así pues, he intentado mantener el asunto en secreto, un secreto tan poderoso que cambiará el curso de la historia, que dará una nueva forma a este rincón del mundo y, por ende, al mundo entero. Kobi, a pesar de lo que hayas visto de mí en la televisión, no soy ningún perturbado. Puede que en ocasiones haya exagerado por cuestiones políticas, pero ahora no exagero. Este secreto hace que tema por mi vida. El conocimiento que encierra es eterno y al mismo tiempo, visto a la luz de todo lo que estás haciendo, sumamente urgente. No me des la espalda, no me rechaces. Escucha lo que tengo que decirte. Te lo contaré todo, no te ocultaré nada. Pero solo te lo diré a ti. Cuando me hayas escuchado, comprenderás. Temblarás, como yo he temblado, como si el mismísimo Dios hubiera hablado contigo. Mi número está un poco más abajo. Por favor, llámame esta noche, por nuestro pacto. Shimon».

Tal dejó el papel en la mesa sin hacer ruido; era consciente de que una nueva atmósfera se había apoderado de la sala, y no deseaba alterarla con un movimiento brusco. Se fijó en que el viceprimer ministro y el ministro de Defensa cruzaban una mirada. No se sentía capaz de mirar a los ojos a su jefe y comprendió que no tenía la menor idea de cómo reaccionaría el primer ministro. El silencio se prolongó.

—Está claro que había perdido la chaveta —dijo por fin el viceprimer ministro, Avram Mossek—. Es un caso grave del síndrome de Jerusalén.

El término hacía referencia a una enfermedad; los psiquiatras lo aplicaban a aquellos cuya mente se había trastornado por el influjo de la Ciudad Santa. Se los podía ver desde la vía Dolorosa hasta los callejones del barrio judío, casi siempre hombres y casi siempre jóvenes, con barba, con sandalias y con la mirada extraviada propia de aquellos que están convencidos de que pueden escuchar las voces de los ángeles.

Ben-Ari hizo caso omiso del comentario. No era el momento de defender el fervor religioso.

—¿Puedo verlo? —preguntó a Tal, señalando el documento con la cabeza. Sus ojos lo examinaron—. No parece de Guttman. No era un hombre especialmente religioso. Nacionalista desde luego pero no religioso. Sin embargo, aquí nos da a entender que el mismísimo Dios ha hablado con él. Además, cita la liturgia Rosh Hazaña: «No me des la espalda, no me rechaces». No lo diría tan crudamente como Mossek, pero es posible que Guttman no estuviera en sus cabales.

Todos miraron al primer ministro, a la espera de su veredicto. Una sola palabra, un solo gesto, y el asunto quedaría olvidado. Pero se limitó a romper una pipa salada con los dientes y a masticar su contenido mientras examinaba la copia del texto que Tal le había entregado.

Como de costumbre, a su ayudante ese silencio le pareció incómodo y quiso llenarlo.

—Hay algo curioso: dice que ha «intentado» mantener ese conocimiento en secreto. Eso apunta la posibilidad de que no lo haya conseguido. Si vamos a seguir adelante con este asunto, tendremos que averiguar con quién más habló Guttman: amigos, familiares, colegas... Tal vez, a pesar de lo que dice sobre los medios de comunicación, también lo hizo con algún periodista de extrema derecha. No hay duda de que conocía a unos cuantos. Segundo: eso de que temía por su vida puede repercutirnos negativamente. Si la derecha tuviera acceso a este texto, vería confirmadas sus teorías sobre una conspiración: el hombre que nosotros insistimos en que fue abatido por accidente temía por su vida. Tercero: todo esto gira en torno al proceso de paz, «a la luz de todo lo que estás haciendo», dice, y añade que usted, primer ministro, temblaría si supiera lo que él sabe. Lo cual implica que está usted cometiendo un terrible error y que no debe seguir por ese camino.

—Guttman se oponía al proceso de paz. Menuda sorpresa... —dijo Mossek en tono cortante.

Yariv alzó la mano y se inclinó hacia delante.

—Estas palabras no son las de un demente. Son urgentes, son apasionadas, sí, pero no son incoherentes. Y tampoco es la carta de un mártir, a pesar de la premonición de su propia muerte. Si lo fuera, habría hablado clara y abiertamente de la traición que supone ceder territorios y todo lo demás. Habría construido un texto que fuera una arenga para los suyos. Esto es demasiado... —hizo una pausa mientras buscaba la palabra adecuada— enigmático. No. Creo que este texto es justo lo que él dice que es: la carta de un hombre desesperado por decirme algo.

»Nuestra tarea ahora es asegurarnos de que nadie suelta una palabra del contenido de esta carta. Amir declarará que los resultados del laboratorio no han sido concluyentes y que no ha podido sacarse nada en claro. Si se filtra ni que sea una sílaba de este texto, os pondré de patitas en la calle y haré que os sustituya vuestro peor rival en el partido.

Mossek y Ben-Ari se echaron atrás, asustados por aquella repentina muestra de suspicacia que ambos interpretaron como un arranque de mal genio.

—Y Amir, aquí presente —prosiguió Yariv—, dirá a la prensa que desvelasteis un secreto crucial al enemigo durante las negociaciones de paz. Dejaremos que la prensa decida si fue por malicia o incompetencia. Entretanto, Amir, está claro que Shimon Guttman guardaba un secreto por el que estaba dispuesto a arriesgar la vida. Tu tarea consistirá en averiguar de qué se trataba.

14

Jerusalén, martes, 22.01 h

Se suponía que debía ir a todas partes acompañada por su chófer oficial, pero no había tiempo para eso. Además, algo le decía que aquella visita era mejor hacerla con discreción y eso no era algo difícil en un Land Cruiser blindado. Así pues, en esos momentos se dirigía a Bet Hakerem en un taxi blanco.

Todo había sido muy rápido. Una vez resuelto el anagrama, lo demás pareció encajar. Observó detenidamente la foto de Nur e intentó descubrir qué le había llamado la atención la primera vez que la había visto. Lo miró a los ojos, como entonces, y después se fijó en el fondo.

Estaba claro que, la foto había sido tomada en un interior, en una casa más que en un despacho, ante lo que parecía una librería. Se veía un complejo dibujo floral en azul y verde. Maggie amplió la imagen: no era papel pintado, como había supuesto inicialmente, sino el dibujo de un plato que descansaba en un estante, justo detrás del hombro de Nur.

«Claro.» Había visto ese dibujo antes, y le llamó la atención por su belleza. Había sido solo veinticuatro horas antes, cuando fue a dar el pésame a casa de Shimon Guttman. En un salón lleno de libros, aquel plato de cerámica destacaba. Y ahí tenía a

Nur, de pie frente a uno igual. ¿Acaso habían descubierto juntos aquella pieza de cerámica y cada uno se había llevado un fragmento? ¿Acaso aquellos dos hombres, cuyo pensamiento político los convertía en enemigos, habían sido en realidad colaboradores?

Sonrió para sus adentros al pensarlo. El jefe de la CIA había dicho que la muerte de Nur era el típico asesinato de un colaboracionista. Quizá tuviera razón y tal vez solo se equivocara en cuanto al tipo de colaboracionismo.

Su mirada se fijó entonces en el brazo que rodeaba los hombros de Nur. ¿Sería posible que el fondo de aquella foto fuera la misma librería que ella había visto el lunes por la tarde, allí mismo, en Jerusalén? ¿Pertenecía ese brazo que abrazaba al palestino ni más ni menos que a un fiero halcón israelí llamado Shimon Guttman?

Había cogido el móvil con la intención de llamar a Davis y contarle su descubrimiento o incluso saltarse un nivel y hablar con el vicesecretario de Estado, quien la había enviado a entrevistarse con Jalil al-Shafi, pero lo pensó mejor. ¿Qué tenía exactamente? Una coincidencia de lo más llamativa, sin duda, pero no la prueba de algo concreto. Por otra parte, las posibilidades de que hubiera realmente un Ehud Ramon trabajando en alguna universidad sin que existiera constancia de ello en Google resultaban de lo más remotas.

La verdad era que la conexión entre aquellos dos hombres muertos la intrigaba debido a la conversación que había tenido con Rachel Guttman la tarde del pésame. Hasta el momento no había hablado de ello con nadie. Si alguien le hubiera preguntado, habría dicho que no se había tomado en serio las palabras de la anciana y que le habían parecido el delirio de una viuda desconsolada. Era una verdad a medias. Pero, las palabras de Rachel Guttman seguían acosándola. Y por si fuera poco, había descubierto ese vínculo —si de verdad lo había— con el palestino asesinado.

En conjunto eran demasiadas especulaciones para que tuviera que informar a sus colegas. No quería que pensaran que el tiempo que llevaba en el desierto la había convertido en una fanática de las conspiraciones. Por otra parte, tampoco estaba dispuesta a olvidar el asunto. La solución estaba en hacer aquella visita, averiguar lo que pudiera y, después, presentar sus hallazgos a sus superiores. El jefe de la delegación de la CIA era el candidato natural. Le contaría todo lo que sabía y él juzgaría. Todo lo que necesitaba era formular unas cuantas preguntas a Rachel Guttman.

Había tomado la decisión apenas media hora antes. En ese momento el taxi se detenía en la esquina de la calle donde estaba la casa de los Guttman. No tardaría en tener respuesta a sus preguntas.

—Iré caminando desde aquí —le dijo al taxista.

De la multitud que había estado velando ante la casa desde el sábado por la noche —derechistas y colonos de los asentamientos decididos a mantener la presión sobre el gobierno— solo quedaba un puñado de activistas que sostenían velas y se mantenían a una prudente distancia de la vivienda.

Maggie miró la hora. Era tarde para una visita como aquella, sin previo aviso; pero algo le decía que Rachel Guttman no estaría dormida. Buscó el timbre y vio un interruptor con una inscripción en hebreo que supuso sería el nombre de la familia. Lo apretó brevemente para molestar lo menos posible. No hubo respuesta.

Sin embargo, las luces de la casa estaban encendidas, y del interior le llegaba el sonido de un tocadiscos. Sonaba una melodía melancólica y atormentada. «Mahler», se dijo. Sin duda había alguien en casa. Probó con la aldaba de la puerta, primero suavemente y después un poco más fuerte. Al segundo intento la puerta se entreabrió. La habían dejado entornada, como ella recordaba que se hacía en Dublín cuando moría alguien: dejaban la casa abierta día y noche a quien quisiera entrar.

No había nadie en el vestíbulo, pero la casa estaba cálida. Además, se olía a cocina; Maggie estaba segura de ello.

—¿Hola? ¿Señora Guttman?

No hubo respuesta. Quizá la anciana se había quedado dormida en un sofá. Maggie entró con paso vacilante, reacia a adentrarse en una casa que no era la suya. Se dirigió hacia el salón, que la noche anterior estaba abarrotado de gente. Tardó unos segundos en orientarse, pero no le costó encontrarlo. Allí, en un hueco entre los grandes libros encuadernados en piel, estaba el plato de cerámica. No había duda: el dibujo era idéntico al de la foto de Nur que aparecía en el periódico.

—¿Hola? —Siguió sin tener respuesta.

Maggie estaba confundida. No había nadie en la casa, pero todo apuntaba que estaba ocupada.

Echó otro vistazo al plato, salió del salón e intentó seguir el rastro del olor a comida. Entró en un pasillo y fue hasta una puerta que supuso sería la de la cocina.

La empujó pero estaba cerrada. Llamó con los nudillos mientras susurraba:

—¿Señora Guttman? Soy Maggie Costello. Nos presentaron ayer.

Giró el picaporte y abrió. Se asomó a la oscuridad. Sus ojos tardaron unos segundos en acostumbrarse a la penumbra y en distinguir una mesa y unas sillas en un rincón, todas vacías. Miró hacia el fregadero y los fogones. Nadie.

Solo entonces su mirada recorrió el suelo y vio una silueta que parecía un cuerpo. Maggie se agachó para verlo mejor. No había duda.

Allí, frío y sin vida, con la mano cerrada en torno a un frasco de píldoras vacío, yacía el cuerpo de Rachel Guttman.

15

Bagdad, abril de 2003

Lo único que podía hacer era seguir la pista de los rumores. Su cuñado lo había mencionado en el garaje el día anterior. No se atrevía a preguntárselo en ese momento. Si lo hacía, querría saber por qué le interesaba y su mujer no tardaría en estar informada.

No. Tenía que averiguarlo por sí mismo. Sabía dónde estaba el café. Justo pasado el mercado de la fruta de la calle Mutannabi. Al parecer, todo el mundo había pasado por allí.

Abd al-Aziz al-Askari eligió un asiento cerca del fondo, un puesto de observación desde donde pudiera ver quién entraba y quién salía. Pidió un té con menta, que allí servían humeante y en un *stikkam*, un vaso estrecho y alto como un dedo, y miró alrededor. Unos cuantos vejestorios jugaban a *sheshbesh* y fumaban en un narguile; un grupo reunido en torno a un televisor miraba las imágenes del derribo de la estatua de Saddam en lo que parecía un bucle que se repetía una y otra vez. Eran hombres, y hablaban más alto de lo habitual, pero Abd al-Aziz no vio nada de la euforia que siempre había imaginado que ese día provocaría. ¡La liberación! ¡La caída del dictador! Había imaginado escenas de gente que gritaba y bailaba extasiada; abrazos espontáneos entre extraños en la calle; se había visto a sí mismo besando a hermosas mujeres, a cada uno echándose en los brazos del otro, saboreando la delicia del momento.

Pero no había sido así. La gente se refrenaba, por si acaso. Porque ¿y si la policía secreta entraba de repente anunciando que los estadounidenses habían sido derrotados y que todo aquel que hubiera sonreído ante la caída del dictador sería ahorcado? Al fin y al cabo, eran muy pocos los que creían que el odiado *Mahabarat* hubiera desaparecido de la noche a la mañana. ¿Y si las imágenes de al-Arabiya no eran más que una sofisticada manipulación urdida por Uday y Qusay para poner a prueba la fidelidad del pueblo iraquí y deshacerse de los desafectos al régimen? Y sobre todo, ¿y si Saddam no se había marchado?

Así pues, los clientes de aquel café, como en cualquier otro lugar de la ciudad, observaban y aguardaban, contentos de poder charlar pero remisos aún a comprometerse. Incluso los que estaban mirando las imágenes del televisor se limitaban a hacer comentarios imparciales.

—Realmente es un acontecimiento histórico —dijo uno.

—La gente lo estará viendo en las televisiones de todo el mundo —comentó otro.

Pero ninguno de los dos descartaba la posibilidad de que se tratara de «una conspiración sionista cuyos culpables debían ser castigados sin demora».

Abd al-Aziz tomaba su té y de vez en cuando acariciaba la mochila de colegio de Salam para asegurarse de que el descubrimiento de su hijo seguía allí. Llevaba un cuarto de hora en el café cuando entró un hombre más joven, de unos treinta años, todo sonrisas y fanfarronería.

—Buenas tardes, hermanos —dijo, radiante—. ¿Cómo van los negocios? —Rió ruidosamente.

Hubo gestos de asentimiento e incluso le tendieron un par de manos.

—Bienvenido seas, Mahmud —dijo alguien a modo de saludo.

«Mahmud.» Abd al-Aziz carraspeó. «Tiene que ser ese —se dijo—. Debo aprovechar la ocasión y hablar con él sin tardanza. Pero con cuidado, que no parezca que estoy impaciente.»

Pero era demasiado tarde. El recién llegado, vestido con una cazadora de cuero y una especie de brazalete en la muñeca, ya había visto que Abd al-Aziz lo miraba.

—Hola, amigo. ¿Estás buscando a alguien?

—Busco a Mahmud.

—Bueno, quizá yo pueda ayudarte. —Fue hasta la puerta del café, se asomó e hizo ver que gritaba—: ¡Mahmud, Mahmud! —Luego, volviéndose hacia Abd al-Aziz exclamó con una falsa risotada—: ¡Oh, vaya, si resulta que estoy aquí!

—He oído que tú...

—¿Qué has oído?

—Que la gente que tiene...

—Y que tienen que decir de Mahmud, ¿eh?

—Lo siento. Quizá me haya equivocado. —Abd al-Aziz se levantó para marcharse, pero la mano de Mahmud, lo obligó a sentarse de nuevo. Era sorprendentemente fuerte.

—Veo que en esa bolsa llevas algo muy pesado. ¿Es algo que quieras enseñar a Mahmud?

—Mi hijo lo cogió ayer en el...

—En el mismo sitio que todo el mundo. No te preocupes, no se lo diré a nadie. Sería malo para ti, malo para mí y malo para el negocio. —Rió otra vez con su falsa risa y calló de golpe—. También sería malo para tu hijo.

A Abd al-Aziz le entraron prisas por marcharse. No se fiaba de aquel hombre. Miró al resto de los parroquianos. Casi todos estaban pendientes del televisor, que emitía una rueda de prensa en directo desde el cuartel general de las fuerzas de Estados Unidos de Centcom desde Doha, en Qatar. Anunciaban la captura de otro palacio presidencial.

—Bueno, ¿hacemos negocios o no?

—¿Es seguro? ¿Puedo enseñártelo aquí?

Con un simple y brusco movimiento, Mahmud giró la silla de Abd al-Aziz y lo puso de espaldas al resto de la gente. Luego, se sentó junto a él, hombro con hombro. Entre los dos ocultaban la pequeña mesa de la vista de los demás.

—Enséñamelo.

Abd al-Aziz abrió la mochila y se la ofreció a Mahmud para que inspeccionara el contenido.

—Sácalo.

—No sé si...

—Si quieres que hagamos negocios, Mahmud tiene que ver la mercancía.

Abd al-Aziz puso la mochila encima de la mesa y sacó el contenido. La expresión de Mahmud se mantuvo imperturbable. Sin inmutarse, cogió la tablilla y la sacó de su funda.

—De acuerdo.

—¿De acuerdo?

—Sí, ya puedes guardarla.

—¿No te interesa?

—Normalmente a Mahmud no le interesaría semejante mazacote. Los trozos de arcilla como este van a céntimo la docena.

—Pero las inscripciones que tiene...

—¿A quién le importan las inscripciones? No son más que unos símbolos cualquiera. Podría ser una lista de la compra. ¿A quién le interesa lo que un viejo desgraciado podía querer de unos pescadores hace diez mil años?

—Pero...

—Pero... —Mahmud levantó el dedo para acallar a Abd al-Aziz—, pero tiene una funda y está en buen estado. Te daré veinte dólares por todo.

—¿Veinte?

—¿Querías más?

—Pero viene del Museo Nacional...

—No, no. —El dedo volvió a levantarse—. Recuerda, Mahmud no quiere saberlo. Lo que tú dices es que este objeto ha pertenecido a tu familia durante generaciones y que..., digamos que a causa de los recientes acontecimientos, crees que ha llegado el momento de venderlo.

—Pero seguro que es un objeto muy raro...

—Me temo que no, ¿señor...?

—Me llamo Abd al-Aziz. —«Mierda.» ¿Por qué le había dicho su verdadero nombre?

—En estos momentos hay cientos de objetos como este dando vueltas por Bagdad. Podría salir de aquí y conseguir una docena con solo chasquear los dedos. —Los chasqueó como si así demostrara algo—. Si prefieres hacer negocios con otro... —Se levantó.

Esa vez fue Abd al-Aziz quien le echó la mano para retenerlo.

—Por favor, ¿qué tal veinticinco dólares?

—Lo siento. Veinte ya son demasiados.

—Tengo familia. Un hijo, una hija.

—Lo entiendo. Como pareces un buen hombre, te haré un favor y te pagaré veintidós dólares. ¡Mahmud tiene que haberse vuelto loco! En vez de ganar dinero, ¡te hace rico a ti!

Se estrecharon la mano. Mahmud se levantó y pidió al dueño del café una bolsa de plástico. Cuando la tuvo, metió dentro la tablilla, contó veintidós dólares de un grueso fajo y se los entregó a Abd al-Aziz, que se marchó del café inmediatamente; colgada del hombro llevaba la mochila del colegio de su hijo, ligera y vacía.

16

Jerusalén, martes, 22.13 h

Maggie había visto muchos cadáveres en su vida. Había formado parte de una ONG que intentó negociar un alto el fuego en el Congo, donde la única mercancía abundante y barata eran los cadáveres humanos: cuatro millones de personas asesinadas en unos pocos años. Te los encontrabas en los bosques, entre los matorrales, en las cunetas de las carreteras..., tan abundantes como las flores silvestres.

Pero nunca había estado tan cerca de un cadáver tan... reciente. Cuando lo tocó, la tibieza del cuerpo la confundió y la repugnó. Se estremeció mientras tiraba instintivamente del brazo de la mujer para incorporarla y que no yaciera en el suelo como... como un cadáver.

Fue entonces cuando oyó el crujido de unos pasos en el parquet, al otro lado de la puerta. Quiso gritar pidiendo ayuda, pero un acto reflejo le hizo un nudo en la garganta y evitó que las palabras salieran.

Los pasos sonaban cada vez más cerca. Estaba petrificada. La puerta de la cocina se abrió por completo. Maggie vio la figura de un hombre que se perfilaba en el umbral y, en la penumbra, la nítida silueta de una pistola.

Si algo había aprendido en los controles de carretera de Afganistán era que, cuando a uno lo encañonaban, lo que había que hacer era levantar las manos y quedarse muy quieto. Y si era necesario decir algo, había que hacerlo en voz baja.

Con los brazos en alto, Maggie contempló el cañón del revólver que la apuntaba. En la penumbra apenas podía distinguir nada más.

De repente, la mano del pistolero se movió. Maggie se preparó para recibir un balazo, pero, en lugar de disparar, el hombre palpó a su izquierda hasta encontrar el interruptor de la luz. En un abrir y cerrar de ojos, vio a Maggie y también el cuerpo sin vida en el suelo.

—*Eema!*

Cayó de rodillas y la pistola se le escapó de la mano. Empezó a hacer lo mismo que Maggie había hecho: tirar del brazo, tocar el cuerpo. Arrodillado junto al cadáver, hundió la cabeza en su espalda; su cabeza se sacudía de un modo que Maggie no recordaba haber visto antes, como si todo su cuerpo llorara.

—No hace ni tres minutos que la he enontrado, se lo juro.

Maggie confió en que él la reconociera tan deprisa como ella lo había reconocido a él.

Pero él no dijo nada, siguió encorvado sobre el cuerpo de su madre. Maggie se levantó, pasó de puntillas por su lado y se dirigió hacia la puerta.

El rostro del hombre seguía oculto; su cabeza se estremecía en un llanto sin lágrimas sobre el cuerpo de su madre. Pero su mano se movió y cogió sin verlo el revólver que había dejado caer. Maggie se puso rígida: el hombre había levantado el brazo en un arco casi mecánico y, aun sin mirar, la pistola le apuntaba a la cara.

Corrió.

En un abrir y cerrar de ojos había salido de la cocina y corría por el pasillo hacia la puerta principal. Aquel hombre no estaría tan loco como para disparar, ¿o sí?

Fue entonces cuando oyó el silbido, el sonido que había aprendido a temer con cada fibra de su cuerpo. Curiosamente, y aunque más tarde recordaría que aquello no tenía sentido, llegó a sus oídos antes incluso que la detonación del disparo. Pero fue el silbido, el siseo de la bala al surcar el aire lo que la inmovilizó. Allí, en medio del pasillo, de cara a la puerta, se detuvo en seco.

—Dese la vuelta.

Hizo lo que le decían. Su cerebro funcionaba a toda velocidad. Una idea casi eufórica surgió en su mente: «Bien, ahora tendré la oportunidad de explicarlo todo». Pero enseguida se le ocurrió algo menos prometedor: «¡El dolor le ha hecho perder la cabeza. ¡No escuchará nada de lo que le diga!».

A pesar de todo, lo intentó. Descubrió que para ella negociar era un acto reflejo también cuando era su vida la que estaba en juego.

—Solo intentaba ver si podía salvarla.

Él no bajó la pistola.

—He venido para hablar con su madre y contarle algo. Algo acerca de su padre. La puerta principal estaba abierta. Entré y la encontré en la cocina.

La pistola no se movió. El hombre que la sostenía parecía extrañamente incómodo con ella, a pesar de que la sujetaba con mano experta. Sin duda estaba preparado para ello: era alto, y los músculos de sus brazos eran fuertes y flexibles. Pero sus ojos no se correspondían con los de un pistolero. Eran demasiado curiosos, como si estuvieran más acostumbrados a recorrer las páginas de los libros que a fijarse en un objetivo. Tenía la boca y la nariz bastante grandes, pero sugerían conversación, incluso indagación. Maggie juzgó que aquel hombre estaba más predispuesto a hablar que a disparar. Y, si no a hablar, por lo menos a escuchar.

—Por favor —empezó a decir Maggie, creyendo haberlo

juzgado acertadamente—, créame. He venido con intención de ayudar. Si hubiera venido para hacer daño, ¿cree que estaría aquí de pie? ¿No llevaría una pistola y un pasamontañas para que nadie pudiera identificarme? ¿No le habría matado nada más verlo?

El revólver pareció vacilar y la mano que lo sostenía tembló ligeramente.

—Se lo juro —insistió Maggie—. Esto lo ha hecho otra persona, no yo.

Lentamente, no más deprisa que el segundero de un reloj, el brazo descendió y la pistola describió un arco y se alejó de ella. Cuando pasó lo que le pareció un minuto desde que él había bajado el brazo, Maggie por fin se atrevió a moverse. Luego, se le acercó muy despacio, mirándole a los ojos, y lo sorprendió y se sorprendió a sí misma levantando los brazos, rodeándole los hombros y, rígido e inmóvil, estrechándole en un abrazo. Maggie permaneció así un minuto, y otro, y otro, hasta que los latidos de su propio corazón disminuyeron lentamente mientras él seguía como una estatua.

Al fin, Maggie consiguió convencerlo para que se sentara mientras le repetía que había sufrido un terrible *shock* y que necesitaba darse tiempo para asimilar lo sucedido y pensar con claridad. Sabía que él no la escuchaba, pero confiaba en que, como tantos hombres furiosos antes que él, acabaría cediendo al efecto tranquilizador de su voz. Deseaba prepararle una taza de té o, como mínimo, llevarle un vaso de agua, pero sabía que no podía ni sugerirlo siquiera porque eso significaba volver a entrar en la cocina.

Fue él quien decidió hacerlo.

—Escucha, quiero ver a mi madre otra vez —le dijo.

Él llevaba unos cinco minutos solo en la cocina cuando Maggie oyó un grito de dolor que sonó casi como el de un animal. Corrió hacia la cocina donde el cuerpo de Rachel seguía yaciendo en el suelo. El hijo estaba de pie al lado; su rostro, antes pálido, se había teñido de rubor.

—¿Qué ocurre?

Él se limitó a tenderle una hoja de papel.

Maggie se adelantó y la cogió.

אני כל כך מצטערת שאני עושה לכם את זה

«Ani kol kach mitsta'eret sh'ani osah l'chem et zeh.»

Estaba escrito en caracteres hebreos.

—Lo siento, no lo entiendo.

—Dice: «No sabéis cuánto lamento haceros esto a todos vosotros».

—Ya.

—¡No, «ya» no!

—No comprendo...

—¡Esto es mentira!

Maggie dio un respingo, sobresaltada por el tono de voz.

—Quieren hacernos creer que mi madre se ha suicidado. Pero eso es algo que ella no habría hecho nunca, ¡jamás!

Maggie se dijo que ojalá estuvieran sentados en el salón. Quién sabía lo que él era capaz de hacer, allí, con el cadáver de su madre a sus pies. Ella todavía no se había atrevido a preguntarle cómo se llamaba.

—Mi madre ha dedicado toda su vida a cuidarnos. Y desde el sábado estaba desesperada por hacer algo, por tomar alguna iniciativa. Tú misma lo viste. Recuerda cómo se agarró a ti. Quería que la ayudaras para acabar lo que fuera que mi padre había iniciado. Creía que algo muy importante estaba en juego.

—«Una cuestión de vida o muerte» —dijo Maggie, repitiendo las palabras de Rachel Guttman y recordando cómo la anciana la había cogido por la muñeca. Entonces sintió una punzada de culpa: aquella mujer había intentando convertirla en su aliada, pero ella no había hecho nada.

—Sí. ¿Crees que alguien que suplica que se haga algo acaba haciendo esto? —señaló el cuerpo tendido en el suelo.

—Puede que se rindiera, que perdiera toda esperanza. Quizá la desesperó que nadie le hiciera caso.

—Y entonces, mi madre, que no sabía ni encender el televisor, va y teclea una nota en el ordenador pidiendo perdón «a todos vosotros». No escribe ni mi nombre ni el de mi hermana. Créeme, sé cómo era mi madre. Ella no hizo esto.

—Entonces, ¿quién ha sido?

—No lo sé, pero ha tenido que ser alguien muy, muy perverso... —Calló antes de perder el control. Estaba cerca de Maggie, casi dominándola con su altura. Su pelo negro estaba más revuelto que cuando lo vio el día anterior, como si durante las últimas veinticuatro horas no hubiera parado de pasarse las manos por el pelo una y otra vez. Ella se lo imaginó encorvado, doblado por el dolor, con la cabeza entre las manos. Y eso antes de la muerte de su madre.

Él recobró el control de sí mismo.

—Perverso, pero también muy estúpido —prosiguió—. Imagina: una nota de suicidio escrita con el ordenador...

—¿Por qué iba alguien a querer matar a tu madre?

—Por la misma razón por la que mi madre quería hablar contigo. Recuerda. Dijo que mi padre sabía algo muy importante que podía cambiarlo todo. ¿No te acuerdas?

—Me acuerdo.

—Así pues, alguien ha pensado que ella también lo sabía y la ha matado antes de que pudiera decírselo a alguien más.

—Pero ella insistía en que no sabía de qué se trataba. Dijo que tu padre no había querido contarle nada por su propia seguridad.

—Lo sé, pero el que ha hecho esto no debía de estar tan seguro.

—Entiendo. —Miró al suelo sin pretenderlo—. Escucha, ¿no crees que deberíamos llamar a la policía, o a una ambulancia?

—Antes dime para qué has venido esta noche.

—Ahora me parece... ridículo. No es urgente, de verdad. Tienes muchas cosas de las que ocuparte.

—No creo que alguien que trabaja para el gobierno estadounidense se tome la molestia de ir a ver a alguien en plena noche si no es por una buena razón. Así que dime de qué querías hablar con mi madre, ¿vale?

—Tal vez debería marcharme y dejarte un tiempo a solas.

Él la cogió del brazo y tiró de ella con fuerza por el mismo sitio que su madre la había agarrado la noche anterior.

—Tienes que decirme lo que sabes. Yo, yo...

En circunstancias normales, Maggie habría abofeteado a cualquier hombre que se hubiera atrevido a cogerla de aquel modo, pero comprendió que no era un gesto de agresión, sino de desesperación. La calma, la altivez incluso que había visto en él un día antes, había desaparecido. Por primera vez, Maggie vio el brillo de las lágrimas en los ojos del hijo.

—Si eres capaz de confiar en mí lo suficiente para decirme cómo te llamas, te diré lo que sé.

—Me llamo Uri.

—Muy bien, Uri. Mi nombre es Maggie, Maggie Costello. Será mejor que nos sentemos y hablemos.

Maggie llenó un vaso con agua del grifo y se lo dio. A continuación, lo sacó de la cocina y lo sentó en el salón. La adrenalina hacía que le temblara el cuerpo.

—Tú crees que lo que ha ocurrido esta noche tiene algo que ver con la información de tu padre.

Uri asintió.

—¿Crees que tu padre fue asesinado deliberadamente por esa información?

—No lo sé. Hay gente que dice que sí, pero yo no lo sé. Lo que te aseguro es que descubriré quién ha hecho esto a mi familia. Lo averiguaré y se lo haré pagar.

Maggie deseaba decirle que la muerte de su madre era, casi con toda seguridad, el resultado de una pena insoportable. Su padre había sido abatido por accidente, y su viuda se había quitado la vida. Tan sencillo como eso. Pero no lo dijo porque ni ella misma estaba convencida.

Lo que sí le contó fue lo que había descubierto: que Ahmed Nur, el arqueólogo palestino acribillado a tiros el día antes, había trabajado en secreto con Guttman.

Al principio, Uri se negó a aceptarlo y permaneció sentado en el sillón con una sonrisa amarga y cruel. «Imposible», dijo más de una vez. «¿Un anagrama? Absurdo.» Pero cuando Maggie le recordó que tanto su padre como Nur se habían especializado en arqueología bíblica y le habló del curioso diseño del plato de cerámica, Uri guardó silencio. Era evidente que Maggie no podría haber sacado ningún hecho más sorprendente a propósito de Shimon Guttman. Si le hubiera hablado de una amante de toda la vida o de un secreto familiar, Maggie estaba segura de que Uri lo habría aceptado más fácilmente que la posibilidad de que su padre hubiera mantenido una colaboración profesional con un palestino.

—Mira, si estoy en lo cierto, eso significa que se está tramando algo. Fuera cual fuese el secreto que tu padre guardaba, al parecer está perjudicando gravemente a las personas que lo conocen.

—Pero mi madre no sabía nada.

—Como tú mismo has dicho, es posible que el que lo hizo no lo supiera o... no quisiera arriesgarse.

—¿Crees que los que asesinaron al palestino son los mismos que han matado a mi madre?

—No lo sé.

—Si han sido ellos, sé quien será el siguiente en morir.

—¿Quién?

—Yo.

17

Bagdad, abril de 2003

Mahmud empezaba a lamentar su decisión. Mientras salía disparado hacia arriba otra vez, y su trasero aterrizaba en el duro asiento de plástico del autobús, que se batía con el enésimo bache de la carretera, se dijo que ya tendría que haber superado todo aquello. Él debería ser el tío importante que contrataba los correos; sin embargo, allí estaba, trabajando como un correo cualquiera. Llevaba diez horas y todavía le quedaban otras cinco en aquel montón de chatarra al que, en un alarde de sentido del humor, llamaban el Cohete del Desierto.

Durante las últimas dos semanas había estado trabajando en un nuevo tipo de negocio. Hasta entonces, se sentaba en el café de la calle Mutannabi, esperaba que las piezas llegaran a sus manos —y, Alá sea loado, no habían dejado de afluir— y después las pasaba a través de alguno de los incontables muchachos que habían surgido, como ratas de una cloaca, con el derrocamiento de Saddam. A Mahmud le maravilló la súbita proliferación de aquellos negociantes adolescentes. Nadie lo había planeado; nadie había hablado de ello; nadie los había enseñado. Ni siquiera había corrido el rumor de que habría dinero que ganar el día en que faltara el que todos sabían. Y aun así, allí estaban, salidos de los callejones y los agujeros infestados de moscas.

El negocio era rápido, y el teléfono móvil era el medio de comunicación preferido. Mahmud podía llamar, por ejemplo, a Tariq, de quien sabía que esa noche haría un envío a Jordania, y decirle que necesitaba enviar un par de cosas. Luego entregaría la mercancía a uno de los chicos, y este atravesaría la ciudad. A continuación, Tariq se la pasaría a otro mensajero y este tomaría el Cohete del Desierto hasta Ammán. Allí se encontraría con al-Naasri o con alguno de sus competidores entre los marchantes jordanos. Al-Naasri marcaría un precio, y el correo regresaría con el dinero a Irak. Gracias a la conexión telefónica, los correos sabían que no les convenía quedarse con un pellizco: a lo largo del Tigris había un montón de zanjas donde era fácil desaparecer sin dejar rastro.

Mahmud había estado traficando provechosamente de ese modo durante un tiempo. El negocio había sido constante desde la caída de la estatua, pero él ya estaba metido en él antes. No se hablaba de ello, ni siquiera se rumoreaba, pero desde la primera guerra, la madre de todas las guerras, en 1991, no había dejado de haber cierto «movimiento» de antigüedades. Hasta entonces, el saqueo era algo inaudito, pero los bombardeos estadounidenses aflojaron un poco la seguridad. Ni siquiera Saddam era capaz de vigilarlo todo cuando los misiles Cruise caían del cielo. Aunque eso no significaba que no fuera capaz de castigar a los culpables. Mahmud, como cualquier «comerciante» de Irak, recordaba lo que les había pasado a los once individuos considerados culpables de haber cortado la cabeza de un precioso toro alado de Mesopotamia porque era demasiado pesado para transportarlo entero. Saddam se encargó de que todo el mundo supiera que él había firmado la sentencia de muerte. Y, con el don que tenía para esas cosas, decretó que aquellos ladrones sufrirían el mismo trato que ellos habían infligido a la magnífica estatua de bronce. El verdugo empuñó la sierra eléctrica y les rebanó la cabeza, uno después de otro. Y cada uno, mientras aguardaba su propia muerte, tuvo que mirar lo que les hacían a sus compañeros. Cuando el undécimo fue ajusticiado, había presenciado diez veces el castigo que le esperaba.

A pesar del efecto disuasorio de semejantes medidas, algunas piezas importantes lograron salir del país. Aunque no lo había visto, Mahmud había oído hablar del fragmento de bajorrelieve salido del palacio de Nemrod y sabía que contenía una conmovedora escena de esclavos encadenados. No le costó imaginar aquella escena, llevada de contrabando a Occidente por el oprimido pueblo de Irak, como el símbolo de una petición de ayuda.

La ruta, entonces, y en ese momento, era Jordania. Y el conducto, entonces y en ese momento, la familia al-Naasri. El tráfico de tesoros por dicha ruta nunca había sido más intenso: utensilios y cerámicas de todas las eras del hombre, desde los asirios y los babilonios, pasando por los sumerios hasta llegar a los persas y los griegos. En su mayoría eran fragmentos, aunque circulaba la historia de que los muchachos de Tarig habrían hecho llegar una estatua entera hasta Ammán escondida en el maletero del Cohete del Desierto. Se decía que le habían dado una pequeña propina al chófer diciéndole que se trataba del cuerpo de un difunto. Tal era el desorden moral que reinaba en Bagdad en la primavera de 2003.

Mahmud había enviado a una docena de correos a Ammán durante la última quincena, y todos ellos habían tomado la misma ruta que él cuando empezó en el negocio. Sin embargo, algo le dijo que había llegado el momento de hacer una visita en persona. Tenía que verse con al-Naasri cara a cara. Con el negocio creciendo a aquel ritmo y con tanto dinero en juego, abundaban las ocasiones para saltarse las normas. Mahmud no quería que le tomaran el pelo. Necesitaba tener la seguridad de que al-Naasri jugaba limpio.

Así pues, había llenado una bolsa con las últimas tres o cuatro cosas que habían llegado a sus manos: un par de sellos antiguos, la tablilla de barro que le había comprado a aquel tipo tan nervioso en el café, y la *pièce de résistance*, un par de pendientes de oro cuya antigüedad estimaba en cuatro mil quinientos años. No estaba dispuesto a confiar aquello a un chaval de catorce años de Saddam City. Otra razón para pasarse quince horas en compañía del petardeo y las sacudidas del Cohete del Desierto.

Había dormido las últimas horas de viaje y se despertó con un sobresalto cuando el autobús dio un frenazo y se detuvo. Durante todo el viaje había tenido la bolsa de la mercancía en el regazo, con un brazo metido en las asas, por si a alguien de la escoria que lo rodeaba se le ocurría alguna idea inoportuna. Lo primero que hizo fue palparla y sopesarla para asegurarse de que los objetos que contenía seguían allí. En cuanto a los pendientes, sabía que se hallaban seguros en su escondite.

Era medianoche cuando se apeó del autobús. Hasta entonces no se había dado cuenta de lo mal que olía allí dentro. El olor salía a oleadas a medida que sus exhaustos y mugrientos ocupantes bajaban y se perdían en la noche. Respiró el aire de Ammán y la emoción de hallarse en un lugar que no fuera Bagdad. La última vez que había estado allí, había sido aún más emocionante: había manoseado billetes que no tenían su efigie, había visto monumentos de otros hombres que no eran él. En Jordania tampoco se celebraban elecciones dignas de ese nombre, pero al menos los jordanos no se habían humillado a sí mismos dando su beneplácito al tirano con un ciento por ciento de votos favorables.

Uno de los muchachos de al-Naasri lo estaba esperando, apoyado en una barandilla, con aire aburrido. El chico ni dijo nada ni se ofreció a llevarle la bolsa —Mahmud tampoco se la habría entregado—, solo hizo un gesto y enfiló hacia la calle Rey Hussein. No tardó en ver carteles que indicaban el antiguo anfiteatro romano, y eso significaba que el *souk* estaba cerca. Mientras caminaban por las adoquinadas calles, el chico avivó el paso y Mahmud tuvo que esforzarse para no quedarse atrás. «Un jueguecito para ver quién es más listo», se dijo.

La mayoría de los comercios estaban cerrados a esa hora de

la noche, y las persianas metálicas, bajadas. El muchacho se adentró en el mercado; giraba a derecha e izquierda tan deprisa que Mahmud comprendió que le sería imposible hallar el camino de regreso por sí solo. Metió la mano en el bolsillo interior de la chaqueta para comprobar que el cuchillo seguía en su sitio, dentro de su funda de cuero.

De pronto, Mahmud percibió un olor: pan pita recién horneado. En algún lugar cercano tenía que haber una panadería. Efectivamente, unas luces interrumpían, un poco más adelante, cerca de la esquina, la interminable sucesión de persianas metálicas bajadas. De una radio salía música suave, y un grupo de hombres estaban sentados fuera, tomando café en tazas muy pequeñas y té en vasos de cristal. Mahmud dejó escapar un suspiro de alivio. Aquello era como estar en casa.

El chico entró en el establecimiento y, seguido por Mahmud, se acercó a una mesa donde estaba sentado un hombre solo. Inclinó la cabeza educadamente y se marchó con la misma rapidez con que había llegado. No había dicho una palabra en ningún momento.

Mahmud no reconoció al hombre de la mesa. Era demasiado joven, más que el propio Mahmud.

—Lo siento —dijo—. Puede que se trate de un error. Estoy buscando al señor al-Naasri.

—¿Mahmud?

—Sí.

—Soy Nawaf al-Naasri. Su hijo. Sígueme.

Guió a Mahmud fuera del café y por otro callejón. «Podría acuchillarme aquí y, llevarse mi bolsa, y nadie se enteraría», pensó Mahmud. Pero Nawaf se detuvo ante una persiana metálica y llamó con los nudillos. Al cabo de un par de segundos se abrió lentamente, al parecer funcionaba con un mecanismo eléctrico. En el interior parpadearon unas luces fluorescentes que revelaron lo que parecía ser una tienda de recuerdos para turistas: un gran escaparate de cristal y cientos de baratijas.

—Entra, entra. ¿Te apetece un té?

Mahmud asintió mientras examinaba la mercancía: esferas de reloj en láminas pulidas de madera, jarras llenas de arena de distintos colores, y frascos con agua con procedencia «garantizada del Jordán». Basura para los peregrinos y los turistas cristianos. «Un día —se dijo Mahmud—, en Bagdad también tendremos toda esta basura "Procedencia garantizada de los Jardines de Babilonia". Y las tiendas de Irak servirán para lo mismo que las de Jordania: serán la tapadera para el tráfico de antigüedades.»

—¡Mahmud, ¡Qué alegría!

Se giró y vio a al-Naasri padre con una gran sonrisa. Mahmud, que tenía buen ojo para la ropa, vio que el jordano llevaba un traje bien cortado que le sentaba como un guante, y se sintió avergonzado por su chaqueta de cuero, sucia y arrugada tras el agotador viaje en autobús, con los codos casi pelados. Pero no era solo el traje. Todo en al-Naasri desprendía un aura de riqueza. Solo habían pasado unas cuantas semanas desde que el flujo de tesoros había empezado a llegar desde Bagdad, pero ya parecía haber transformado a Jaafar al-Naasri. Seguramente solo el dinero a lo grande era capaz de obrar semejante magia.

—Bueno, amigo mío, ¿a qué debo el placer de tu visita?

—Se me ocurrió que podríamos vernos y tomar un café, tal vez también un trozo de tarta y charlar de los viejos tiempos.

Al-Naasri se volvió hacia su hijo, que estaba ocupado en el fondo de la tienda.

—¡Había olvidado que a nuestro amigo de Bagdad le gusta gastar bromas! —Luego se volvió hacia Mahmud sin perder la sonrisa—. Espero que no te importe que vayamos directamente al grano. Es tarde y soy un hombre muy ocupado.

—Por supuesto.

Mahmud intentó mostrar su mejor sonrisa. Deseaba imitar, aprender de aquel hombre tan rico. Metió la mano en la bolsa y sacó el primero de los dos sellos que un primo suyo le había llevado durante lo que a Mahmud le gustaba llamar la jornada de puertas abiertas del museo. Otros habían llegado a sus manos poco después, mellados y con algún golpe. Pero ninguno era tan bueno como aquel.

Al-Naasri lo cogió y lo sopesó, comprobando su solidez. Luego sacó del bolsillo superior de la chaqueta unas gafas en forma de media luna y se las puso.

—Es genuino, te lo aseguro. Mahmud no se pasaría quince horas machacándose el culo en un autobús por una falsificación que...

Al-Naasri lo acalló lanzándole una mirada por encima de las gafas. Su expresión exigía silencio. El jordano estaba muy concentrado.

—De acuerdo —dijo al fin—. ¿Qué más?

Mahmud sacó el segundo sello, más grande y trabajado. Había elegido el orden de aparición de su mercancía con la idea de que desembocara en un clímax irresistible.

Al-Naasri sometió el segundo sello a un examen igualmente concienzudo. Después lo depositó en la mesa y contempló al iraquí con el mismo detenimiento.

—Hasta ahora lo has hecho bien, amigo. Estoy impresionado. Presiento que lo mejor está por llegar... —Sonrió de nuevo.

—Así es, amigo, así es.

Mahmud se puso la bolsa encima de las piernas y metió ambas manos para sacar la tablilla de barro que había llegado a sus manos en un café de Bagdad unos días antes.

Al-Naasri extendió las manos para cogerla. Sujetó la envoltura con una mano y extrajo la tablilla con la otra.

—¡Mi lupa, por favor! —gritó de repente por encima del hombro, hacia su hijo.

Nawaf le llevó una lente de aumento de joyero. Jaafar se la colocó en el ojo con mano experta y luego se inclinó sobre el fragmento de arcilla. Murmuró algo para sus adentros.

—Bueno, ¿qué te parece? —le preguntó Mahmud, impaciente.

Al-Naasri se echó hacia atrás; la lupa, todavía en el ojo, le confería un aspecto grotesco.

—Me parece que te mereces ver la colección de al-Naasri. —Dejó que la lente cayera y la recibió en su mano.

Sin que nadie se lo hubiera ordenado, Nawaf abrió los dos candados de la puerta que había detrás del mostrador y que Mahmud suponía que conducía a un almacén. Todos los grandes marchantes de antigüedades trabajaban igual: las baratijas en los escaparates y la mercancía de verdad en la trastienda. Guardó apresuradamente sus tesoros en la bolsa de viaje.

Cruzaron en fila india un cuarto trastero lleno de cajas de cartón y dos rollos gigantes de plástico de burbujas. Mahmud imaginó que aquel sería el escondite del tesoro, pero padre e hijo siguieron adelante sin encender siquiera la luz, hasta que llegaron a una segunda puerta, más recia y con más cerraduras. Al-Naasri tuvo que usar tres llaves distintas para abrirla.

Para sorpresa de Mahmud, daba al exterior. La fresca brisa de la noche le acarició el rostro. Bajaron unos peldaños, y los tres hombres entraron en un patio posterior de dimensiones respetables.

—Nawaf, ¿tienes la pala?

Mahmud se dio la vuelta y vio que el joven sostenía una pesada pala de hierro. Instintivamente, se metió la mano en la chaqueta, desenvainó la navaja y apuntó a Nawaf con ella.

—¡Mi querido hermano, no seas ridículo! —exclamó Jaafar al ver la atemorizada expresión de Mahmud y riendo ruidosamente—. Nawaf no tiene intención de golpearte. La pala es para enseñarte nuestra colección.

A Mahmud la cabeza le daba vueltas. Falto de sueño y confuso, sus ojos se adaptaron a la penumbra hasta que vio que aquel terreno estaba cubierto de una capa arenosa, como un parterre. Nawaf, aparentemente indiferente a la navaja de Mahmud y dirigido por su padre, caminó hasta el centro del patio y empezó a cavar.

—¿Qué hace? —preguntó Mahmud.

—Espera y verás.

Al-Naasri y Mahmud permanecieron de pie mientras miraban cómo Nawaf cavaba a un ritmo ágil y constante. Mahmud se fijó en los musculosos brazos del joven.

Lentamente en el suelo empezó a perfilarse una forma. Nawaf continuó cavando un poco más, luego tiró la pala, se arrodilló y apartó la tierra con las manos. A la luz de la luna, Mahmud distinguió la silueta de un animal.

Se acercó y lo vio claramente. Era la estatua de un carnero erguido sobre sus cuartos traseros, con las patas delanteras apoyadas en el tronco de un árbol y los cuernos enredados en las ornadas flores del árbol. Cuando Nawaf la limpió de tierra y la claridad de la luna la iluminó por completo, Mahmud vio que estaba hecha del más fino cobre, oro y plata.

Dio un respingo.

Al-Naasri sonrió.

—La reconoces, ¿verdad? —dijo—. Seguramente la has visto en los periódicos. —Mahmud asintió; era incapaz de articular palabra—. Es el famoso Carnero del bosque, hallado en el gran Pozo de la Muerte de Ur —prosiguió al-Naasri, disfrutando del momento—. Seguramente la viste durante alguna visita con el colegio al Museo Nacional cuando eras niño. Era una de las piezas más destacadas.

—¿Y ahora la tienes aquí?

—¿No la estás viendo con tus propios ojos?

—Me la estás mostrando para hacerme saber que lo que te he traído carece de valor, ¿no es así? Quieres humillar a Mahmud con esta comparación.

—En absoluto, amigo. Te preocupas demasiado. Te la enseño para que te des cuenta de las glorias que te van a rodear.

Mahmud sonrió aliviado.

—¿De verdad? ¿Crees que las piezas que te he traído son dignas de formar parte de esta colección?

Le gustaba sentirse cómplice de aquel hombre, ser su igual en los negocios.

—No me refiero solo a las piezas, Mahmud. Mi plan es que también tú te quedes aquí. —Y con un leve gesto ordenó a su hijo que entrara en acción, como habían planeado.

Mahmud volvió a blandir el cuchillo, pero fue demasiado tarde: la pala le golpeó en el cráneo y se desplomó en el suelo. Exhaló su último aliento, pero Nawaf lo golpeó con el canto metálico un par de veces más, solo para asegurarse.

—Este es nuestro propio Gran Pozo de la Muerte —murmuró Jaafar, casi para sí mismo—. Quítale todo lo que lleve, desnúdalo y entiérralo ahora mismo —ordenó a su hijo.

Luego recogió la bolsa de viaje de Mahmud, comprobó que los sellos y la tablilla estuvieran dentro y regresó al interior. Estaba girando la segunda cerradura cuando oyó una carcajada de Nawaf. Volvió a abrir y vio a Nawaf de pie ante el desnudo cadáver. Estaba partiéndose de risa.

Jaafar se acercó hasta su hijo. Al principio no entendía qué le hacía tanta gracia, hasta que Nawaf le señaló el pecho del muerto. Allí, brillando a la luz de las estrellas, prendidos en los pezones, había dos finos pendientes de oro. Mahmud había creído hallar el escondite adecuado cuya revelación iba a proporcionarle su gran momento final. Y así había sido.

18

Jerusalén, miércoles, 9.45 h

Se reunió con Uri en el Restobar Café, aunque él no lo había llamado así. «Reúnete conmigo en el café que antes era el momento», había dejado grabado en un mensaje de voz en su móvil. Ella no lo entendió. ¿Acaso se trataba de una especie de acertijo, un café que «antes era el momento»?

Preguntó al recepcionista del hotel, que parecía ser un experto, y enseguida le indicó la dirección:

—Saliendo del hotel, calle arriba, la segunda travesía...

—Pero ¿qué significa?

—Antes ese era el Café Momento. Hace unos años hubo allí un atentando con bomba. Un suicida. Así que, le cambiaron el nombre.

—Pero nadie se acuerda del nombre nuevo, y todo el mundo lo llama «el café que antes era el Momento» —dedujo Maggie.

—Exacto. —El recepcionista sonrió.

Uri ya estaba allí, en una mesa de un rincón, inclinado ante una taza de café todavía llena. Ni lo había probado. Sin afeitar, tenía aspecto de no haber dormido desde hacía días.

Maggie se sentó frente a él y esperó a que él la mirara, pero se cansó de esperar.

—Bueno, ¿cuándo es el funeral?

—No lo sé. Tendría que haber sido hoy, pero la policía todavía tiene retenido el cuerpo de mi madre. Por la autopsia. Tal vez no se celebre hasta el viernes.

—Ya veo.

—Y eso a pesar de que dicen que no hay nada que investigar.

—¿A qué te refieres?

—Me refiero... —levantó los ojos y miró a Maggie por primera vez. Sus ojos, tan negros, estaban enrojecidos. Incluso así, y aunque a Maggie le diera vergüenza darse cuenta de que se fijaba en eso, estaba tremendamente guapo. Hizo un esfuerzo por mirar hacia otro lado—. Me refiero a que insisten en que fue un suicidio.

—¿Les has dicho lo que crees?

—Les he dicho y repetido no sé cuántas veces que mi madre no se suicidó, pero ellos insisten en que las píldoras eran de ella y que no había señales de que nadie hubiera irrumpido en la casa.

—Es verdad.

—Sí, pero eso no quiere decir nada. La puerta principal ha estado abierta toda la semana, desde que mi padre... —Su voz se extinguió, y volvió a clavar la mirada en la taza.

—Pero tú estás seguro de que ella no... —Se sentía incapaz de decir «se mató», y aún menos de mencionar la posibilidad del asesinato. No mirándolo a la cara.

—Completamente. Mi madre no. —Alzó los ojos de nuevo—. Mi padre quizá. Es la clase de machada que se le habría podido ocurrir. El gran gesto heroico para llamar la atención de todo el mundo y...

—Uri...

—Todo esto es por su culpa.

—No lo dirás en serio, ¿verdad?

—Sí. Muy en serio. En casa siempre tuvimos que pagar las consecuencias de sus locas creencias. Cuando éramos pequeños siempre estaba o arrestado o saliendo por la televisión gritándole a alguien. ¿Sabes lo que significa eso para un niño?

Maggie pensó en sus padres. Lo más cerca que habían estado de tener una tendencia política fue cuando su padre dimitió del comité del Dun Laoghaire Bowl Club después de discutir con el tesorero por quién debía pagar las galletas a la hora del té.

—Pero tu padre era un hombre de principios. Eso es algo digno de admirar, ¿no?

—No —repuso él con ojos llameantes—. No si esos principios son erróneos. Eso no es algo que merezca respeto.

—¿Erróneos?

—Todo ese fanatismo con la tierra: toda, hasta el último metro cuadrado debe ser nuestro, nuestro, nuestro. Es como una enfermedad, una especie de idolatría. Y mira a lo que ha llevado: mi padre está muerto y se ha llevado a mi madre con él.

—¿Tu padre sabía que pensabas eso?

—Discutíamos todo el tiempo. Él siempre decía que por eso me había quedado en Nueva York, no porque allí pudiera progresar en mi profesión haciendo mejores películas.

—¿Haces cine?

—Sí, sobre todo documentales.

—Sigue.

—Mi padre no creía que la razón de que me hubiera marchado a Nueva York fuera el cine. Siempre decía que me había ido porque no soportaba salir derrotado en una discusión.

—En una discusión sobre...

—Sobre cualquier cosa: sobre votar a los partidos de izquierda, sobre dedicarme al campo artístico. «¡Vives como un desecho decadente de Tel Aviv!», solía decirme. ¡Tel Aviv!, el peor de los insultos.

Maggie apartó la vista y no dijo nada durante un momento. Luego volvió a mirar al hombre que tenía ante sí.

—Escucha, Uri... En estos momentos estás bajo los efectos del dolor, y sé bien que hay muchas cosas de las que quieres hablar pero primero tenemos que averiguar qué demonios está ocurriendo aquí.

—¿Por qué te preocupas tanto?

—Porque el gobierno para el que trabajo no quiere que estos asesinatos signifiquen el final del proceso de paz. Por eso.

—Sabes que mi padre se alegraría si ese proceso de paz fracasara. Él lo llamaba «proceso de guerra».

—Sí, pero no le alegraría tanto ver a su mujer muerta y quizá también a su hijo, por mucho que estuvieras en desacuerdo con él.

—¿Crees que mi vida corre peligro y eso te preocupa?

—La verdad es que no, pero tú sí deberías preocuparte.

—Mira, el peligro no me importa. Me da igual. Lo único que quiero es encontrar a la gente que lo hizo.

Maggie respiró hondo.

—Muy bien, pues empieza contándome todo lo que sabes.

Por segunda vez en dos días, Maggie volvía a encontrarse en Cisjordania, pero en esta ocasión su guía era un hombre que, a pesar de que sus frases parecieran ir entre signos de interrogación, llamaba a esa tierra Samara y Judea. Uri Guttman iba señalando por la ventana, igual que había hecho el sargento Lee, pero él no indicaba los lugares de conflicto con los palestinos sino las zonas que aparecían mencionadas en el Antiguo Testamento.

—Por esa carretera se llega a Hebrón, donde Abraham, Isaac y Jacob, los tres patriarcas, están enterrados. Y también las matriarcas: Sara, casada con Abraham; Rebeca, esposa de Isaac; y Lea, segunda esposa de Jacob.

—Conozco la Biblia, Uri.

—Eres cristiana, ¿no? ¿Católica? —Lo dijo separando las sílabas: «ca-tó-li-ca».

—Sí. Crecí y me educaron en el catolicismo.

—¿Y ya no eres católica? Creía que era como ser judío: una vez que lo eres, ya es para siempre.

—Algo así —dijo Maggie limpiando el vaho del cristal.

—Esto también está lleno de sitios cristianos. Estás en Tierra Santa, no lo olvides.

—La que nunca ha de ser entregada.

—¿Estás citando a mi padre?

—No solamente a él.

La visita guiada solo fue interrumpida en una ocasión, cuando Uri puso la radio. Las últimas noticias eran terribles. Hizbullah había lanzado un ataque con cohetes desde el Líbano, rompiendo así el alto el fuego que mantenían desde hacía tiempo. Los civiles de la franja norte de Israel corrían a los refugios, y Yaakov Yariv recibía todo tipo de presiones para que respondiera al ataque, presiones de sus mismos partidarios. Si iba a firmar la paz, decían, antes debía demostrar que no era un blando. Maggie había hablado de eso con Davis por teléfono esa mañana: Hizbullah no hacía nada sin el consentimiento de Irán. Si se habían decidido a atacar, era porque Teherán esperaba una guerra en la región. Y pronto.

Habían conducido alrededor y sobre Ramallah, y en esos momentos se acercaban a Psagot, un asentamiento judío situado en lo alto de la colina que dominaba la ciudad palestina. A Maggie le sorprendió la simplicidad de todo aquello. Era casi medieval. Fortalezas en las alturas, como si estuvieran repletas de arqueros dispuestos a lanzar una lluvia de flechas al enemigo de abajo. Pensó en Francia, en Inglaterra, en Irlanda. Allí los castillos habían desaparecido o estaban en ruinas, pero siglos atrás el paisaje se parecía al que tenía delante: un campo de batalla donde la cima de cada montaña y la ladera de cada colina era un punto estratégico que había que temer o conquistar.

La carretera serpenteaba cuesta arriba, hasta que llegaron a un paso con barrera. Uri aminoró la velocidad para que el centinela tuviera tiempo de salir de la garita, decidiera que ese coche era israelí y por lo tanto podía pasar, y le hiciera un gesto con la mano para que siguiera adelante. Se trataba de un hombre de mediana edad y barrigudo, llevaba vaqueros y una camiseta bajo una guerrera militar. Colgado del hombro, un fusil de asalto M-16 con la culata remendada con cinta aislante. Maggie no supo decir si la naturalidad de la escena la hacía más o menos siniestra.

Una vez fuera del coche, intentó orientarse. Al primer vistazo, aquellos asentamientos judíos parecían barrios periféricos de Estados Unidos trasplantados directamente al polvoriento Oriente Próximo. Todas las casas tenían el tejado rojo y un terreno con césped. Al final de una calle había un grupo de quinceañeras que jugaban al baloncesto, aunque todas vestían faldas vaqueras que les llegaban a los tobillos.

Miró a lo lejos, deseosa de observar Ramallah desde aquella privilegiada atalaya, pero la vista estaba bloqueada. Solo entonces se fijó en el grueso muro de hormigón que rodeaba un lado de Psagot y lo ocultaba por completo a la ciudad de abajo.

Uri se dio cuenta de lo que había visto.

—Feo, ¿verdad?

—¿A ti qué te parece?

—Tuvieron que construirlo hace unos años para evitar los disparos de los francotiradores desde Ramallah. Las balas aterrizaban aquí todos los días.

—¿Y funcionó?

—Pregunta a las chicas que ahora pueden jugar al baloncesto en la calle.

Al verlo de cerca, Maggie se dio cuenta de que si aquel sitio se parecía a un suburbio estadounidense, sería a los más humildes. Las viviendas eran básicas, y el edificio administrativo central, hacia donde Uri la conducía, era espartano. El lugar estaba sorprendentemente vacío. Mientras esperaban que una secretaria saliera a recibirlos, Uri le explicó que todo el mundo estaba manifestándose en Jerusalén o formando la cadena humana.

Por fin apareció una mujer. En cuanto vio a Uri le lanzó una mirada de simpatía y comprensión. Estaba claro que, fuesen cuales fueran sus opiniones políticas, Uri Guttman era el hijo doliente de un aristócrata entre los colonos. La noticia de la muerte de su madre había corrido tras el anuncio hecho por la radio aquella mañana. Sin necesidad de cita previa, la mujer les hizo un gesto para que entraran en el despacho del hombre que Uri le había explicado que era, no solo la máxima autoridad de Psagot, sino también de todos los asentamientos de Cisjordania.

Akiva Shapira se puso en pie nada más entrar Uri y salió de detrás de su mesa para darle la bienvenida. Grande y barbudo, cogió la cabeza de Uri entre las manos y murmuró lo que Maggie supuso que serían unas palabras de condolencia. *«HaMakom y'nachem oscha b'soch sh'ar aveilei Tzion v'Yerushalayim.»* Cerró los ojos mientras lo decía.

—Akiva, te presento a mi amiga Maggie Costello. Es irlandesa, pero está aquí con el equipo estadounidense para las negociaciones para la paz. Me está ayudando.

Maggie le tendió la mano, pero Akiva ya se había dado la vuelta y se dirigía hacia su sillón tras el escritorio. No supo si le negaba el saludo por razones políticas —por ser una representante de la administración de Estados Unidos, que imponía la rendición a Israel—, por motivos religiosos, o por ser mujer.

—Sois bienvenidos —les dijo respirando pesadamente mientras tomaba asiento. La sorpresa fue su acento neoyorquino—. La verdad es que soy yo quien debería haber ido a verte. Has sufrido la mayor de las pérdidas, Uri, y sabes que te acompañan los pensamientos de toda la gente de *Eretz Yisroel*, de toda la tierra de Israel.

Maggie comprendió que la traducción era en consideración a ella y seguramente también la frase entera. Aquel «toda la tierra» no le pasó inadvertido.

—Quería hablar contigo acerca de mi padre.

—Desde luego.

—Como sabes, en los últimos días de su vida estaba muy alterado, frenético.

—Estaba desesperado por ver a Yariv, por decirle la locura que estaba cometiendo; pero ese hombre que se hace llamar primer ministro no quiso recibirlo.

—¿Era eso lo que deseaba decirle? ¿Que el proceso de paz era una locura?

—¿Qué otra cosa podía ser? ¿Crees que entregar nuestra tierra más sagrada le parecía sensato? Además, ¿me lo preguntas en serio?

Maggie comprendió que la pregunta iba dirigida a ella, entre otras razones porque Shapira apenas miraba a Uri.

—Tu padre sabía que ese era el gesto propio de un pueblo que ha perdido su conciencia colectiva, una repetición del gran error de los judíos. Desde la era de los faraones hasta Hitler, los judíos listos siempre han creído que pueden espantar al lobo. ¿Y cuál es el arma secreta de los judíos? Te lo diré, Uri: ¡la rendición! ¡Sí, señor! Ese es el gran invento de los judíos, la nación de Marx, Freud y Einstein: ¡la rendición! Y ahora Yariv está intentando el mismo truco. Damos a nuestros enemigos todo lo que quieren, sin luchar y a eso lo llamamos «paz». Pero eso es rendirse, ni más ni menos. ¿Me equivoco, señorita Costello?

Maggie deseó no estar allí. Si Uri hubiera ido sin ella, se habría ahorrado el discurso. Pero no parecía impresionado. Estaba inclinado hacia delante, como si fuera un entrevistador.

—Akiva, lo que quiero saber es qué rondaba exactamente por la cabeza de mi padre en los últimos días de su vida.

—¿Y por eso has venido hasta aquí? ¿No puedes deducirlo por ti mismo? ¿Qué le rondaba por la cabeza? ¿Acaso no es tan obvio que hasta un niño de parvulario te daría la respuesta? —Se volvió hacia Maggie de nuevo—. A ver, señorita Costello, Uri ha dicho que es usted irlandesa. Yo no tengo ni idea de si es usted católica o protestante, pero contésteme a esto: cuando el IRA se dedicaba a poner bombas cada cinco minutos, ¿acaso los protestantes dijeron: «Muy bien, aquí tenéis Belfast, partidla por la mitad y nos quedaremos la parte que vosotros no queráis. Ah, y ya que estamos, los millones de católicos que se han marchado del país en los últimos dos siglos, que vuelvan y se instalen en nuestro pequeño trozo protestante de Irlanda del Norte»? Sea sincera, ¿en alguna ocasión ha oído a un protestante de Irlanda del Norte decir algo así?

—Akiva, he venido para hablar de mi padre...

—Porque eso es lo que nuestro amado primer ministro y su llamado «gobierno», que Dios los bendiga con su sabiduría, están haciendo. ¡Exactamente lo mismo! Permitamos que cualquier palestino cuyo tatarabuelo meó un día en Jaffa venga y reclame una mansión en Tel Aviv. Y, desde luego, dividamos Jerusalén en dos. ¿Sabe usted cuántas veces se menciona Jerusalén en el Corán? Dígame, ¿lo sabe?

Uri alzó los ojos al techo, haciendo lo posible para ocultar su frustración. Pero fue Maggie la que habló:

—Mire, no hemos venido para...

—Cero. —Hizo la forma del número con el índice y el pulgar—. Un cero grande y gordo. En cambio nosotros llevamos dos mil años rezando tres veces al día por regresar a Jerusalén; construimos nuestras sinagogas orientadas hacia el este para que miren a Jerusalén, ya sea en New Jersey ya sea en Dublín; pedimos a Ha'shem, el Todopoderoso, que clave nuestra lengua al paladar y prive a nuestra mano derecha de su habilidad si algún día nos olvidamos de Jerusalén. ¡Y aun así tenemos que entregarla! ¡Vamos a rendir una ciudad a los árabes, a un pueblo cuyo libro más sagrado no la menciona ni una vez! —Se inclinó hacia delante con el rostro arrebolado y señalando a Maggie con el dedo—. Por lo tanto, sé muy bien lo que rondaba por la cabeza de Shimon Guttman: ¡el suicidio del pueblo judío! ¿Me oye? La destrucción del pueblo judío. Eso es lo que Guttman quería evitar.

Uri levantó la mano, como un alumno pidiendo permiso al

profesor para hablar. Maggie se daba cuenta de que Uri estaba callándose sus opiniones, pero no sabía si lo hacía porque estaba demasiado cansado para discutir o porque había decidido inteligentemente que no conseguiría nada si se peleaba. En cualquier caso, agradeció el instinto de Uri. Ambos necesitaban la colaboración de Shapira. De otro modo, aquel viaje sería una pérdida de tiempo.

—Mi padre le comentó a mi madre que había visto algo, algo concreto —Uri encarnaba la viva imagen de la devoción filial—, algo que lo cambiaría todo. ¿No sabrás tú a qué podía referirse?

Shapira miró a Uri y su expresión se suavizó.

—Tu padre y yo hablamos constantemente durante las últimas semanas. Él y yo...

—Me refiero a los últimos tres o cuatro días. Fue entonces cuando vio eso que no sabemos que es.

—Mira, Uri, tu padre podía ser una persona muy reservada cuando quería. Si no quiso compartir contigo lo que había descubierto, tal vez fuera por una buena razón.

—¿Qué clase de razón?

—¿Qué dicen los salmos? «Tal como un padre tiene compasión de sus hijos, así el Señor tiene compasión de aquellos que lo temen.»

—No entiendo.

—«Compasión de sus hijos.» Proteger a los hijos. Viene a ser lo mismo.

—¿Crees que me protegió?

—Shimon era un buen padre, Uri.

—¿Y qué hay de mi madre? También intentó protegerla a ella y mira lo que ha pasado.

—¿Estás seguro de que no compartió con ella ninguna información, Uri? ¿Podrías asegurarlo?

Uri meneó la cabeza a regañadientes, como un niño al que hubieran pillado en falta.

Maggie comprendió que cabía la posibilidad de que Rachel Guttman hubiera averiguado algo antes de morir. Quizá había hecho una llamada telefónica que había alertado a sus asesinos. O quizá, a pesar de las negativas de Uri, había visto algo que la había deprimido hasta el extremo de empujarla a quitarse la vida.

—Ya ves, mi querido Uri. El Señor del Universo tiene un plan para el pueblo judío. Naturalmente, no nos deja verlo, solo nos da algún indicio, aquí y allá, en los textos, en las fuentes. Solo indicios. Pero hace milagros, Uri. Su propia fe, señorita Costello, también le habrá enseñado eso. Milagros. Y la historia del pueblo judío es una historia de milagros.

»Sufrimos la mayor tragedia de la historia de la humanidad: el Holocausto. ¿Y cuánto tiempo tuvimos que esperar para hallar nuestra redención? ¡Tres años! ¡Solo tres! Los nazis cayeron en 1945, y en 1948 teníamos nuestro propio Estado. Tras dos mil años de exilio y diáspora regresamos a nuestra tierra ancestral, la tierra que Dios prometió a Abraham hace casi cuatro mil años. ¿Cómo llama a eso, señorita Costello, si no es un milagro a prueba de bombas? ¡Nuestra hora más negra seguida de la más luminosa!

»Luego, en el sesenta y siete ocurrió lo mismo. Los árabes nos tenían rodeados y afilaban los cuchillos para cortarnos el cuello y arrojar a los judíos al mar. ¿Qué ocurrió? Pues que Israel destruyó las fuerzas aéreas del enemigo en cuestión de horas y sus ejércitos de tierra en seis días. ¡Seis días! "Y Dios vio lo que había hecho y se sintió complacido." Y al séptimo día, descansó.

»¿Estáis dispuestos a apostar con Dios a que nos vuelve a salvar? Es cierto, el panorama ahora es peor. Su gobierno de Washington, señorita Costello, tiene planeado desposeer al pueblo judío de sus derechos de nacimiento y nos dice que entreguemos las tierras que Dios nos prometió. Y colaborando con ustedes hay un hombre en quien confiamos en otro tiempo, un traidor que está dispuesto a vender a su propia gente para poder presumir delante de los antisemitas de toda Europa de buen judío, de judío simpático, de premio Nobel con la rama de olivo en el pico, mientras a los judíos malos y antipáticos los árabes los degüellan en sus camas.

»Parece que no hay salida, que volvemos a vivir nuestras horas más negras, cuando ¡mirad!: Shimon Guttman, un héroe del pueblo judío, interviene para detener la mano del traidor y he aquí que Guttman el héroe es abatido. Pero el pueblo de Israel empieza entonces a comprender. Ve la amenaza a la que se enfrenta: a un gobierno que está dispuesto a tirotear a sus propios ciudadanos, e incluso, y te ruego que me disculpes, Uri, ¡a asesinar a la esposa del héroe!

»Así trabaja el Todopoderoso. Nos ofrece señales, pistas si lo preferís, porque quiere que veamos lo que está sucediendo. Se llevó a tu madre para que no vivamos en la ilusión. Es un mensaje para nosotros, Uri. Tus padres y la tragedia que se ha cebado en ellos constituyen un mensaje. Nos dice que digamos que no al gran engaño de los estadounidenses. Que digamos que no al suicidio en masa de los judíos.

Aquel discurso había sido pronunciado a tal volumen y velocidad que no quedaba otra alternativa que esperar a que terminara. Estaba claro que Shapira era un orador experimentado, capaz de enlazar una frase tras otra sin interrupción. Maggie había formado parte del equipo estadounidense que había escuchado discursear al presidente sirio durante seis horas seguidas desplegando el mismo truco. La única respuesta viable en esos casos era paciencia y firmeza. Había que esperar a que el adversario —o el aliado, lo mismo daba— acabara. Ese momento parecía haber llegado.

—Señor Shapira —dijo Maggie, adelantándose a Uri—, todo lo que nos ha dicho ha sido de gran ayuda. ¿Resumiría correctamente sus puntos de vista si dijera que usted sospecha que detrás de la muerte de los padres de Uri se esconde la mano de las autoridades israelíes?

—Sí, porque lo que Estados Unidos tiene que comprender de una vez es...

«Gran error —se dijo Maggie—. No tendría que haberlo planteado como pregunta que pudiera dar lugar a ninguna respuesta.»

—Gracias. Eso ha quedado claro. Lo hicieron para silenciar a los Guttman porque temían el tipo de información que estos habían descubierto. —Su tono indicaba afirmación—. Sin embargo, lo que nos ha contado son los puntos de vista que Guttman mantuvo durante muchos años. Seguramente habría deseado poder trasladárselos al primer ministro, pero no suponían nada nuevo. ¿Cómo explicar entonces su frenética urgencia? ¿Cómo explica usted que las autoridades quisieran de repente silenciar una opinión que ya era ampliamente conocida?

—¿Opinión? ¿Quién ha dicho nada de una opinión? Yo no. He utilizado la palabra «información». «Información», señorita Costello. Es algo muy distinto. Está claro que Shimon Guttman había descubierto cierta información que iba a obligar a Yariv a darse cuenta de la locura que suponía el camino emprendido. Creo que quería conseguirlo como fuera.

—¿A qué clase de información se refiere?

—Me está pidiendo demasiado, señorita Costello.

—¿Significa eso que no quiere decírnoslo o simplemente que no lo sabe? —preguntó Uri, como si él y Maggie formaran un equipo bien compenetrado.

Akiva no le prestó atención y mantuvo la mirada clavada en Maggie.

—¿Por qué no acepta usted el consejo de alguien que lleva por aquí algo más tiempo que solo cuarenta y ocho horas? Lo que yo sé, usted no quiere saberlo. Y tampoco tú, Uri. Creedme, aquí hay en juego algo muy importante. Estamos hablando del destino del pueblo escogido por Dios en la Tierra Prometida por Dios. Un trato entre nosotros y el Todopoderoso. Se trata de algo demasiado importante para que unos cuantos políticos arribistas y maliciosos se lo carguen, al margen de lo importantes que ellos se crean, ya sea aquí ya sea en Washington. Puede decírselo a sus jefes, señorita Costello: nadie se entromete entre nosotros y el Todopoderoso. Nadie.

—¿Y si no?

—¿Y si no? Me pregunta usted «¿y si no?». No debería preguntar eso. Pero mire a su alrededor. Uri, acepta mi consejo: olvídate de este asunto. Tienes unos padres a los que llorar y un funeral que celebrar.

Alguien llamó a la puerta. La secretaria asomó la cabeza y murmuró algo a Shapira.

—Desde luego —contestó este—. Dígale que ahora lo llamo. —Luego se volvió hacia Uri—. Hazte un favor. Llora a tu madre. *Sit shiva*. Y olvídate de este asunto. No conseguirás nada bueno si sigues husmeando por ahí. La tarea de tu padre ha culminado; puede que no como él había previsto, pero ha culminado. El pueblo de Israel ha despertado.

Maggie vio que Uri hacía lo posible por disimular el desprecio que le inspiraba lo que estaba escuchando. En algún momento se había hundido en el sofá, como un colegial insolente, y al instante había recordado dónde estaba y se había erguido de nuevo. Entonces se inclinó hacia delante y preguntó:

—¿Sabes algo de Ahmed Nur?

Maggie intervino.

—Señor Shapira, quiero darle las gracias por haber sido tan generoso con su tiempo...

—¿Qué? ¿Están intentando acusarme de la muerte de ese árabe? ¿Es eso lo que han empezado a decir en las emisoras de radio de la izquierda? Me sorprende, Uri, que te tragues esa basura.

Maggie se había puesto en pie.

—Como podrá imaginar, son momentos muy difíciles, la gente dice toda clase de cosas. —Sabía que aquello era pura palabrería, pero eran sus ojos los que hacían el verdadero trabajo, intentando decir a Shapira: «Sus padres han muerto. Ha perdido la cabeza. No le haga caso».

Shapira se puso en pie, no para despedirse de ella, sino para abrazar a Uri.

—Puedes estar muy orgulloso de tus padres, Uri. Pero ahora déjalos que descansen en paz. Olvídate de este asunto.

19

Ammán, Jordania, diez meses antes

Jaafar al-Naasri no era hombre que se apresurara. «Los que tienen prisa son los primeros a los que atrapan», solía decir. Había intentado explicárselo todo a su hijo, pero este era demasiado tonto para prestar atención. Al-Naasri se preguntó si no pesaría sobre él alguna maldición que lo condenaba a estar rodeado de tanta estupidez, incluso en el seno de su propia familia. Había hecho todo lo necesario: se había casado con una mujer inteligente y había educado a sus hijos en los mejores colegios de Ammán. Sin embargo, su hija no era más que una furcia que seguía los pasos de las rameras que aparecían en MTV, y los hijos varones no eran mejores: el uno, un patán que solo sabía utilizar los puños; el otro, más inteligente, un vago que se levantaba al mediodía y aspiraba a convertirse en playboy.

Todo ello mortificaba a al-Naasri. Sí, era un hombre rico, en parte gracias a la generosidad de Saddam Hussein y del ejército de Estados Unidos. Entre los dos habían abierto la puerta de la cueva de los grandes tesoros de la humanidad, donde descansaban los orígenes de la historia de los hombres. ¿Una exageración? Jaafar era propenso a las hipérboles, no podía negarlo, qué vendedor no lo era. Pero el Museo Nacional de Bagdad no necesitaba vendedores. Había sido el guardián de la más temprana memoria. Mesopotamia había sido la primera gran civilización, y aquel comienzo estaba allí, en vitrinas, etiquetado, clasificado y conservado en el Museo Nacional de Antigüedades. Los primeros hallazgos de escritura se encontraban en Bagdad, recogidos en los cientos de tablillas llenas de símbolos cuneiformes, la escritura de cuatro milenios atrás. Arte, escultura, joyería, y estatuas de los días en que todo aquello eran nuevas formas, reliquias de la época de la Biblia e incluso anteriores. Todo eso podía encontrarse en Bagdad.

Durante décadas habían estado guardadas en cajas blindadas y tras puertas de acero, protegidas por uno de los sistemas de seguridad más sofisticados del mundo: la tiranía de Saddam Hussein. Pero gracias a los GI* y sus tanques, a los pilotos que surcaban los cielos con sus cohetes inteligentes, Saddam había huido y las puertas del museo se habían abierto de par en par. Afortunadamente, los soldados estadounidenses que habían rodeado el Ministerio del Petróleo, y puesto sus archivos y papeles —sus valiosos secretos relacionados con el oro negro— bajo la constante vigilancia de las tropas, no habían hecho nada para proteger el museo. Un solitario tanque había hecho acto de presencia, pero eso fue después de varios días. Por lo demás, el museo había permanecido desnudo y expuesto, tan abierto y disponible como las putas de la ciudad. Y Jaafar y sus muchachos se habían cebado en él a placer, una y otra vez, sin que nadie los molestara.

Pero no había que equivocarse. Jaafar lo había hecho bien: la colección que atesoraba en el patio trasero había crecido lo bastante para permitirle abrir su propio museo. El idiota de su hijo había cavado día y noche durante varios meses, ocultando el botín que su red de correos le llevaban diariamente desde Irak. A veces, cuando Jaafar sospechaba que jugaban a dos bara-

* Denominación popular del soldado de infantería estadounidense. *(N. del T.)*

jas con él, que suministraban al mismo tiempo a otros marchantes en Ammán o más allá, Nawaf utilizaba la pala con otros propósitos. Solo había tenido que hacerlo una docena de veces, quizá menos. No solía contarlas. Pero tampoco podía decir que se sintiera contento. En esos momentos, tras un golpe de suerte como aquella invasión estadounidense, debería hallarse en la cumbre del negocio, como ese perro de Kaslik, que había levantado un imperio de un extremo a otro de la región durante la guerra de 2003. Pero, claro, Kaslik tenía hijos en los que podía confiar.

Y esa era la razón de que en ese momento estuviera metido en su taller haciendo un trabajo que no tenía a quién delegar. No podía encomendar aquella tarea a nadie de su personal: el riesgo de que lo traicionaran, de que le robaran la mercancía o de que dieran el soplo a un tercero era demasiado grande. De todas maneras, seguía soñando con un equipo de pequeños al-Naasri, con sus mismas dotes, dispuestos e impacientes por ocuparse de las tareas más delicadas.

Y aquella lo era, sin duda. El inconveniente de la caída de Saddam había sido que tras ella las normas de repente se hicieron más estrictas. Los gobiernos de todo el mundo que habían hecho la vista gorda en cuanto al tráfico de tesoros antes de 2003, ya no eran tan tolerantes. Quizá les parecía que robar a un dictador estaba bien, pero no llevarse la herencia del pueblo iraquí. Jaafar echaba la culpa a los noticiarios de la televisión. De no haber sido por las imágenes de los pillajes en la capital, las cosas habrían seguido como estaban. Pero después de haber visto cómo la gente vaciaba el museo en bolsas y carretillas, los altos cargos de Londres y Nueva York se habían puesto nerviosos. No podían convertirse en cómplices de semejante delito cultural. Así pues, el aviso llegó a los servicios de aduanas, las casas de subastas y los conservadores de los museos desde París hasta Los Ángeles: nada procedente de Irak.

Eso significaba que Jaafar tenía que ser creativo. Iba a tener que ocultar más que nunca los productos que enviaba al exterior. El objeto que se hallaba en el banco de trabajo, ante él, era motivo de especial orgullo. Se trataba de una caja de plástico plana y dividida en dos docenas de compartimientos llenos de cuentas de colores bajo una tapa transparente: un juego para fabricar bisutería dirigido al sector más joven del mercado de las adolescentes. Su cuñada se lo trajo a Naima, cuando cumplió doce años, de un viaje a Nueva York. Su hija jugó con él durante un tiempo, hasta que se cansó. Jaafar lo encontró por casualidad y enseguida se dio cuenta de su potencial.

Intentando imitar el pésimo gusto de una adolescente, cogió una cuenta de color rosa y la pasó por el hilo en el que ya había un falso rubí, una lentejuela púrpura y el tapón de una botella de Coca-Cola. Sonrió. Parecía la clásica pulsera de baratijas que una jovencita podría ponerse, romper y olvidar.

Eso suponiendo que nadie examinase de cerca uno de los objetos ensartados. No era la única pieza dorada —también había un perrito de lanas de latón—, pero sí la más fina. Se trataba de una simple hoja de oro, delicadamente grabada. Pero para verla era necesario mirar bien, y Jaafar había pasado el tiempo suficiente rodeado de objetos preciosos para saber que el contexto lo era todo. De haber estado en la vitrina de un museo, sobre una almohadilla de terciopelo, lejos de las cuentas y los tapones de botella, quizá alguien se hubiera percatado de que era un pendiente de una princesa sumeria que había sido enterrado junto a su dueña hacía cuatro mil años. Encima de la mesa de Jaafar, rodeado de baratijas, no parecía nada del otro mundo.

Luego estaban los sellos, los pequeños cilindros de piedra tallados con símbolos cuneiformes. Cinco mil años atrás los hacían rodar sobre una tablilla de arcilla y creaban una firma. Ingenioso para la época, pero no tanto como el lugar que Jaafar les había encontrado. Metió la mano en la gran caja de cartón que le había llegado de Neuchatel, Suiza, la semana anterior.

Dentro había un montón de casitas suizas de madera, con sus ventanas pintadas y sus jardincillos rodeados de vallas hechas de cerillas. Si levantabas el tejado, descubrías que aquel sencillo objeto ornamental tenía otra función, pues el brillante mecanismo de su interior interpretaba una melodía musical.

Le había llevado meses dar con ese modelo exacto de caja de música. Había investigado una docena de páginas web y hablado con más técnicos de los que era capaz de recordar hasta dar con la que ofrecía las especificaciones adecuadas.

Retiró el mecanismo con el destornillador y vio que su paciencia había sido recompensada. Tal como había previsto, el tambor giratorio central, con las pequeñas púas que hacían vibrar las láminas de acero para producir una melodía, era hueco. Su mano enguantada en látex cogió el primero de los sellos que tenía alineados en el estante, a la altura de los ojos. Despacio y con cuidado, deslizó el sello en el interior del cilindro de metal. Encajó perfectamente. Suspiró, aliviado, y contempló nuevamente el tesoro que había reunido en sellos y que se desplegaba ante sus ojos como una hilera de soldados esperando el momento de la inspección. Los había de todo tipo de formas y tamaños, pero en ese momento, viendo el embalaje de la empresa suiza que le había enviado una colección variada de cajas de música, «Desde la más pequeña hasta nuestro modelo más grande, señor», se sintió confiado. Aquello iba a funcionar.

Sin embargo, de haber contado con ayuda podría haber hecho el trabajo mucho más deprisa. Echó un vistazo al imponente arcón que había junto al rollo gigante de plástico de burbujas. Ese mueble representaba por sí solo tres meses de duro y solitario trabajo. En su interior ocultaba varios cientos de tablillas de arcilla que había reunido desde abril de 2003. Tenía un plan para ellas. No era complicado, pero sí entretenido.

Hojeó el calendario; la foto del rey y su preciosa y americanizada esposa estaban en todas las páginas. Si todo iba bien, aquel mueble estaría embalado, etiquetado como artesanía y camino de Londres en primavera. No había por qué correr. En el negocio de las antigüedades, el tiempo no era un enemigo sino un aliado. Cuanto más esperabas, más rico te hacías. Y el mundo había esperado cuatro mil quinientos años para ver aquellas hermosuras.

20

Jerusalén, miércoles, 13.23 h

El camino de vuelta de Psagot transcurrió lleno de tensión. Maggie no esperó a entrar en el coche para reprender a Uri.

—¿Cómo se te ha ocurrido mencionar a Ahmed Nur?

—Pensé que podría decirnos algo.

—Sí, algo como «largaos de aquí antes de que os mate también a vosotros».

—¿Crees que Akiva Shapira mató a mis padres? ¿Te has vuelto loca?

Maggie lo dejó estar. Tuvo que recordarse que Uri seguía bajo los efectos del golpe emocional de su doble pérdida. Pero estaba cansada de ir con pies de plomo. La calma y el autocontrol se imponían en su consulta de mediadora conyugal, pero allí no.

—Dime qué te parece tan descabellado.

—Ya has visto a ese hombre. Es un fanático, igual que mi padre. Se querían.

—Muy bien. Si no ha sido él, ¿quién ha sido?

—¿Quién ha sido qué?

—Quién ha matado a tus padres. Dime, ¿de quién sospechas?

Uri apartó la vista de la carretera y miró brevemente a Maggie, como si no diera crédito a lo que oía.

—¿Sabes?, no estoy acostumbrado trabajar así.

—Así ¿cómo?

—Con otra persona. Cuando ruedo una película, lo hago todo yo solo. Preparo las entrevistas, ruedo las tomas, hago el montaje. No estoy acostumbrado a tener al lado a una jovencita irlandesa que mete las narices en todo.

—No soy ninguna «jovencita irlandesa», gracias. Esa clase de basura sexista puede que te funcione en Israel, pero no conmigo. ¿De acuerdo?

Uri le lanzó una mirada rápida.

—Vale, vale.

—Y, ¿sabes qué te digo?, yo tampoco estoy acostumbrada a esto. Cuando entro en una habitación, lo hago sola. Únicamente están las dos partes litigantes y yo.

—¿Cómo es eso?

—Porque me parece que funciona mejor. Ni ayudantes ni consejeros...

—No. Me refiero a cómo es que te dedicas a esto. ¿Cómo has llegado a ser tan buena?

Maggie supuso que intentaba compensar el comentario de la «jovencita irlandesa».

—¿Te refieres a mi trabajo como mediadora?

—Sí.

Se disponía a contarle la verdad, a decirle que hacía tiempo que no participaba en unas negociaciones internacionales y que la última disputa en la que había mediado había sido por el régimen de visitas de fin de semana entre los padres de Nat, Joey y Ruby George, de Chevy Chase, Maryland. Pero se abstuvo.

—Supongo que lo aprendí en casa —contestó.

—No digas más, tus padres solían discutir todo el tiempo y tú eras la pacificadora.

—No, no seas tonto. —En el fondo estaba impresionada, pues los hogares rotos eran un antecedente muy común entre los mediadores conyugales—. Más bien fue al contrario. Mis padres formaban un matrimonio firme como una roca, el mejor del barrio, aunque eso no significaba gran cosa porque allí todos se pasaban el día discutiendo y peleándose. Los maridos se emborrachaban y las mujeres se lo montaban hasta con el lechero. Siempre acababan acudiendo a mi madre en busca de consejo.

—¿Y tú la observabas?

—Nunca lo pensé. Pero las parejas llamaban a la puerta para pedirle que mediara entre ellos. «Veamos qué dice la señora Costello» era la frase que corría por el barrio. Yo la veía hacerlo, de modo que supongo que algo de aquello se me debió de contagiar.

—Tu madre debe de estar muy orgullosa de ti.

—Los dos lo están.

Uri no dijo más; el ronroneo del motor llenó el silencio. Maggie se reprochó la torpeza de haberse referido a sus padres en presente y con tanta despreocupación delante de Uri; se había dejado llevar. No era habitual que le preguntaran sobre su vida, y había disfrutado la oportunidad de contestar. A Uri, que se ganaba la vida haciendo que la gente hablara de sí misma, seguro que le había parecido de lo más natural, pero ella no recordaba la última vez que alguien le había preguntado «¿Cómo te convertiste en mediadora?». De repente cayó en la cuenta de que tampoco Edward se lo había preguntado.

Mientras regresaban a toda velocidad a Jerusalén dejando atrás calles abarrotadas de palestinos que avanzaban despacio si es que avanzaban, Maggie se concentró en la entrevista que acababan de mantener con Shapira. El hombre se había expresado con bastante claridad. Guttman le había hablado de su hallazgo —«Lo que yo sé, usted no quiere saberlo»—, y Shapira había llegado a la conclusión de que el gobierno israelí lo había matado por eso. Pero Shapira era un engreído presuntuoso. ¿Por qué no le había dicho a Uri lo que su padre había descubierto? Quizá porque ella estaba presente, pero eso no tenía sentido: si aquel hombre hubiera tenido un palo que poder arrojar a las ruedas del proceso de paz, habría aprovechado la ocasión de blandirlo ante una representante de los estadounidenses. ¿Era posible que Shapira no supiera nada y que solo pretendiera presentar a los Guttman como los mártires de la causa?

Estaba demasiado perdida en sus reflexiones, lo mismo que Uri, para darse cuenta de lo que tenían detrás: un pequeño Subaru blanco que se mantenía a una distancia de tres coches sin perderlos de vista en ningún momento.

Habían vuelto a casa de Rachel y Shimon Guttman. Cuando Uri abrió y la dejó pasar, Maggie se estremeció. En la casa no hacía frío, pero la atmósfera resultaba igualmente glacial. Aquellos habían sido por dos veces los dominios de la muerte. Admiró a Uri por tener el valor de poner el pie allí dentro.

El felpudo estaba cubierto de sobres y notas de condolencia; sin duda muchas de ellas del extranjero. En esos momentos la gente estaría en casa de la hermana de Uri, donde la *shivá* por su padre continuaría y donde tendría lugar la de la madre una vez que fuera enterrada. A Maggie le preocupaba que Uri se ausentara de un proceso que podía hacerle bien. Sabía por experiencia que ese tipo de ceremonias no eran para los muertos sino para los vivos, para que tuvieran algo que hacer y en lo que distraerse. Si tienes que saludar y hablar con docenas de amigos y parientes durante horas, no te queda tiempo para deprimirte. Sin embargo, allí estaba Uri, con ella, rechazando aquel sedante contra el dolor.

—Es aquí.

Uri encendió la luz de una habitación que afortunadamente se hallaba en el otro extremo de la casa respecto a la cocina donde habían encontrado el cadáver de Rachel Guttman. Era pequeña y tenía las paredes llenas de libros, del suelo al techo. También había montones de papeles por todas partes. En medio había un escritorio, en realidad una simple mesa con un ordenador, un fax y unos cuantos artilugios electrónicos, entre ellos una cámara de vídeo. Fue lo primero que Maggie examinó: dentro no había ninguna cinta.

—¿Por dónde demonios empezamos? —preguntó.

Uri la miró.

—Bueno, podrías hacer un curso intensivo de hebreo, así solo tardaríamos unos cuantos meses. —Maggie sonrió. Fue lo más cercano a una risa que habían compartido desde que se habían conocido—. Echa un vistazo al ordenador. Hay mucho material en inglés. Yo empezaré con esos montones de papeles.

Maggie tomó asiento y apretó el botón de encendido.

—¿Te importa pasarme el móvil, Uri?

Él sacó la bolsa de plástico transparente que habían recogido en el hospital, en el camino de regreso de Psagot. Dentro se encontraban los «objetos personales del difunto», lo que su padre llevaba encima cuando lo mataron. Metió la mano, cogió el teléfono y se lo entregó a Maggie. Ella lo conectó y seleccionó la bandeja de mensajes de entrada. «Vacía.» Luego la bandeja de mensajes enviados. «Vacía.»

—¿Estás seguro de que tu padre solía enviar mensajes de texto?

—Ya te lo he dicho. A mí me envió unos cuantos. Cuando yo estaba de servicio en la frontera del Líbano, nos pasábamos el día enviándonos mensajes.

—Entonces han limpiado este teléfono.

—Eso creo yo también.

—Lo que significa que seguramente habrán hecho lo mismo con su cuenta de correo electrónico. El que le hizo eso a tu madre probablemente pasó también por este despacho. Pero echemos un vistazo.

En la pantalla del monitor apareció el habitual escritorio. Maggie fue directamente a la cuenta de correo. Se abrió una ventana solicitando la contraseña. Maldijo para sus adentros.

—Uri...

Él sostenía contra el pecho un montón de papeles que iba creciendo a medida que examinaba uno a uno los folios de la pila que había en el escritorio y los añadía a su montón. Maggie comprendió que iba a ser una tarea muy lenta.

—Intenta Vladimir.

—¿Vladimir?

—Sí. Jabotinski, el fundador del sionismo revisionista. El primer teórico de la línea dura y el héroe de mi padre.

Maggie introdujo la contraseña, y la pantalla se llenó silenciosamente con correo electrónico. Uri sonrió.

—Siempre usaba ese nombre. Escribía cartas de amor a mi madre firmando con él.

Maggie recorrió rápidamente con la vista los mensajes sin abrir. No habían dejado de llegar desde la muerte de Guttman: boletines del *Jerusalem Post*, de un fondo de pensiones de soldados; circulares de Arutz Sheva, la emisora de radio de los colonos.

Retrocedió, a los que habían llegado antes de su muerte, pero se encontró con lo mismo... ¡Un momento! Había algunos personales: una petición para que hablara en una manifestación que iba a celebrarse el miércoles —eso significaba ese día—, unas preguntas de la televisión alemana, una invitación a un coloquio-debate en la BBC... Siguió mirando, esperando encontrar algún mensaje de Ahmed Nur o cualquier cosa que pudiera ayudar a explicar las febriles palabras que Rachel Guttman le había dicho en aquella misma casa dos días antes. Miró en la bandeja de mensajes enviados, pero allí tampoco había nada destacable y, desde luego, ninguna comunicación con Nur. «Pero ¿cómo puedes ser tan tonta?», se dijo, y empezó a buscar el nombre que había descifrado: Ehud Ramon, segura de que hallaría algo. Sin embargo, no aparecía ni en la bandeja de entrada ni en la de enviados. Nada.

Cabía la posibilidad de que su conjetura fuera cierta y el asesino de Rachel Guttman hubiera pasado por allí para borrar metódicamente todos los correos y mensajes importantes. Miró también en la papelera de reciclado, por si acaso, pero allí tampoco había nada desde el sábado, el día de la muerte de Guttman. Aquello indicaba que alguien lo bastante hábil para no dejar rastro había manipulado el ordenador o que simplemente el difunto evitaba utilizar el correo electrónico para las comunicaciones importantes.

—¿Estás seguro de que tu padre utilizaba el correo electrónico?

—¿Bromeas? Todo el tiempo. Ya te he dicho que para un hombre de su edad mi padre era muy moderno. Incluso jugaba con juegos de ordenador. Además, era el típico paladín de su causa. La gente como él vive en internet.

Aquello le dio una idea. Cerró el correo y miró en el buscador de internet. Lo abrió y fue directamente a FAVORITOS. Había unos cuantos periódicos en hebreo, la BBC, el *New York Times*, e-Bay, el Museo Británico, Fox News... «Mierda.» Su corazonada no había funcionado. Cerró el buscador y clavó la vista en el escritorio, que en esos momentos se le antojaba una especie de pared electrónica de ladrillos.

Miró los iconos. Unos cuantos documentos de Word, que abrió. Vio «Yariv1.doc» y el corazón le dio un vuelco, pero no era más que una carta abierta, en inglés, dirigida al primer ministro y con el encabezamiento «A la atención del *Philadelphia Inquirer*». Fuera lo que fuese lo que Guttman había querido comunicar a Yariv, no lo había dejado por allí.

Entonces, en la esquina inferior de la pantalla, vio un icono que también estaba en su ordenador pero que nunca utilizaba. Lo seleccionó y vio que se trataba de otro navegador de internet, solo que menos conocido. Miró en FAVORITOS, que allí figuraba con el nombre de BOOKMARKS, y encontró uno: «gmail.com».

Era lo que había estado buscando: una cuenta de correo electrónico independiente de la principal y escondida. Allí, no le cabía duda, estaría la verdadera correspondencia de Guttman.

Apareció otra ventanilla solicitando el nombre del usuario y una clave. Tecleó «Shimon Guttman» y «Vladimir», pero no hubo suerte. Intentó «Shimon» a secas, y tampoco. Luego probó lo mismo con mayúsculas y minúsculas, junto y separado. Ninguna combinación funcionó.

—Uri, aparte de Vladimir, ¿qué otra contraseña podría utilizar tu padre?

Probó con «Jabotinski», «Jabo», «VladimirJ» y lo que le parecieron un centenar de permutaciones. No hubo suerte. Y entonces se le ocurrió. Sin pensarlo dos veces, cogió su móvil y marcó un número.

—Con el despacho de Jalil al-Shafi, por favor.

Uri dio un respingo y se le cayeron al suelo un montón de papeles.

—Pero ¿qué demonios estás...?

—Por favor, quisiera hablar con el señor al-Shafi. Soy Maggie Costello, del departamento de Estado de Estados Unidos —dijo en su tono más amable—. ¿Señor al-Shafi? ¿Recuerda que me dijo que Ahmed Nur, antes de morir, había recibido una serie de correos electrónicos muy misteriosos pidiéndole una reunión? Eso es, firmados con un nombre árabe que la familia de Nur no conocía. Sí. Necesito que me diga ese nombre. Le aseguro que no se lo diré a nadie, puede estar tranquilo.

Dos veces le pidió que lo deletreara para estar segura de que no faltaba ninguna letra; sabía que no contaba con un margen de error. Dio las gracias al negociador palestino y colgó.

—¿Hablas algo de árabe, Uri?

—Un poco.

—Vale. ¿Qué significa «*nas tayib*»?

—Eso es fácil, quiere decir «buen hombre».

—Ya... Y si lo tradujéramos al idioma alemán sería «*Gutt man*», ¿verdad?

21

Londres, seis meses antes

Henry Blyth-Pullen golpeó el volante mientras tarareaba la melodía de los Archers. Tiempo atrás había llegado a la conclusión de que era un hombre de gustos sencillos. Había pasado toda su vida profesional rodeado de suntuosas antigüedades y objetos preciosos, pero sus necesidades eran modestas. Le bastaba aquello —un paseo en coche en una tarde soleada, sin más obligaciones y escuchando la música de la radio— para alegrarle el espíritu.

Siempre le había gustado conducir. Incluso eso, los cuarenta y cinco minutos de trayecto desde su establecimiento de Bond Street hasta el aeropuerto de Heathrow, era un placer. Ni llamadas telefónicas, ni nadie que lo importunara. Simplemente un rato para soñar despierto.

Hacía ese viaje a menudo. No a la terminal principal, siempre rebosante de todo tipo de pasajeros cargados con su equipaje de vacaciones rumbo a Dios sabía dónde. Su destino se encontraba al final del desvío que nadie tomaba: la terminal de carga.

Entró en el aparcamiento y enseguida encontró una plaza libre. En vez de apearse de inmediato, se quedó sentado escuchando el final de la canción. Luego, salió, se alisó la americana

—un *tweed* a la última—, lanzó una mirada apreciativa a su impecable y clásico Jaguar y se dirigió a la recepción.

—Buenas tardes de nuevo, señor —dijo el vigilante nada más verlo entrar en el edificio Ascentis—. Parece que no puede vivir sin nosotros, ¿verdad?

—No exageres, Tony. Es solo la tercera vez este mes.

—Los negocios tienen que ir viento en popa.

—La verdad es que no me puedo quejar —repuso Henry con una inclinación de cabeza.

En la ventanilla rellenó el impreso para la entrega de mercancía. En la casilla correspondiente escribió «Objetos de artesanía»; en la del país de origen, «Jordania», que además de ser verdad era apropiadamente anodino. Las importaciones de Jordania estaban permitidas y eran completamente legales. Luego apuntó la serie de números que Jaafar le había dado por teléfono. Firmó con su nombre como agente autorizado y deslizó el documento por la abertura del cristal.

—Muy bien, señor Blyth-Pullen. Enseguida vuelvo —dijo Tony.

Henry se instaló en el sillón donde solía sentarse en la sala de espera y ojeó un ejemplar del *Evening Standard* del día anterior. Si parecía relajado era porque se sentía relajado. Estaba tratando con el personal de British Airways, no con el Servicio de Aduanas de Su Majestad. Los de aduanas revisarían la documentación, por supuesto, pero no recordaba cuándo había sido la última vez que le habían pedido que abriera algo. Lo cierto era que no estaban especialmente interesados en el comercio de objetos de arte. Su preocupación era el tráfico de drogas y personas. Las instrucciones habían llovido de lo más alto. Los políticos, empujados por la prensa amarilla, querían echar el guante al *crack*, la heroína y los albaneses; no a viejos fragmentos de mosaico. Como Henry le había explicado a su preocupada esposa, la gente de uniforme de Heathrow jugaba a «busca al asesino», no al maldito «feria de antigüedades».

Tony regresó enseguida con unos cuantos documentos y su habitual sonrisa: los de aduanas debían de haber dado el visto bueno a los papeles. Henry Blyth-Pullen firmó un cheque por valor de treinta libras en concepto de tasas y regresó a su coche, donde esperó, escuchando Radio 4, a que lo llamaran para entrar en la zona de seguridad. Cuando por fin le hicieron señas de que pasara, cruzó la imponente verja y continuó hasta la Puerta 8, tal como Tony le había indicado. Tras otra breve espera y firmar el recibo de entrega, cargó una caja marrón en el maletero del Jaguar. El cargamento, debidamente sellado y conformado, era todo suyo y perfectamente legal.

Cuando se dispuso a abrirla en la trastienda de su comercio de Bond Street, experimentó la misma punzada de placer que sentía cada vez que llegaba un cargamento especial. Era una sensación casi sexual, el mismo estremecimiento que lo embargó cuando, siendo un adolescente, se fumó su primer porro en el internado. Hizo palanca para levantar la tapa de la caja, con cuidado de no clavarse una astilla, mientras su mente bullía con la más emocionante de las preguntas, la misma que se hacían todos los niños cuando arrancaban las cintas y los papeles de colores el día de Navidad: «¿Qué habrá dentro?».

Por teléfono, al-Naasri le había dicho que esperara recuerdos para turistas. Henry, intrigado, dio por hecho que era una manera de decirle que se trataba de objetos llegados a Jordania desde alguna otra parte. Sin embargo, mientras retiraba las sucesivas capas de plástico de burbujas y espuma de poliuretano dudó. Entonces vio seis cajas de música, cada una con la forma de un chalet suizo y de colores chillones. Levantó la tapa de una y, para su decepción, sonó *Edelweiss*.

Debajo había una serie de burdos recipientes de cristal llenos de arena de distintos colores que llevaban pegada una etiqueta donde se leía: ARENA AUTÉNTICA DEL RÍO DEL JORDÁN. Al-Naasri nunca lo había decepcionado, pero Henry tuvo que admitir que se sentía perplejo. Por último, bajo varias capas de plástico de burbujas había una docena de pulseras baratas como las que cualquier jovencita sacaría de una máquina tragaperras de los muelles de Brighton. De todos los cargamentos que había recibido en los dieciocho años que llevaba en el negocio, ese era sin duda el más decepcionante. Objetos de artesanía. ¡Y un cuerno! Aquello no eran más que baratijas de la peor clase.

Henry había pensado que «recuerdos para turistas» era el eufemismo necesario en una conversación telefónica. En ese momento comprendía que el maldito árabe hablaba en serio. Sin embargo, hacía años que trabajaba con al-Naasri, y nunca lo había engañado. Se dejó caer en un sillón y cogió el teléfono. Aclararía la situación. Marcó y esperó que se estableciera la conexión internacional.

—¡Jaafar, gracias por su último envío! Es... ¿cómo lo diría...? Sorprendente.

—¿Le gustó la canción?

—¿La de las cajas de música? Pues... sí, sí, muy... melodiosa.

—¡Sí, eso es por el trabajo de artesanía! Eche un vistazo al tambor interior y verá una técnica muy antigua. Diría incluso antiquísima.

—Entiendo.

Mientras escuchaba a Jaafar, con el teléfono encajado en el hombro, Henry se acercó a la mercancía, cogió una de las cajas de música y levantó el tejado para ver el mecanismo. Necesitaba un destornillador.

—¿Y es artesanía local? —preguntó Henry por decir algo.

Demasiado impaciente para ir en busca de sus herramientas, intentó arrancar la tapa de la caja con un abrecartas, pero se le resistió. Demasiado puñeteramente meticulosos, ese era el problema de los suizos. Al final lo consiguió y descubrió que en su interior había un ejemplar perfecto de sello cilíndrico.

—¡Ah, ahora veo a qué se refería, Jaafar! Los mecanismos de las cajas de música son una maravilla. Solo pueden provenir del lugar de origen, de donde empezó todo.

—¿Y qué me dice usted de los recipientes de arena?

—Bueno, su atractivo no es tan inmediato como el de las cajas, la verdad.

—Usted por supuesto sabe que cada grano de arena fue en su momento una piedra mayor cuyo aspecto ha cambiado por el paso del tiempo. Mire con atención los granos de arena y verá las piedras del pasado.

Henry cogió uno de los frascos y lo estrelló contra el canto de su escritorio de roble y la arena se esparció por la moqueta. Se asomó por la puerta entreabierta confiando en que nadie —personal o clientes—, hubiera oído el ruido.

Allí, ocupando la palma de su mano, había una tablilla de arcilla finamente grabada con símbolos cuneiformes. Estaba manchada de arena, pero se podía limpiar fácilmente.

—¡Mi querido Jaafar! Estas muestras de arena del río Jordán son perfectas. Y veo que me ha enviado como mínimo...

—Veinte, Henry. Le he enviado veinte exactamente.

—Sí, veinte. Eso es.

—Ah, amigo mío, las pulseras son especialmente encantadoras, ¿verdad? No le recuerdan a las hojas de los árboles en primavera.

A Henry le maravilló el ingenio del árabe y la calidad del trabajo. Jaafar se había superado a sí mismo. Había visto la oportunidad que el 2003 le brindaba, se había tomado su tiempo y lo había disimulado todo de un modo impecable. Henry se consideraba afortunado por formar parte de ello.

Al día siguiente llamó al Museo Británico para concertar una cita con su amigo Ernest Freundel. Los dos habían sido los responsables del Club de Arte en Harrow, donde Freundel ya en aquella época destacaba como estudiante. Cuando Henry le sugirió la idea de buscar desnudos femeninos en los libros de arte y cobrar a sus compañeros diez peniques por cada vistazo, quedó claro quién de los dos estaba destinado a los negocios y quién a la vida académica.

Normalmente, Ernest Freundel se mostraba dispuesto a atender a su viejo amigo, aunque no podía evitar envidiar la cada día mayor diferencia entre sus niveles de ingresos. Solía examinar todas las piezas que le llevaba Henry y realizar la correspondiente tasación. En un par de ocasiones incluso había apremiado a los responsables del museo para que compraran alguno de los objetos de Henry e incrementar así la colección del museo. Pero esa vez fue diferente. Henry apenas había sacado la primera tablilla del maletín cuando Ernest se echó hacia atrás y se negó a tocarla siquiera.

—¿De dónde ha salido esto, Henry?

—De Jordania, Ernest.

—No me insultes. A través de Jordania, puede. Pero creo que ambos sabemos de dónde proviene.

—¿Y no es eso lo que la hace tan valiosa?

—En teoría.

—¿Qué quieres decir?

—Quiero decir que nadie que tuviera un gramo de cerebro compraría eso. Es como si fuera material radiactivo. En estos momentos están en vigor una docena de acuerdos internacionales que prohíben la compraventa de antigüedades robadas en Irak.

—¡Chis! Habla más bajo. ¿No piensas examinarla? ¿Ni tienes curiosidad?

—Claro que sí. Pero este es uno de los grandes crímenes culturales de nuestro tiempo, Henry, y no pienso convertirme en cómplice. Lo que debería hacer es avisar a la policía y que te detuvieran.

—No irás a decírselo a nadie, ¿verdad?

—No, pero debería. Márchate y llévate esa basura contigo.

Henry no estaba dispuesto a darse por vencido. Ernest no era más que un ingenuo santurrón. Siempre lo había sido. A pesar de todo, tenía razón: «I» se había convertido en tabú dentro del mundo del comercio de antigüedades. Los gobiernos se habían puesto serios en lo relacionado con objetos robados en Irak, y la mayoría de los coleccionistas y compradores se estaban retirando del mercado. Había que esperar a que las aguas volvieran a su cauce, decían, a que Londres y Washington tuvieran otros asuntos de los que ocuparse, algo aún más embarazoso que el pillaje de Bagdad. Entonces volverían a hablar, pero de momento preferían no hacerlo.

La única solución pasaba por dar una apariencia de legalidad al tesoro de Jaafar. Si conseguía que pareciera legal, entonces podría dedicarse a la tarea, mucho más agradable, de venderlo. Pero nadie estaría dispuesto a comprar esos tesoros si carecían de «certificado de origen». Era demasiado arriesgado: las autoridades podían incautarse de la mercancía en cualquier momento y devolverla al país de donde había salido. El mundillo de los coleccionistas había sido testigo de ello con los Munch y los Klimt robados por los nazis. Sus propietarios se habían visto forzados a devolverlos incluso décadas después. No había multimillonario en el mundo dispuesto a caer en el mismo error.

Henry Blyth-Pullen esperó un par de días y después llamó a otro amigo académico, Paul Cree, que tenía menos dinero y muchos menos escrúpulos que Ernest. Henry le propuso el procedimiento habitual: Cree examinaría los objetos y luego escribiría un artículo sobre ellos para *Minerva* o el *Burlington Magazine*, especializados en dar noticia de los nuevos hallazgos. Una vez que los objetos hubieran aparecido en una publicación de renombre, podía decirse que habían recorrido la mitad del camino a la legalidad. La idea que el público tendría de ellos sería distinta: ya no se trataría de objetos robados, sino de objetos descubiertos y de cuya historia había constancia en papel. Los futuros compradores podrían consultar el *Burlington Maga-*

zine y asegurarse de que el viejo Henry no les estaba colando gato por liebre, sino piezas aparecidas en una prestigiosa publicación. «Mire, por aquí tengo un ejemplar. ¿Quiere consultarlo, señor?» A cambio, Cree recibiría una compensación por su labor de experto. En otras palabras, se llevaría unos cuantos billetes de veinte de la caja que Henry tenía en Bond Street o —lo que era menos frecuente— un porcentaje de la venta.

Sin embargo, ni siquiera el desdichado Cree se mostró dispuesto a hacer negocios.

—Lo siento, Henry, querido muchacho... —A Henry lo de «muchacho» lo irritaba especialmente, pues no era el apelativo que correspondía a una persona de su elevada reputación—. Lo siento pero las revistas han echado el candado. Como almejas. Ya nadie publica una palabra sobre hallazgos. Se acabó.

—Pero, Paul, no se trata de una mercancía normal.

—Lo sé, muchacho, lo sé. Pero las revistas se ponen en guardia cuando algo tiene... ¿Cómo decirlo...? Un origen dudoso.

—¿Dudoso?

—Sí, como por ejemplo haberse caído de un camión iraquí. Al fin y al cabo, parece que allí casi todo el mundo se ha vuelto loco.

—¿Y qué se supone que voy a hacer?

—Lo siento, Henry, pero tendrás que buscar otro camino.

Henry decidió no decir palabra de todo aquello a al-Naasri, pero los mensajes que el jordano empezaba de dejarle en el buzón de voz eran cada vez menos amistosos.

«Tengo que hablar con usted, Henry. No se olvide de que todos esos recuerdos para turistas me pertenecen y me han costado un montón de dinero. Confío, por su bien, en que no esté intentando engañarme.»

Henry empezaba a inquietarse. Había guardado todas las piezas en la caja fuerte más segura de la tienda, pero seguía preocupado. Sabía lo valiosas que eran. De no ser así, Jaafar no se habría tomado tantas molestias para ocultarlas.

Al final decidió llamar a Lucinda a Sotheby's, un gesto que siempre denotaba desesperación.

—Hola, cariño —respondió ella con voz ronca, exhalando el humo de un cigarrillo—. ¿Qué quieres esta vez?

—Lucinda, ¿qué te hace pensar que quiero algo?

—El hecho evidente de que solo me llamas cuando quieres algo.

—Eso no es verdad —dijo Henry, sabiendo que lo era.

Aparte de un muy patético revolcón durante la fiesta de Navidad de Christie's, su relación se basaba en lo que Henry pudiera conseguir de Lucinda, incluyendo quizá el lamentable revolcón. Si hubiera pensado en ello, en la chica que en sus días de universidad había sido un bombón y en lo rápidamente que se había marchitado, habría sentido lástima por Lucinda. Pero Henry no pensó en eso.

—Lo cierto es que tengo una oportunidad para ti —añadió.

Fue a verla aquella misma tarde, después de haberla convencido con la promesa de un gin-tonic a continuación.

—Bueno, Henry, ¿cuáles son esas maravillas que quieres mostrarme?

Henry sacó un pequeño joyero que sostuvo en la palma de la mano.

—¡Oh, Henry! ¿No irás a hacerme ahora una proposición? ¿Aquí?

Henry alzó los ojos al cielo con una expresión indulgente y abrió el joyero mostrando un par de finos pendientes de oro consistentes en una pequeña pieza con forma de hoja. Sacarlos de las pulseras de baratijas y volver a montarlos no había sido muy difícil, pero sí delicado. Por suerte, todas aquellas piezas habían sido fotografiadas más de una vez, y no le costó localizar la imagen correspondiente. «Foto reproducida con autorización del Museo Nacional de Antigüedades de Bagdad», decía el pie de foto.

—¡Santo Dios, Henry! ¡Pero si son...! ¡Pero si son...!

—Sí. Tienen cuatro mil quinientos años de antigüedad.

—Una maravilla, esa era la palabra que buscaba. ¿Has dicho cuatro mil quinientos años? ¡Increíble!

—Sabes lo que quiero que hagas, ¿verdad?

—Me lo imagino, pero ¿por qué no me lo confirmas tú?

—Quiero que los vendas para que yo pueda comprártelos.

—Y que de esa manera queden limpios, ¿no? «Comprados en una subasta de Sotheby's.»

—Eso es lo que me gusta de ti, Lucinda, lo rápida que eres.

—Pero no te gusto lo suficiente, Henry. En cualquier caso, es imposible.

—¿Por qué?

—Bueno, suponiendo que tuviéramos autorización para vender objetos de... allí... Si la tuviéramos, estas piezas saldrían por una verdadera fortuna. No tienen precio. Están totalmente fuera de tu alcance. Tendríamos que mentir acerca de su verdadera naturaleza, y eso las perjudicaría, ¿no crees?

—Podrías decir que te las ha proporcionado un coleccionista privado de Jordania. La verdad es que es así como las he conseguido.

—Pero todos sabemos lo que significa eso de «coleccionista privado», ¿no te parece? Vamos, Henry. Todo el mundo está al acecho por si aparecen piezas de donde ya sabes. Son letales. No podemos ni tocarlas.

Henry contempló el resto de ginebra de su vaso.

—Bueno, ¿y qué demonios voy a hacer? Tengo que vender este material de alguna manera.

—En los viejos tiempos podría haberte presentado a gente muy rica que habría estado encantada de quedárselas sin hacer preguntas, pero ahora es diferente. Ese asunto tan feo de los nazis tiene asustado a todo el mundo. A menos que puedas aportar certificados por duplicado y triplicado, no encontrarás a nadie dispuesto a comprar nada.

—¿Tú qué harías en mi lugar?

—Me sentaría muy quieta y esperaría, cariño. Tarde o temprano habrá demanda para esa mercancía. Es demasiado buena para dejarla pasar. Pero ahora no es el momento.

Esa noche, después de haberse tonificado con un par de copas más, Henry habló con Jaafar. Había preparado un guión con lo que iba a decirle y lo leyó con mucha menos fluidez de la prevista. Culpa de los nervios y el alcohol. Aun así, consiguió comunicar lo principal del mensaje. Jaafar debía tener paciencia y confiar en él. Henry guardaría las piezas de mayor prestigio y valor en la caja fuerte de la tienda o si Jaafar lo prefería, en la caja fuerte de su banco, que era conocido por su discreción y esperarían a que el mercado fuera más propicio.

—Le dirán lo mismo en todas partes, Jaafar —le dijo Henry cuando el jordano lo amenazó con llevar el negocio a un marchante de Nueva York—. Los estadounidenses todavía son más estrictos que nosotros en este asunto.

Además, no todo eran malas noticias. Henry se había reservado lo positivo para el final de la llamada. Tenía un plan para las piezas menos espectaculares, una forma de hacer dinero con ellas lo antes posible. No. Era mejor no entrar en detalles por teléfono. De todas maneras, Henry sabía exactamente adónde irían a parar aquellas tablillas de arcilla. Y las llevaría personalmente.

22

Jerusalén, miércoles, 15.14 h

Odio la prensa de este país, de verdad.

Uri se hallaba de pie, junto a la ventana, donde había abierto la cortina lo justo para atisbar hacia la calle.

—¿Hmmm?

—Son como buitres. Míralos. Los de Channel 2 están ahí fuera con su furgoneta de enlace vía satélite. No han tenido bastante con mostrar al mundo la muerte de mis padres, sino que además tienen que quedarse.

—Eso no pasa solo aquí, Uri.

Maggie no lo miraba, seguía concentrada en la pantalla del ordenador y se disponía a comprobar su corazonada con la cuenta de gmail que había descubierto en el ordenador de Shimon Guttman. Introdujo «Saeb Nastayib» como nombre de usuario, el nombre de la persona que había enviado aquellos misteriosos mensajes a Ahmed Nur y que era una traducción aproximada de Guttman. En la casilla de la contraseña escribió «Vladimir» y entonces clicó en ACEPTAR. «Entrada no autorizada.» ¡Mierda!

Empujó la silla giratoria para apartarse de la mesa y se levantó. Lo peor de aquel tipo de trabajo era la falta de ejercicio, recordó mientras se estiraba. Enlazó los brazos uniendo las manos entre los omoplatos y arqueó la espalda hacia delante. Vio entonces que Uri la miraba y comprendió que, sin querer, estaba sacando pecho y que sus ojos se habían posado en su escote. Se enderezó enseguida, pero se dio cuenta de que la imagen seguía ahí.

—Tenemos que resolver esta historia de la contraseña, Uri. El ordenador parece pedir una clave de diez caracteres, y «Vladimir» solo tiene ocho.

—No sé qué decirte. Mi padre siempre usaba la misma clave para todo.

—Eso significa que nos faltan dos letras. —Abrió una nueva ventana y buscó «Jabotinski» en Google. Su nombre en hebreo era Ze'ev—. Muy bien —dijo al tiempo que tecleaba «VladimirZJ».

Nada. Lo intentó con «ZJVladimir», con «VZJabotins», con «JabotinsVZ», y así una docena de variantes más. Todo en vano.

—¿Y si resulta que tu padre añadía un número, por ejemplo, «Vladimir12» o «Vladimir99»?

—Ni idea, pero prueba con «Vladimir48». Es el año de la creación del Estado de Israel.

—Sí. Buena idea —contestó mientras introducía la clave.

«Entrada no autorizada.»

Uri se acercó a la mesa y se inclinó junto a Maggie. Ella vio su incipiente barba.

—Caramba, creí que funcionaría —comentó él—. No sé, quizá me esté equivocando con «Vladimir».

—O quizá nos estemos equivocando de año. A ver... Para alguien de derechas y... —Se interrumpió y corrigió—: Para un nacionalista convencido como tu padre hay un año que es tan importante o más que 1948.

Tecleó «Vladimir67» y de repente la pantalla cambió: apareció el icono de un reloj de arena y empezó a cargarse una nueva página: la bandeja de entrada del correo de Saeb Nastayib.

En lo alto de la página, todavía en negrita y por tanto sin

leer, aparecía un nombre que hizo que Maggie se sobresaltara: Ahmed Nur. Miró la hora de envío del mensaje: 23.25 horas del martes, doce horas después de que se conociera su muerte. Lo abrió:

> ¿Quién es usted y por qué pretende contactar con mi padre?

—Parece que el hijo de Nur sabía tanto de las actividades de su padre como tú de las del tuyo —comentó Maggie.

—Podría tratarse de una mujer. Podría ser su hija.

—¿Te importa si echamos un vistazo a los mensajes enviados por tu padre?

—¿No piensas contestar?

—Quiero pensarlo un poco. Veamos antes lo que esos dos hombres han estado diciéndose.

Abrió la carpeta de mensajes enviados. Todos estaban dirigidos a Nur. Sin duda había encontrado el canal de comunicación secreto de los dos hombres, con un nombre árabe para que nadie sospechara en caso de que espiaran el correo electrónico de Nur.

El último mensaje había sido enviado a las 18.08 horas del sábado, unas horas antes de que diera comienzo la manifestación por la paz en la que Guttman fue abatido.

> Ahmed, tenemos que hablar de un asunto de la mayor urgencia. He intentado localizarte por teléfono, pero sin éxito. ¿Puedes reunirte conmigo en Ginebra?
>
> Saeb.

Maggie pasó de inmediato al mensaje precedente, enviado a las 15.58 horas del mismo día.

> Mi querido Ahmed, confío en que hayas recibido mi mensaje anterior. Hazme saber si tus planes te permiten viajar a Gi-

nebra, a ser posible en un futuro inmediato. Tenemos muchos asuntos que tratar.

Con mis mejores deseos,

Saeb.

Había otro de las 10.14 horas, y dos más de la noche anterior. Todos mencionaban el viaje a Ginebra. Por lo que Maggie podía ver, Ahmed Nur no había respondido a ninguno. ¿Se habrían peleado? ¿Acaso el palestino estaba dando la espalda a su colega israelí? ¿Y qué era todo aquello de un inminente viaje a Ginebra?

Uri había dejado a un lado los montones de papeles, cogió una silla y se sentó junto a Maggie. Miraba fijamente la pantalla, pero a juzgar por la expresión de su rostro, estaba tan perplejo como ella. Anticipándose a su pregunta, la miró y meneó la cabeza.

—Ni siquiera sabía que mi padre había estado en Ginebra.

—Parece que hay bastantes cosas de tu padre que no sabías. ¿Llevaba algún tipo de diario? Ya sabes, una agenda o algo así.

Uri empezó a buscar por el despacho, recorriendo los estantes con la mirada, mientras Maggie seguía ante el ordenador. Abrió el historial de búsqueda y comprobó qué páginas había consultado Guttman en los últimos días de su vida. Buscaba una agencia de viajes, Swissair, una guía de hoteles de Ginebra, cualquier cosa que pudiera darle una pista de los planes de Nur y Guttman. La conexión entre aquellos dos hombres —inesperada y desconocida incluso para sus más íntimos— resultaba de lo más intrigante, pero Maggie estaba además convencida de que tenía que ver con el desarrollo de los acontecimientos en curso y con el ciclo de violencia que, si no se interrumpía, podía acabar con el proceso de paz.

—Uri, pásame el móvil otra vez.

Acababa de darse cuenta de que había tenido un estúpido despiste: había comprobado los mensajes de texto y visto que los habían borrado, pero no había entrado el registro de llamadas recibidas y efectuadas. Tecleó hasta conseguir que aparecieran los diversos números. Allí, en lo alto de la pantalla, aparecía una llamada realizada el sábado por la tarde. Lo que se leía no era un número de teléfono, sino un nombre.

—Uri, ¿quién es Baruch Kishon?

—Vaya, por fin algo que no es un misterio. Kishon es un periodista muy conocido. Escribe una columna en *Maariv*. Los colonos lo veneran. Lleva denunciando a Yariv todas las semanas desde hace un año. Él y mi padre eran grandes amigos.

—Bien, pues me parece que deberíamos hacer una visita al señor Kishon sin la menor tardanza.

23

Jerusalén, miércoles, 15.10 h

Amir Tal hacía lo posible por ocultar su perplejidad y también su nerviosismo. Había tratado a menudo con los servicios de información; desde que empezó a trabajar para el primer ministro era difícil evitarlos. Informes, análisis, evaluaciones... todo eso pasaba por su mesa.

Sin embargo nunca había visto cómo se elaboraban, cómo se recogía la información que se convertía después en montañas de papeles. Había hecho el servicio militar en las entrañas de un vehículo de transporte acorazado. Sin duda, un destino prestigioso —había servido en la Brigada Golani—, pero en absoluto comparable con aquello. En esos momentos, en aquel despacho, estaba viendo de cerca cómo funcionaba. Y lo mejor de todo: él estaba al mando.

—¿Puedo escuchar? —dijo, haciendo un gesto a la mujer que estaba sentada frente a la hilera de monitores de ordenador; parecía la mesa de mezclas de un disc-jockey.

Ella se quitó los auriculares y se los pasó. Tal se los puso como la había visto llevarlos, en una oreja sí y en la otra no.

—La voz de hombre es de Uri Guttman, el hijo del muerto. La voz de mujer es de Maggie Costello, la negociadora estadounidense.

—Irlandesa —murmuró Tal casi para sí.

Las voces sonaban con sorprendente claridad. Costello acababa de pedir a Guttman el móvil de su padre. Tal incluso podía oír el roce de los papeles. Dijeran lo que dijesen del Shin Bet, formaban un equipo impresionante: habían montado aquella operación de vigilancia unas pocas horas después de que él la ordenara.

—¿Y pueden hacer todo esto desde la furgoneta de televisión que tienen aparcada frente a la casa?

—Con micrófonos direccionales apuntando a las ventanas, es decir, a través del cristal se puede hacer mucho. Pero siempre es mejor si también cuentas con algo dentro.

—No es el caso. ¿Cómo consiguen un sonido tan nítido?

La mujer estaba enchufando otro par de auriculares en la consola para que ambos pudieran escuchar. Sonrió maliciosamente.

—¡Han metido algo ahí dentro! ¿Cómo? —Tal procuró no parecer demasiado asombrado.

—Bueno, a esa casa han llegado muchos ramos de flores e incluso paquetes de comida. Digamos que uno de los ramos sirve para algo más que para oler bien y adornar.

Amir se quitó los auriculares y dio una palmada en el hombro de la mujer: «Buen trabajo».

No servía de nada seguir pendiente. Otro técnico escuchaba atentamente y lo taquigrafiaba todo. Informaría de inmediato de cualquier detalle digno de atención.

—Señor Tal, creo que le interesará ver esto.

Era el hombre que no se había apartado del ordenador desde que él había llegado. Se había preguntado cuál era su tarea, pero no se había atrevido a preguntar.

Lo que vio lo decepcionó. Era una página de correo electrónico normal, una bandeja de entrada igual a la que tenía en el ordenador de su casa para su correspondencia personal. En aquello no había espionaje de alta tecnología.

Y entonces lo vio: el cursor se movía solo, no parecía que nadie estuviera interviniendo. Las manos del técnico estaban quietas.

—¿Qué es esto?

—Está viendo el ordenador de Shimon Guttman, el mismo con el que están trabajando su hijo Uri y la mujer.

—¿Son imágenes de vigilancia?

El hombre sonrió de un modo que a Tal no le gustó, como si acabara de escuchar la pregunta de un niño retrasado.

—No, no es una cámara oculta. Es simplemente el programa Silent Night. —Esperó unos segundos, como hacen todos los especialistas para dejar que la idea cale, y prosiguió—: Se trata de un pequeño programa que se autoinstala en el ordenador de otra persona y que nos da acceso al tipo de privilegios del sistema que necesitamos. —Vio que Tal seguía sin comprender—. Nos proporciona un acceso total a su ordenador. Si quisiéramos podríamos manejarlo a distancia desde aquí.

—¿Qué? ¿Quiere decir que si tecleara aquí, aparecería en la pantalla que ellos están mirando?

—Sí, pero ¡ni se le ocurra! —Cubrió el teclado con las manos como habría hecho un empollón durante un examen para evitar que otros lo copien—. Si vieran que el cursor empieza a moverse se darían cuenta de que nos hemos infiltrado en su sistema. O eso o creerían que se trata del fantasma de Guttman, que pretende asustarlos.

—O sea, que simplemente observamos.

—Exacto. Todo lo que teclean lo veo. En estos momentos, por ejemplo, están intentando entrar en su cuenta de correo gmail.

—Tenemos una llamada telefónica —dijo la mujer de los auriculares—. Costello acaba de marcar el número de Jalil al-Shafi de Ramallah.

Tal se acercó y esperó a que le pasara el otro par de auriculares, pero la mujer estaba demasiado concentrada, escuchando cada palabra, para ayudar a su jefe. Cuando los conectó, la llamada había finalizado; en cambio, oyó a Maggie Costello preguntar al hijo de Guttman: «¿Qué significa "*nas tayib*"?».

Un instante después, el técnico del ordenador se animó y Tal volvió a su lado. Se sentía un poco ridículo, como un niño en un salón de juegos, viendo a sus hermanos mayores jugando con videojuegos y yendo de una máquina a otra para intentar no perderse nada.

El tipo del ordenador miraba la pantalla con los ojos muy abiertos.

—Vaya, esto es interesante.

—¿Qué están haciendo?

—Mire esta ventana. Están introduciendo el nombre que acabamos de escuchar. Saeb Nastayib... Ahora están probando diferentes contraseñas.

Una serie de asteriscos aparecieron en la casilla de la clave. El técnico clicó en una ventana pequeña y los asteriscos se convirtieron, uno a uno, en letras.

—Están probando con «VladimirJ» —dijo—. Va a ser que no.

—¿Cómo es posible que lo vea? La contraseña no se ve ni siquiera en la pantalla en la que ellos trabajan...

—Por eso Silent Night es una maravilla. Graba cada tecla que ellos aprietan. Y aunque su pantalla no muestra qué teclas aprietan, nosotros sí las vemos. Vaya «Vladimir48». Tampoco.

—De acuerdo, avíseme cuando tenga algo que nos sirva.

Amir Tal no tuvo que esperar mucho. Diez minutos después, el equipo aparcado ante la casa de Guttman informó que Costello y el hijo del difunto habían salido de la casa, camino al parecer de la casa del periodista Baruch Kishon. Entretanto, los análisis del ordenador apuntaban la existencia de una correspondencia entre Shimon Guttman y Ahmed Nur en la que el primero había utilizado un nombre árabe combinado con la contraseña «Vladimir67» de inspiración claramente sionista. Habían organizado un encuentro en Ginebra.

—Muy bien, amigos —dijo Tal, disfrutando de la sensación de estar al mando—. Quiero toda la información que puedan conseguir sobre Nur: quién era, por qué murió y de qué demonios hablaba con Guttman. ¿Qué planeaban? ¿Estamos ante una alianza de los extremos, ante dos tipos contrarios al proceso de paz que se confabularon para hacer fracasar las negociaciones? Hablen con el Mossad de Ginebra. Averigüen si se reunieron antes. Encuentren sus agendas de viaje del año pasado. Y si ahí no hay nada, retrocedan otro año. Quiero todo lo que puedan conseguir.

»Y también de Jalil al-Shafi. Qué le ha dicho a Costello, por qué ella lo ha llamado y qué relación tenía con Ahmed Nur. ¡Necesitamos respuestas ya! ¿Está a favor de las negociaciones o pretende sabotearlas desde dentro? ¡Quiero saberlo todo!

»Huelga decir lo más importante. Hemos de seguir a Guttman y a Costello. Y, pase lo que pase, tenemos que llegar hasta Baruch antes que ellos. ¡Adelante!

24

Carretera Afula-Bet Shean, norte de Israel, miércoles, 20.15 h

Sus órdenes estaban muy claras: entrar, localizar y posiblemente destruir y salir. Por encima de todo, no dejarse atrapar. El director de Operaciones lo había dicho con todas las letras: aquella no iba a ser una misión suicida.

Iban cuatro en el coche. No se conocían, y utilizaban únicamente los nombres que les habían dado: Ziad, Daoud, Marwan y Salim. Ziad estaba al mando.

Miró el reloj y le preocupó otra vez que aquella operación empezara mal. Era demasiado pronto. Hubiera sido mucho mejor actuar en plena noche, pero el jefe había dicho que aquello era urgente; no había tiempo que perder.

—Bien. Apaga las luces. —La carretera secundaria se convirtió enseguida en un camino de tierra adecuado para un tractor, no tanto para el Subaru de alquiler—. Bien. Para el motor.

Habían llegado a un campo de algodón lo bastante crecido para ocultar el automóvil. Justo como les habían dicho. Los chicos del equipo de reconocimiento habían hecho un buen trabajo.

Los cuatro hombres empezaron a vestirse de negro. Ziad entregó a cada uno un pasamontañas para que se taparan la cara y se aseguró de que ninguno de ellos llevara nada que pudiera identificarlo. Todos llevaban una pequeña linterna en el bolsillo, un mechero, un cuchillo y una metralleta Micro-Uzi. Ziad y Marwan cargaban además con bolsas de agua de ciclista atadas a la espalda. Solo que en lugar de agua contenían gasolina.

Todos conocían el plan: caminarían durante unos veinte minutos a través de los campos que pertenecían al kibutz hasta que divisaran su objetivo. Una vez hubieran comprobado que no había nadie por los alrededores, saldrían rápidamente.

Ziad vio las luces del perímetro. Las plantas de algodón no tardarían en dar paso al asfalto del aparcamiento para visitantes y las carreteras de servicio. También estarían iluminadas. Aquella sería la zona más peligrosa.

Como estaba previsto, no tardó en ver el cartel en inglés y hebreo que daba la bienvenida a los visitantes al KIBUTZ HEPHZIBA, SEDE DE LA LEGENDARIA SINAGOGA BET ALPHA. En silencio, dio orden de que se agacharan. De uno en uno, los cuatro hombres corrieron agazapados hacia la zona que el mapa de Ziad describía como la entrada del edificio. Tal como esperaban, la puerta estaba cerrada. Ziad hizo un gesto afirmativo a Marwan, que sacó una ganzúa y forzó la cerradura. Entraron sigilosamente mientras Ziad se aseguraba de que nadie los hubiera visto a la luz del aparcamiento.

El interior estaba completamente a oscuras. Los hombres esperaron meterse hasta el fondo para encender sus linternas; no querían correr el riesgo de que la luz se filtrara por las ventanas del centro para visitantes. Ziad fue el primero en utilizar la suya; iluminó el objeto de mayor interés de aquel lugar: el tesoro que desde 1930 atraía a visitantes de todas partes.

Era un mosaico de estilo romano, intacto, de unos diez metros de largo por cinco de ancho. Incluso con aquella luz, Ziad distinguió con claridad los colores formados por las incontables y diminutas teselas: amarillos, verdes, ocres, marrones, un poco de rojo intenso; una textura más áspera, como la del ladrillo, junto con los intensos negros y blancos, además de una infinita variedad de grises. Tal como le habían explicado, el suelo estaba dividido en tres paneles claramente diferenciados. El más alejado parecía representar el boceto de una sinagoga que incluía un par de los tradicionales candelabros judíos, la menorá; en el centro había una primitiva representación del sacrificio de Isaac por parte de su padre Abraham.

Pero su mirada fue inmediatamente atraída por el panel central, el más grande. Mostraba un círculo dividido en doce segmentos, uno por cada signo del zodíaco. Ziad iluminó con su linterna las imágenes y se detuvo en la más nítida: un escorpión junto a unos gemelos, un carnero y un arquero. No era su intención entretenerse, pero no pudo evitarlo. Aquella obra de arte, de más de mil quinientos años de antigüedad, era tan vívida que costaba apartar la vista.

—Bien. Ya sabéis lo que tenéis que hacer.

Marwan empezó a examinar el panel del fondo; Doud, el más próximo; y Salim, el zodíaco central. Si encontraban el más leve indicio de manipulación reciente debían avisar en el acto a los demás. Si habían enterrado algo allí durante los últimos días, tenían que encontrarlo.

Entretanto, Ziad debía localizar la oficina del museo y registrar minuciosamente cada cajón y cada archivador. Si se topaba con una caja fuerte, tenía que abrirla y no dejar una mota de polvo sin remover. El director había sido explícito: «Tuvo que esconder ese objeto a toda prisa, no le dio tiempo de hacerlo a conciencia. Si está allí, lo encontraréis».

Ziad empezó por los cajones del escritorio. La basura de costumbre: gomas elásticas, tarjetas de visita, grapas, clips y sobres. Había también una vieja caja de metal como las que se utilizan para guardar tabaco de pipa; parecía ofrecer posibilidades. La sopesó. El peso parecía corresponder, pero dentro solo encontró tarjetas de Miembro de Amigos del Museo atadas con una goma; por eso habían sonado como si formaran un todo.

Comenzaba a registrar uno de los archivadores cuando oyó

un ruido, un crujir de pasos en la gravilla del exterior. Un segundo más tarde el despacho se llenó con el haz de una linterna, como si un reflector exterior hubiera barrido el edificio.

—*Mee zeh?* ¿Quién está ahí?

Sin que Ziad tuviera que darles ninguna orden, los miembros del grupo apagaron al instante sus linternas y se quedaron muy quietos. Normalmente cualquier vigilante habría creído que había visto un reflejo de su propia linterna y habría seguido la ronda. Pudiendo elegir entre tomarse la molestia de abrir un local cerrado y adentrarse en él o no hacer nada, habitualmente prevalecía la pasividad. La gran aliada de los ladrones e intrusos en todo el mundo: la pereza del personal de seguridad.

Pero aquel vigilante no era como los demás. Avanzó y el haz de la linterna fue agrandándose a medida que se aproximaba a la puerta de cristal. Ziad, petrificado en el despacho, con la mano todavía en el tirador del archivador que acababa de abrir, oyó el tintineo de las llaves. En cuestión de segundos el vigilante comprendería que la puerta había sido forzada.

No había tiempo que perder. Desenfundó el arma y salió al vestíbulo principal, desde donde tenía una clara línea de visión de la puerta de cristal. Se dio cuenta de que el guardia alzó la vista y vio, no a él ni a los otros, sino las sombras que proyectaban contra la pared y que la luz de la linterna del guardia hacía colosales. Sin vacilar, Ziad apuntó con su Micro-Uzi y disparó un proyectil de nueve milímetros que atravesó el cristal e impactó en la cabeza al vigilante.

El estruendo del cristal haciéndose añicos y la explosión del cerebro fue la señal para un inmediato cambio de táctica. El objetivo ya no era encontrar el objeto, sino ocultar la verdadera naturaleza de su misión. Ziad volvió al despacho y, olvidando su meticuloso registro, lo puso patas arriba. Abrió todos los cajones y tiró su contenido al suelo; no encontró nada. A continuación volcó los archivadores, barrió la mesa con el brazo, hizo volar todo lo que había, y destrozó las ventanas con la culata del arma.

Se dio la vuelta y vio que Daoud y Marwan llevaban el cuerpo del vigilante como si fuera una camilla. En silencio contaron hasta tres y lo arrojaron al suelo, entre los restos del material de oficina. Cuando el cadáver cayó entre los cristales rotos se oyó un crujido. Luego, con un movimiento ligero, Marwan se quitó la bolsa de ciclista que llevaba a la espalda, la destapó y empezó a rociar el despacho con gasolina.

Entretanto, Salam iluminó con su linterna el panel del vestíbulo que explicaba a los turistas la exposición de Bet Alpha, sacó un spray de pintura roja y escribió en árabe: «No habrá paz para Israel hasta que haya justicia en Palestina. No habrá descanso para Bet Alpha hasta que lo haya en Jenín».

Concluido el trabajo, se volvió hacia los otros tres, que estaban junto a la puerta del despacho del museo, y se cruzaron una rápida pregunta con la mirada: «¿Listos?». Entonces Ziad encendió el mechero y lo arrojó al suelo del despacho; el cuerpo empapado de gasolina del guardia prendió al instante.

Las llamas brotaron de inmediato, alzándose hasta tal altura que Ziad y los suyos las vieran prácticamente durante los veinte minutos que tardaron en atravesar en silencio los campos del kibutz. El primer camión de bomberos apareció en el mismo momento en que los cuatro hombres llegaban al coche que habían dejado al otro extremo de la plantación de algodón. Mientras conducían de vuelta a Afula se cruzaron con otros dos camiones de bomberos y varios coches de la policía.

Ziad cogió el móvil y envió un mensaje de texto al director: «El escondite ya no existe».

25

Aeropuerto Ben Gurion, cinco semanas antes

Incluso en las mejores condiciones, Henry Blyth-Pullen odiaba volar. Antes incluso de que se desencadenara la guerra contra el puñetero terrorismo y el pánico a que cualquier maníaco armado con unas tijeras pudiera estrellar el avión contra el Big Ben, aquellos malditos cacharros ya le aterrorizaban. El despegue era lo peor. Mientras los demás pasajeros ojeaban el *Daily Telegraph* o la revista *Hello!*, él se aferraba al cierre del cinturón de seguridad hasta que los nudillos se le ponían blancos. El rugido de los motores, las sacudidas en el momento de perder el contacto con la pista, todo se le antojaba manifiestamente peligroso. Y no solo peligroso: antinatural. Como si aquella masa de hierros flotando en el aire desafiara la gravedad pero también la voluntad del Altísimo. No le sorprendía que hubiera tantos accidentes: sin duda era la forma que Dios tenía de decirnos que fuéramos conscientes de nuestro lugar y mantuviéramos los pies en el suelo. No había que olvidar a Ícaro.

Henry se repetía todo aquello siempre que subía a uno de esos condenados artefactos. Se había convertido en un ritual. Aunque nunca reconocería que fuera una superstición, había llegado a convencerse de que sus disculpas mentales hacia el Creador —lamentándose de la arrogancia del hombre al pretender conquistar los cielos— lo protegían de cualquier desgracia. El día en que no lo hiciera, el día en que el hecho de volar se convirtiera en algo trivial, seguro que el avión se precipitaría a través de las nubes como una piedra.

Ese día, sin embargo, la ansiedad de Henry llevaba tiempo acumulándose, desde mucho antes de que se acercara siquiera a la pista de despegue. Dentro de su equipaje había un cargamento de tablillas de arcilla que había decidido descargar a casi cinco mil kilómetros de Londres. No se haría rico con ellas —los objetos que podían lograrlo se hallaban a buen recaudo en una caja fuerte, a la espera de que cambiara el clima político—, pero sin duda ayudarían a que su balance mensual tuviera mucho mejor aspecto. Además, tenía que decirle a Jaafar que había logrado vender alguna de sus piezas. El hecho de que estuviera devolviéndolas prácticamente a su lugar de origen era un pequeño detalle que no pensaba compartir con él. Ni con nadie, dicho sea de paso. Se parecía tanto al absurdo intento de vender arena en el Sahara que casi se avergonzaba.

Lo difícil había sido dar con el modo de llevar la mercancía hasta allí. No se puede entrar en un país cargado con un montón de valiosas antigüedades. Jaafar se había tomado muchas molestias para que le llegaran sin problemas. Henry no podía volver con las piezas en los bolsillos.

Al final había sido la buena y simpática Lucinda quien había dado con la respuesta. Involuntariamente, claro; no era tan astuta. Durante la conversación, ella le había hablado de un antiguo amigo que se había instalado en Barbados o en algún lugar parecido donde no echaba de menos el clima británico ni la televisión, pero sí añoraba el chocolate, el «shocolate», como había dicho la pobre Lucinda con su tercer gin-tonic en el cuerpo.

—Se ve que el shocolate de allí no sabe a nada —había comentado, arrastrando las sílabas—. Ni siquiera es verdadero shocolate. Lo hacen con un extracto de no sé qué. —Henry apenas la escuchaba—. El caso es que ahora, cada vez que un amigo va a visitarlo desde Inglaterra, tiene órdenes estrictas de llevar todos los Fruit & Nut, Dairy Milk y After Eight que pueda. Sophie me dijo que una vez llevaron casi cinco kilos...

¡Claro! Henry lo comprendió antes incluso de que Lucinda acabara de hablar. Aquella noche, en el trayecto de regreso a casa, se detuvo en una gasolinera y compró más chocolate del que había comprado en toda su vida. Prácticamente se llevó todas la tabletas de la tienda. Al día siguiente se instaló en la trastienda de su establecimiento y empezó a hacer pruebas con una tableta de chocolate en una mano y una tablilla en la otra, intentando hallar la exacta correspondencia en tamaño, grosor y —lo más importante— peso. Al final halló la solución con el Whole Nut de tamaño medio.

Metódicamente, retiró el envoltorio de papel con cuidado de no romperlo. Luego desdobló el papel de aluminio interior como si se tratara de una delicada lámina de oro, retiró el chocolate y puso en su lugar la tablilla. Colocó en cada extremo un trozo de chocolate de tres cuadrados, envolvió el conjunto tablilla-chocolate con el papel de plata y lo deslizó dentro del envoltorio de papel. Repitió la operación hasta que consiguió tener veinte tablillas perfectamente disimuladas y listas para ser entregadas a sus ficticios amigos hambrientos de chocolate.

Las distribuyó con cuidado en la maleta de mano. Se había preguntado si no sería mejor guardarlas en una caja fuerte, pero comprendió que levantaría sospechas: el chocolate Cadbury's era bueno, pero no hasta ese punto. Así pues, no le quedaba más remedio que arriesgarse y llevarlas en la maleta como si fueran un tratamiento alto en calorías para un sobrino que añoraba su hogar.

El control de seguridad de Heathrow fue su primer dolor de cabeza. Los rumores sobre líquidos explosivos en los aviones no solo habían dado más motivos de preocupación a los pasajeros aprensivos como Henry, sino que también habían obligado al personal del aeropuerto a ser mucho más vigilantes con comestibles que antes pasaban por alto. Pero Henry se dijo que, si lo paraban, mantendría la calma y seguiría el guión previsto.

Depositó la maleta en la cinta transportadora y pasó por el detector de metales con la mayor naturalidad posible.

—Disculpe, señor. —Un vigilante le indicó que levantara los brazos. Las monedas que había olvidado en un bolsillo habían hecho saltar la alarma. Le indicaron que pasara, y fue a recoger su maleta al otro lado de la cinta con un suspiro de alivio.

Una mano lo detuvo.

—Un momento, señor. ¿Le importa abrir esta maleta?

—Claro que no. —Henry sonrió y abrió la cremallera.

—¿Un ordenador?

—Sí.

—Los carteles lo indican claramente. Los ordenadores han de pasar por separado. Vuelva a pasarlo, por favor.

A Henry empezaron a sudarle las manos. ¿Cuántas posibilidades había de que no descubrieran las veinte tabletas de chocolate si pasaba una segunda vez?

Sin embargo, mientras escaneaban la maleta de nuevo, vio que el hombre del monitor de rayos X se daba la vuelta para comentar algo con su compañero. Solo dejó de mirar la pantalla unos segundos, pero fue justo cuando las tabletas quedaban a la vista sin la cobertura del ordenador. Henry recogió la maleta y siguió adelante.

Mientras sus compañeros de vuelo se entretenían con la película, Henry repasó una y otra vez la escena del control de seguridad y dio gracias por su suerte a Dios, a Jesús y a todos los santos que se le ocurrieron. Pero cuando el avión empezó el descenso hacia Tel Aviv, el alivio por haber superado la primera fase del viaje dio paso a la inquietud ante la siguiente.

No tenía equipaje que recoger, de modo que se dirigió directamente al control de inmigración.

—¿A qué viene a Israel? —le preguntó una joven que no tendría más de dieciocho años.

—Vengo a ver a mi sobrino, que está estudiando aquí.

—¿Y dónde estudia?

—En la Universidad Hebrea de Jerusalén. —Henry tenía un par de amigos judíos a los que había llamado la semana anterior, les había preguntado por sus hijos y había tomado buena nota de los detalles.

Solo le quedaba una última barrera: aduanas. Siendo blanco y de mediana edad, la triste verdad era que siempre cruzaba la aduana de Heathrow sin el menor tropiezo, viendo cómo obligaban a casi todos los negros y los asiáticos a abrir sus equipajes, sacar la ropa y exprimir hasta el último gramo de pasta de dientes. El racismo era repugnante, pero para un viajero como Henry Blyth-Pullen podía tener sus ventajas.

Solo que entonces lo detuvieron. Era la primera vez que le pasaba. Un agente de expresión aburrida y mal afeitado lo llamó con un gesto de la mano y, sin decir palabra, le ordenó que abriera la maleta que arrastraba tras él. Henry la colocó en el mostrador y abrió la cremallera.

El guardia revolvió entre los calzoncillos, los calcetines y el neceser y entonces se topó con el cargamento de chocolate. Miró a Henry y alzó una ceja de incredulidad.

—¿Qué es esto?

—Chocolate.

—Ya lo veo, pero ¿por qué trae tanto?

—Es para mi sobrino. Añora su casa.

—¿Puedo abrirlo?

—Desde luego. Le ayudaré.

Henry estaba seguro de que le temblaban las manos, pero se afanó con una de las tabletas para que el aduanero no se diera cuenta. Cogió una al azar, empujó el chocolate fuera del papel un par de centímetros, tal como había practicado en la cocina de su casa, y desgarró el papel de plata para dejar a la vista tres cuadrados de chocolate con leche inglés.

—Está bien.

Sin pensarlo siquiera, Henry partió un trozo y se lo ofreció al agente con cara de quien dice «¿Hacemos las paces?». El hombre negó con la cabeza y le indicó que podía seguir. Registro superado. Lo cual era una suerte, porque si el agente hubiera indagado un poco más habría visto que el resto de la tableta carecía extrañamente de nueces e incluso de chocolate y que resultaba muy poco apetitoso.

Sujetando el tirador de la maleta con más fuerza que nunca, Henry salió del aeropuerto y se unió a la cola del taxi. Cuando le llegó el turno, dijo en voz alta y con gran alivio:

—A Jerusalén, por favor. Al Mercado Viejo.

26

Tel Aviv, Israel, miércoles, 20.45 h

Maggie no podía evitar pensar que Israel, para ser un país tan pequeño, era de lo más confuso. Llevaban en el coche menos de una hora y tenía la sensación de haber hecho un viaje en el tiempo. Si Jerusalén era una ciudad tallada en la pálida piedra de los tiempos bíblicos, donde cada callejón adoquinado estaba cubierto por la polvorienta pátina de la historia antigua, Tel Aviv era una ciudad moderna, ruidosa y asfixiante. En el horizonte brillaba el perfil resplandeciente de los rascacielos, con sus fachadas iluminadas como tableros de ajedrez, mientras a ambos lados de la carretera desfilaban, uno tras otro, bloques de viviendas con las azoteas cubiertas de paneles solares y grandes cilindros que, según le explicó Uri, eran depósitos de agua caliente. Cuando salieron de la autopista y se adentraron en las calles de la ciudad, a Maggie la impresionó el frenesí de rótulos publicitarios, comercios, bares, hamburgueserías, cafés al aire libre, atascos, edificios de oficinas, chicas con camisetas por encima del ombligo y chavales con el pelos teñido y de punta. Al lado de Jerusalén, donde la santidad parecía impregnarlo todo, Tel Aviv parecía un templo a la blasfemia y la prisa.

—Su edificio es el número seis. Aparcaremos aquí.

Se encontraban en la calle Mapu; a juzgar por los coches estacionados en las aceras, debía de ser uno de los barrios elegantes de la ciudad. El edificio en sí no tenía nada especial, era de simple hormigón blanco. Pasaron por una especie de subterráneo, dejaron atrás las hileras de los buzones del correo y llegaron a una puerta con un interfono. Uri apretó el número setenta y dos.

No hubo respuesta. Impaciente, Maggie se puso delante de Uri y apretó el botón durante largo rato. Nada.

—Prueba otra vez con el teléfono.

—El contestador automático lleva conectado toda la tarde.

—¿Estás seguro de que es este apartamento?

—Estoy seguro.

Maggie empezó a caminar arriba y abajo.

—¿Cómo puede ser que no haya nadie? No pueden haber salido todos.

—No son «todos». Solo está él.

Maggie se detuvo, perpleja.

—Está divorciado. Vive solo —explicó Uri.

—¡Maldita sea! ¿Y ahora qué hacemos?

—Podríamos entrar por la fuerza.

De repente, Maggie sintió frío. ¿Qué diantre estaba haciendo allí, tiritando en una calle de Tel Aviv, cuando podría haber estado escogiendo sofás cama en Georgetown? Tendría que estar en casa, con Edward, cómodamente instalada en el diván, pidiendo la cena por teléfono, viendo la televisión o haciendo lo que hace la gente normal cuando ya no eres un loco de veinticinco años que trabaja día y noche y salta de un país enloquecido a otro. Edward lo había conseguido, había pasado de ser un idealista con la mochila al hombro a llevar traje en Washington. ¿Por qué ella no? Dios sabía que lo había intentado. Quizá tuviera que llamar a Judd Bonham y decirle que lo dejaba estar. Además, no la estaban aprovechando apropiadamente. ¡Por Dios, era especialista en mediación! Tendría que estar en una sala de negociaciones, no en la calle jugando a detectives. Metió la mano en el bolsillo y palpó el móvil.

Pero sabía qué le diría Bonham; no tenía sentido estar en esa sala hasta que las partes estuvieran dispuestas. Y tal como iban las cosas, ese momento parecía más lejano cada día. Pronto, ni siquiera habría sala en la que entrar. Su trabajo consistía en encarrilar a ambos bandos, y eso significaba cerrar el caso Guttman-Nur, fuera lo que fuese. Ellos no podían permitirse que fallara. Sabía mejor que nadie qué sucedía cuando unas negociaciones de paz estaban a punto de culminar y fracasaban. Por un instante volvió a ver, el recuerdo que tanto se había esforzado por borrar. Tenía que conseguirlo; de lo contrario su trayectoria profesional quedaría resumida a un simple y fatal error.

Se volvió hacia Uri y le contestó con voz sosegada:

—No. No podemos entrar a la fuerza. Imagina que nos detienen. Yo he venido en representación del gobierno de Estados Unidos.

—Podría hacerlo yo.

—Sí, pero tú estás conmigo, ¿no? El problema es el mismo. ¿No hay otra manera?

Uri meneó la cabeza y dio un puñetazo contra la puerta, soportando casi sin inmutarse un dolor evidente.

—Está bien —dijo Maggie dándose la vuelta—. Pensemos. ¿Qué pasó cuando llamaste al periódico?

—Hablé con los del turno de noticias de la noche. Me dijeron que no estaban al tanto de los movimientos de sus columnistas y me dieron este número de teléfono.

—El que ya teníamos.

El silencio se prolongó durante más de un minuto mientras Maggie se devanaba los sesos intentando dilucidar qué debían hacer. De repente, Uri dio un respingo, cogió a Maggie del brazo y echó a correr hacia el coche.

—¿Qué pasa, Uri?

—Entra en el coche.

Mientras conducía, Uri le explicó que cuando estaba en el ejército había salido con una chica cuyo hermano había estado en la India con el hijo de Baruch Kishon. Cuando vio el rostro de Maggie y su expresión de incredulidad, sonrió y añadió:

—Israel es un país pequeño.

Unas llamadas más tarde consiguió el número de teléfono de Eyal Kishon. Uri marcó y tuvo que hablar a gritos. Eyal estaba en una discoteca. Uri intentó explicarle la situación, pero fue inútil. Tendrían que reunirse con él.

Uri puso las noticias de la radio y se las fue traduciendo a Maggie: violencia en Cisjordania, niños palestinos muertos, tanques israelíes penetrando de nuevo en Gaza, más bombardeos de Hizbullah en el norte... Las conversaciones con los palestinos se habían estancado de verdad. Maggie meneó la cabeza. La situación se estaba descontrolando.

—Según una encuesta de Estados Unidos, el presidente va cinco puntos por detrás —añadió Uri—. Al parecer no ha salido bien parado del último debate televisivo. —Y entonces la última noticia—: Ha habido un incendio en un kibutz del norte. Podría tratarse de un fuego provocado.

Aparcaron en la calle Yad Harutzim y caminaron hasta la discoteca Blondie. El ruido fue inmediato, un ritmo martilleante que Maggie notó hasta en las tripas. Reinaba un bombardeo constante de luz, incluido un rayo de un blanco cegador que barría la pista de baile como un reflector.

El local no estaba lleno, pero había cuerpos sudorosos y esbeltos en todos los rincones. A Maggie la sorprendió la variedad de rostros. Tenía enfrente a dos chicas rubias con piel de porcelana y, tras ellas, un hombre negro de facciones marcadas y con el pelo estilo afro. Recordó entonces los informes que le había entregado Bonham y las páginas que hablaban de las múltiples etnias que vivían en Israel: rusos, etíopes, los *mizrachim* de los países árabes... Todos estaban allí.

Maggie vio su reflejo en una de las paredes de espejo y le

sorprendió tanto que se detuvo a mirar. Durante su vida profesional había sido siempre la persona más joven de las reuniones. En las negociaciones entre hombres de mediana edad ella era una llamativa novedad: no solo una mujer, sino una mujer joven y, para ser sincera, atractiva. Y ellos no sabían cómo comportarse con ella. Cuántas veces le habían preguntado si su superior, el mediador, iba a aparecer... Cuántas veces le habían pedido que fuera encantadora y les llevara unos cafés... Cuántas veces le habían dicho lo agradable que era tener algo hermoso que mirar en esas tediosas sesiones...

Se había acostumbrado a todo aquello y, naturalmente, lo había aprovechado en su favor. Era algo que despistaba a los negociadores, que los hacía más cándidos de lo que pretendían. Le decían cosas que nunca habrían dicho a un mediador convencional, como si las conversaciones con ella fueran una especie de pase de modelos. Solo cuando el acuerdo quedaba cerrado se daban cuenta de que ella había sido fundamental.

De todas maneras, su mejor activo era cómo despertaba competitividades. De forma inconsciente, aquellos tipos trajeados competían por su atención. La primera vez fue cuando dirigió unas negociaciones de paz para la guerra civil de Sri Lanka en un refugio de montaña de Suecia. A las horas de las comidas, los participantes se empujaban unos a otros para sentarse a su lado. Querían que les riera las gracias, que aprobara sus ocurrencias. No lo podían evitar: los habían programado para comportarse así ante una mujer atractiva. Pero para Maggie era de lo más útil. Cada concesión que ella los empujaba a hacer, lenta y dolorosamente, constituía para ellos la garantía de que ella los seguiría apreciando. Si, por el contrario, se resistían a incluir tal o cual palabra o a definir tal o cual línea en un mapa, la decepcionarían. Y eso no era lo que aquellos hombres deseaban.

Sin embargo, no se vio así en aquella discoteca. Rodeada de preciosas criaturas, ninguna mayor de veinticinco años, de piel resplandeciente y sexys tops, se dio cuenta de que allí todos eran más jóvenes que ella. Contempló su pantalón negro, la chaqueta Ann Taylor y la camisa Agnes B que componían su atuendo: estupendo para trabajar, sin duda elegante para reunirse con ministros y diplomáticos, pero anodino en aquel entorno. Y las patas de gallo..., las arrugas cuando sonreía...

—Está allí. —Uri, señaló a un hombre sentado; miraba a la gente bailar, tenía una botella de cerveza en la mano y seguía el ritmo de la música con la cabeza. Parecía medio colgado, medio borracho y completamente ajeno a lo que le rodeaba.

Uri fue a sentarse a su lado y tras un breve saludo le dijo algo al oído. Entretanto, Maggie recorrió la discoteca con la mirada. Cerca de la entrada vio a un hombre que acababa de llegar y que parecía tan fuera de lugar como ella. Llevaba unas gafas sin montura que lo catalogaban de «adulto» en medio de aquella festiva juventud.

Por la expresión de los ojos de Eyal comprendió que Uri estaba contándole la muerte de sus padres. El otro meneaba la cabeza y le apoyaba la mano en el hombro, como si quisiera abrazarlo, pero entonces Uri sacó su móvil para mostrarle que la última llamada que había hecho Shimon Guttman había sido a Barush Kishon.

Eyal se encogió de hombros a modo de disculpa. No sabía nada. Uri siguió preguntando; de vez en cuando se volvía hacia Maggie y le traducía. ¿Cuándo había sido la última vez que había hablado con su padre? El domingo por la mañana. Su padre había salido para cumplir un encargo. Nada raro en eso. El viejo se pasaba el día fuera. Esa era la razón por la que la madre de Eyal se había divorciado. ¿Le había dicho adónde iba? Nada que Eyal pudiera recordar.

—Eyal, ¿mencionó tu padre un viaje a Ginebra?

«Cuidado», pensó Maggie.

—¿Te refieres a Suiza? Pues no. Generalmente me avisa cuando se marcha. Le gusta que vaya a echar una ojeada a su apartamento. Es muy quisquilloso con sus cosas.

—O sea, que no crees que esté fuera.

—No.

—Pero no has hablado con él desde el domingo... ¿No estás preocupado?

—No lo estaba. Hasta que me habéis metido el miedo en el cuerpo.

Volvieron con el coche, deprisa y con Eyal totalmente despejado en el asiento trasero. Uri siguió haciendo preguntas y le arrancó un detalle más: que cuando Eyal y su padre hablaron el domingo por la mañana, Barush Kishon parecía de buen humor y le había comentado que estaba trabajando en una historia «caliente». O tal vez había dicho «interesante». No lo recordaba.

La radio dio las noticias de las once. Uri explicó que la noticia del incendio del kibutz era el titular principal: entre los restos habían encontrado un cadáver calcinado. Un portavoz del ejército había dicho que había pruebas evidentes de que se trataba de un ataque terrorista organizado por palestinos de Jenín. Las especulaciones sobre las repercusiones políticas ya estaban en marcha. Aquel ataque era una amenaza para las ya delicadas negociaciones de paz de Jerusalén y un nuevo golpe contra el primer ministro, Yariv.

Maggie sacó el móvil y vio que tenía una llamada perdida. Sin duda, el ruido de la discoteca había ahogado el tono y ni siquiera había notado la vibración del aviso. Escuchó la grabación del buzón de voz. Davis le informaba acerca de Bet Alpha: «Lo último ha sido un ataque a un kibutz, Maggie. El vicesecretario me ha pedido que te transmita lo siguiente: "Sea lo que sea en lo que anda metida Maggie Costello, recuérdele que su misión es evitar que las relaciones entre las partes negociadoras se deterioren aún más. Asegúrese de que lo entiende". Bueno, ya lo has oído, palabra por palabra. Siento ser portador de malas noticias».

Lo peor era que no podía argumentar lo contrario. El vicesecretario tenía razón: debía evitar que aquella violencia se desbordara. Además, sabía lo que pensaban de sus pesquisas sobre ciertos anagramas y restos arqueológicos. Sin embargo, seguía convencida de que las dos muertes clave, la de Guttman y la de Nur, estaban relacionadas. Descubrir cómo y por qué era sin duda el mejor camino —y tal vez el único— de detener aquella oleada de asesinatos. La alternativa consistía en organizar una serie interminable de reuniones en las que cada uno diría lo que había que decir mientras la violencia proseguía. Ya había recorrido ese camino y estaba decidida a no recorrerlo de nuevo.

Veinte minutos más tarde se encontraban en el apartamento de Kishon. Eyal parecía nervioso en el momento de abrirlo. Después de oír lo que les había pasado a los padres de Uri, estaba claro que tenía miedo de lo que pudiera encontrarse. Entró el primero, encendió las luces y llamó a su padre.

—Echa un vistazo por el apartamento —le dijo Uri, que observaba el lugar como si fuera el escenario de una película—. Mira con atención y dinos si ves algo diferente, cualquier cosa que te parezca fuera de lugar. Lo que sea.

Maggie no vio nada raro. El piso estaba sorprendentemente limpio y ordenado. «Quisquilloso con sus cosas.» Seguramente. Recordó su pequeño éxito con el ordenador de Guttman y preguntó a Eyal dónde trabajaba su padre. Mientras Eyal iba a inspeccionar el dormitorio, le señaló un escritorio situado en una esquina del salón.

—Oye, aquí no hay ningún ordenador.

Eyal apareció en la puerta.

—Ay, sí, me había olvidado. Mi padre siempre trabaja con un portátil. Es el único ordenador que tiene. Lo siento.

«Mierda.» Aquel lugar limpio como una patena representaba su mejor oportunidad, pero no había papeles sueltos que mirar ni pilas de libros que examinar. Estaban en un callejón sin salida.

Echó otro vistazo al escritorio. «Piensa, Maggie, piensa», se dijo. Solo había un teléfono, un bloc de hojas en blanco, una foto de quienes dedujo que eran Eyal y su hermana de pequeños, y una pluma en un soporte. Nada.

Se dio la vuelta, pero se detuvo y se acercó de nuevo al escritorio. Cogió el bloc de hojas y lo acercó a la luz.

—¡Uri, ven!

Allí, como grabadas en el papel, había marcas sin tinta de lo que parecían caracteres hebreos. Vio mentalmente a Baruch Kishon recibiendo la llamada de Shimon Guttman, anotando algo en el bloc de hojas, arrancando la primera hoja y saliendo a toda prisa después de dejar el mensaje grabado en la hoja de debajo.

Uri también lo vio. Sostuvo el papel bajo la lámpara, lo movió y forzó la vista hasta que por fin sonrió.

—Es un nombre —dijo—, un nombre árabe. El hombre al que buscamos se llama Afif Aweida.

27

Jerusalén, el jueves anterior

Aquel era el sonido que Shimon Guttman quería escuchar: el latido de la fiesta. Los continuos pitidos, la percusión constante de las tapas de los cubos de basura; el clamor que solo puede crear un grupo numeroso de personas con, por encima de todo, firmes convicciones.

A lo largo de su vida había participado en cientos de manifestaciones, pero aquella lo enorgullecía más que ninguna. La multitud que se había reunido en la plaza Sión era impresionante: un mar de gente que portaba pancartas, agitaba los puños o batía palmas. Su aspecto resultaba de lo más llamativo, pues todos iban vestidos de color naranja. Camisetas, gorras, pantalones, la pintura de la cara, todo era de un luminoso color naranja. Pero lo que henchía de orgullo a Shimon y le producía un cosquilleo de satisfacción era que aquella manifestación contra Yariv y su traición estaba formada únicamente por gente joven.

Cuando la convocó, no sabía cuál sería la respuesta. Se decía que la juventud de Israel se había vuelto apática y acomodaticia. Era la generación de internet, más interesada en Google que en el Golán, en recorrer la India y hacer senderismo por Nepal que en ser pioneros en Judea o arar el suelo de Samaria. Su propio hijo, Uri, que había renunciado a un brillante futuro en los servicios de información del ejército para dedicarse a una oscura ocupación en el mundo del cine, era una prueba de ello.

Sin embargo, ante sus ojos tenía la irrefutable demostración de que cualquier pesimismo en lo tocante a la juventud de Israel estaba fuera de lugar. «Ahí están —se dijo Guttman—, se han lanzado en masa a la calle para salvar a su país de la rendición y el apaciguamiento planeado por su primer ministro. Los que siempre se quejan de los chavales actuales, diciendo que no tendrían el coraje mercenario para luchar como nosotros lo hicimos en 1967, deberían estar aquí ahora. Este espectáculo les cerraría la boca.»

Porque lo que se avecinaba era una batalla campal. Frente al ejército naranja, separado por una delgada hilera de policías antidisturbios y unos cuantos reporteros y camarógrafos, se alzaba otra multitud igual de ruidosa y numerosa. No vestían de ningún color especial, pero blandían un número equivalente de pancartas. Vio una, estratégicamente situada cerca de los equipos de noticias, donde podía leerse claramente en inglés: SÍ A LA PAZ.

Shimon Guttman había marchado en cabeza de la columna naranja —uno de los elegidos entre media docena de veteranos—; pero antes de que empezaran los disturbios fueron escoltados a un lugar seguro; en parte por su propia seguridad y en parte, sospechaba, para que dejaran actuar a los jóvenes. Desde su privilegiado punto de observación comprendió que aquello no tardaría en convertirse en una batalla como las del medievo, con dos ejércitos cargando el uno contra el otro. Solo faltaban los caballos.

Un joven, elevado por manos invisibles, emergió entre el gentío, cual una Venus naranja saliendo del agua, y se sentó precariamente en los hombros de alguien para pronunciar su manifiesto. Cuando empezó a vociferar a través del megáfono, Guttman comprendió que no tenía experiencia como orador, pues no hacía falta gritar si se contaba con un dispositivo que amplificara la voz.

Shimon sonreía recordando su juventud cuando se le ocurrió una idea agradable. Al fin y al cabo, el movimiento que había ayudado a fundar se encontraba en buenas manos. Fuera cual fuese la perfidia que hubiera ideado Yariv, había una nueva generación dispuesta a alzarse y resistir. «Aquí ya no me necesitan», se dijo. Se retiró en silencio, satisfecho de que los jóvenes siguieran adelante sin él. Y eso también significaba que ganaría una valiosa hora en un día que tenía ocupado con aquella manifestación, un debate en televisión por la noche y, en medio, una reunión estratégica con los Shapira y los colonos. Miró el reloj. Lo razonable era buscar un café donde descansar un rato y cargar baterías, pero Guttman estaba decidido a darse un capricho. Iría a un sitio completamente distinto.

Una rápida visita no lo retrasaría demasiado. Mientras cruzaba la puerta de Jaffa haciendo caso omiso a los chicos que vendían postales de la Ciudad Vieja y refrescos y se adentraba en el mercado árabe, comprendió que aquella era su verdadera debilidad. A otros hombres podían alejarlos del deber, el vino o las mujeres pero para Shimon Guttman solo había una pasión comparable: le bastaba olfatear el aroma del pasado para olvidarse de todo y convertirse en un sabueso dispuesto a seguir la pista y atrapar su presa.

Caminó a paso vivo por las calles adoquinadas del *shouk*,* como lo llamaban los israelíes, con una «sh» donde los árabes pronunciaban una «s». No era un lugar que los israelíes frecuentaran. Desde la primera Intifada, a finales de los ochenta, pocos se atrevían a poner el pie en la Ciudad Vieja, salvo por supuesto en el barrio judío y en el Muro de las Lamentaciones. Era un área no recomendable; una serie de sangrientos acuchillamientos se había ocupado de ello.

* Barrio comercial o mercado de las ciudades árabes. *(N. del T.)*

Pero Guttman no estaba asustado. Creía firmemente que los judíos debían tener libre acceso a todas las zonas de su capital y que no debían dejarse intimidar ni renunciar a ninguna de ellas. Esa fue una de las razones por las que dejó Kiryat Arba. Sus camaradas del movimiento colonizador poblaban los límites exteriores de Samaria y se extendían por las playas costeras de Gaza, pero olvidaban el verdadero corazón de la tierra de Israel, el corazón de Sión: Jerusalén. La derecha israelí daba por sentada la posesión de la ciudad eterna, no se daba cuenta de que, mientras tendían la mano para liberar otros territorios, la magnífica perla de Jerusalén se les escapaba entre los dedos. Si no tenían cuidado, un día se darían cuenta de que habían perdido Jerusalén Oriental del mismo modo que los británicos conquistaron un imperio: en un despiste.

Así pues, Shimon Guttman se había impuesto pasear por la parte oriental de la ciudad, principalmente árabe, con la misma libertad con la que lo haría en la zona oeste, mayoritariamente judía. La verdad era que no iba por allí con tanta frecuencia como debería, desde un punto de vista ideológico. La verdad, también, era que no dejaba de mirar por encima del hombro cada pocos pasos y que el corazón le daba un vuelco en cuanto dejaba atrás las calles bien iluminadas y limpias del barrio judío y se adentraba en el polvo y el bullicio del barrio árabe. Aun así, intentaba caminar lo más relajadamente posible a pesar de las limitaciones, como un hombre que paseara por su ciudad natal, como si fuera el dueño del lugar; cosa que, en el fondo, creía.

Había algunas tiendas en las que siempre se detenía cuando iba al mercado, y en ese momento se dio cuenta de que hacía más de un año que no las visitaba. La campaña contra Yariv lo había tenido totalmente ocupado; todo lo demás había pasado a segundo plano. Miró en la primera, cuya entrada estaba casi oculta tras montones de bolsos, zamarras y monederos de piel repujada. Tenían un jarrón interesante, pero difícil de situar en el tiempo. Los propietarios de las dos tiendas siguientes se disculparon: habían vendido las mejores piezas y estaban esperando recibir más mercancía. No hizo falta que dijeran de dónde llegaría: Irak había transformado el negocio. En la cuarta había unas monedas de las que tomó nota. Avisaría a su amigo Yehuda, un numismático obsesivo, a ver si dejaba de ser tan cobardica y se atrevía a darse una vuelta por allí.

Se disponía a dar media vuelta cuando reparó en una tienda que casi había olvidado. Como las demás, carecía de escaparate; la mercancía se amontonaba ante la puerta y se multiplicaba en el interior. Entrar significaba permanecer de pie en el estrecho espacio que no estaba ocupado por los artículos que se amontonaban a ambos lados. A la altura de los ojos y más arriba había objetos de plata, principalmente candelabros, incluidos varios de nueve brazos, como los utilizados por los judíos durante el festival del *Chanukah*. A Guttman siempre le sorprendía ese pragmatismo en los negocios, una disposición de los comerciantes árabes para vender parafernalia judía.

Echó un vistazo a las estanterías casi deseando no ver nada interesante y poder marcharse y seguir con su programa.

—Hola, profesor. Me alegra verlo por aquí de nuevo.

Era el propietario, Afif Aweida, que salía de detrás de un mostrador de joyería que había al fondo, lleno de anillos y brazaletes dispuestos sobre terciopelo. Tendió la mano a Guttman.

—Qué buena memoria tiene, Afif. Me alegro de verlo.

—¿Y a qué debo tan inesperado placer?

—Estaba paseando, mirando las tiendas.

Afif le hizo un gesto para que lo siguiera y subió unos peldaños hasta la trastienda donde tenía su despacho. El israelí miró alrededor y se fijó en el voluminoso ordenador, la vieja calculadora y el polvo acumulado en todas partes. Al igual que para el resto de los comerciantes de la zona, aquellos eran tiempos difíciles para Afif Aweida. Los habitantes de Jerusalén Oriental, como los palestinos en general, eran las víctimas de lo que Guttman consideraba un desafortunado error divino que los había obligado a vivir en una tierra prometida a los judíos.

Afif vio que Guttman miraba el reloj.

—¿No quiere esperar a que mi hijo traiga un poco de té? ¿Tiene prisa?

—Lo siento, Afif. Tengo un día muy ocupado.

—De acuerdo. Veamos... —Se puso en pie y buscó entre las existencias—. No es nada especial, pero guardo esto. —Le entregó una caja de cartón en la que había una docena de fragmentos de mosaico.

Shimon los ordenó con mano experta, como las piezas de un rompecabezas, y formó la figura de un ave.

—Es bonito —dijo—, pero no es mi especialidad.

—La verdad es que tengo algo con lo que podría ayudarme. Esta semana me ha llegado una mercancía. Me han dicho que hay más allí de donde viene, pero por el momento esto es lo que tengo. —Se inclinó, apoyó un brazo en la butaca cuyo cojín estaba desgarrado y mostraba el relleno, y cogió una bandeja del suelo.

En ella, dispuestas en cuatro filas de cinco, estaban las veinte tablillas que Henry Blyth-Pullen le había llevado pocos días antes. A pesar del tono desabrido de Aweida, el mero hecho de manejar aquellos restos del pasado bastaba para emocionar a Shimon Guttman. De todos modos, no parecían nada extraordinario. Miró su reloj: las 13.45 horas. Les echaría un vistazo y se marcharía para la reunión que tenía en Psagot a las tres de la tarde.

—De acuerdo —le dijo a Aweida—. ¿Como de costumbre?

—Desde luego. Usted las traduce todas y se queda una. ¿Conforme?

—Conforme.

Aweida tomó papel y lápiz y esperó en la postura propia de un secretario que se dispone a tomar notas. Guttman cogió la primera tablilla y la sopesó con agrado. No era mucho mayor que una cinta de casete. Se la acercó a los ojos y se quitó las gafas para ver mejor el texto.

Contempló las inscripciones cuneiformes. Incluso en un entorno tan banal como aquel, nunca dejaban de intrigarlo. La idea de un testimonio escrito cinco mil años atrás se le antojaba profundamente conmovedora. El hecho de que los sumerios hubieran puesto por escrito sus pensamientos y experiencias, incluso las más triviales, treinta siglos antes de Jesucristo, y que él pudiera leerlas allí mismo, en unas humildes tablillas de arcilla, le resultaba embriagador. Se vio a sí mismo como uno de esos inmensos telescopios dispuestos en batería en el desierto de Nuevo México, con las antenas preparadas para recibir las señales milenarias de lejanas estrellas. Alguien había escrito aquello miles de años antes, y allí estaba él leyéndolo, como si el presente y el pasado estuvieran cara a cara manteniendo una conversación.

La primera vez que le enseñaron a interpretar las inscripciones que daban nombre a la escritura cuneiforme —palabra que significaba literalmente «en forma de cuña»— experimentó una descarga emocional. Para un ojo inexperto no eran más que símbolos parecidos a un *tee* de golf, algunos verticales, en pares o en tríos; otros de lado, solos o en grupos, formando línea tras línea. Pero cuando el profesor Mankowitz le enseñó a descifrarlos —«En mi primera campaña, yo...» o «Gilgamesh abrió la boca y dijo...»— se quedó fascinado.

Lentamente, fue dictando a Aweida:

—«Tres ovejas, tres ovejas engordadas, una cabra...» —dijo después de una mirada atenta.

No podía leer y entender aquellas inscripciones con la misma rapidez con que lo haría si estuvieran en inglés, pero sí tan rápido como leía y traducía el alemán. Sabía que esa era una rara habilidad, y eso aún lo complacía más. En Israel no había nadie que lo igualara, salvo Ahmed Nur (y Ahmed nunca admitiría que vivía en Israel). Por otra parte, después de que Mankowitz falleciera, solo quedaba Guttman. ¿Quién más? Sí, aquel tipo de Nueva York, y Freundel, del Museo Británico. Apenas un puñado. Los diarios decían que en todo el mundo solo había un centenar de personas capaces de leer la escritura cuneiforme, pero Guttman estaba convencido de que exageraban.

Cogió la siguiente tablilla. Al ver la distribución de las inscripciones ya supo de qué se trataba.

—Me temo que es el inventario de una casa, Afif.

La siguiente mostraba la misma línea repetida diez veces.

—Un ejercicio de colegial —explicó al palestino, que sonrió y tomó nota.

Continuó así, dejando las tablillas traducidas en el escritorio de Aweida, hasta que en la bandeja solo quedaban seis. Cogió la siguiente y leyó para sí las primeras palabras como si fueran el comienzo de un chiste:

—*«Ab-ra-ha-am mar te-ra-ah a-na-ku...»*

Bajó la tablilla y sonrió a Aweida, como si el árabe pudiera verle la gracia. Luego alzó de nuevo la tablilla. Las palabras no se habían desvanecido. Tampoco las había leído mal. Aquella escritura cuneiforme, del período Babilonio Antiguo, seguía diciendo: *«Abraham mar Terach anaku»*, «Yo, Abraham, hijo de Terach».

Shimon notó que palidecía. Una especie de terror pegajoso se apoderó de él, empezó en el cerebro y le bajó por el pecho hasta las tripas. Sus ojos leyeron tan rápido como pudieron hasta que las palabras se tornaron borrosas y confusas.

> Yo, Abraham, hijo de Terach, ante los jueces doy testimonio de lo siguiente. La tierra adonde llevé a mi hijo para sacrificarlo al Altísimo, el monte Moria, esa tierra se ha convertido en fuente de discordia entre mis dos hijos, de cuyos nombres dejo constancia: Isaac e Ismael. Así pues, ante los jueces declaro que el monte sea legado como sigue...

¿Qué reflejo retuvo a Guttman e impidió que dijera en voz alta lo que acababa de leer para sí? En los días que siguieron se formuló muchas veces esa pregunta. ¿Fue una astucia innata la que le hizo darse cuenta de que si hablaba perdería aquella pieza? ¿O fue simplemente la malicia del *shouk*, el hábito del veterano regateador que sabe que mostrar interés por un objeto dobla inmediatamente su precio hasta hacerlo inasequible?

¿Fue un cálculo político, comprendió en aquel mismo instante que estaba sosteniendo en su temblorosa mano un objeto capaz de cambiar la historia de la humanidad con la misma certeza que si estuviera agarrando el detonador de una bomba nuclear? ¿O había una explicación más sencilla, una menos noble que las anteriores? ¿Se había mordido Guttman la lengua porque su instinto le decía que no compartiera nunca un secreto con un árabe?

—Vale —dijo al fin, procurando que la economía de palabras ocultara el temblor de su voz—. ¿Y la siguiente?

—Pero, profesor, no me ha dicho qué pone en esa tablilla.

—¿Ah, no? Perdone, se me ha ido de la cabeza. Otro inventario doméstico, de mujer, diría yo.

Pasó a la siguiente, una relación de ganado de una granja de Tikrit. A pesar de que tenía la impresión de estar asfixiándose, consiguió acabar con las restantes. Aun así, sabía que el momento más delicado estaba por llegar.

No era jugador de póquer. No tenía ni idea de si sería capaz de ocultar sus emociones. Supuso que no. Se había pasado la vida hablando con el corazón, demostrando abiertamente sus convicciones. No era un político con experiencia en el arte del disimulo, sino un activista cuya especialidad era la sinceridad. Y ese hombre, Aweida, era un mercader, alguien que conocía todos los trucos, que sabía leer la mente de sus clientes, aumentar el precio para los que fingían indiferencia y bajarlo para aquellos cuyo desinterés era verdadero. Lo calaría al instante.

Entonces se le ocurrió.

—Bueno, ¿como de costumbre? —dijo con voz estrangulada—. ¿Puedo quedarme una?

—Así habíamos quedado —contestó Aweida.

—Bien, pues me quedo con esa —dijo señalando la novena tablilla que había examinado.

—¿La carta de una madre a su hijo?

—Sí.

—Pero, profesor, usted sabe que esa es la única que tiene cierto interés. Las demás son, cómo decirlo, tan del día a día...

—Por eso quiero esta. A sus clientes les dará igual una que otra.

—A los clientes normales puede que sí. Pero dentro de unos días vendrá a verme un coleccionista de Nueva York. Un joven que se hace acompañar por un experto en arte y que está dispuesto a gastarse dinero. Esa historia, la de la madre y el hijo, podría interesarle.

—Pues dile que esa historia está en esta otra —Guttman señaló la del ejercicio del colegial.

—Profesor, ese tipo de clientes exigen verificar la mercancía. No puedo mentir. Podría acabar con mi reputación.

—Lo entiendo, Afif. Pero yo soy un académico. Me interesa esta porque tiene significado histórico. Las demás son tablillas ordinarias. —Se daba cuenta de que le sudaba el labio superior y no supo cuánto tiempo podría seguir disimulando.

—Por favor, profesor. No quisiera tener que rogárselo, pero ya sabe usted lo que han sido estos últimos años para nosotros. Estamos ganando una fracción de lo que ganábamos antes. Este mes he sufrido la humillación de tener que aceptar dinero de un primo que tengo en Beirut. Con esta venta...

—Está bien, Afif. Lo comprendo y no quiero abusar de ti. Me quedaré esta. Guttman cogió la tablilla que empezaba con «Yo Abraham, hijo de Terach...».

—¿El inventario?

—Sí, ¿por qué no? No está mal.

Se levantó y se guardó la tablilla en el bolsillo de la chaqueta con la mayor naturalidad posible. Estrechó la mano de Afif y entonces se dio cuenta de lo sudorosa que tenía la suya.

—¿Se encuentra bien, profesor? ¿Quiere un vaso de agua?

Guttman insistió en que se encontraba bien, que simplemente tenía que llegar puntual a su siguiente cita. Se despidió y salió a paso vivo. Subió por los peldaños del mercado hacia la puerta de Jaffa con la mano en el bolsillo, aferrando la tablilla. Cuando por fin hubo salido del *shouk* y se hallaba al otro lado de los muros de la Ciudad Vieja, se detuvo para recobrar el aliento; jadeaba como un corredor que acabara de culminar la carrera de su vida. Se sentía al borde del desmayo.

E incluso entonces su mano se mantuvo aferrada al pedazo de arcilla que había conseguido que la cabeza le diera vueltas y el corazón se le desbocara, primero por la emoción y después por un temor reverencial. En ese momento Guttman sabía que tenía en su mano el mayor descubrimiento arqueológico jamás realizado. Tenía en su poder el testamento del gran patriarca, del hombre reverenciado como el padre de las tres grandes fes: el judaísmo, el cristianismo y el islam. Tenía en su mano el testamento de Abraham.

28

Jerusalén, jueves, 00.46 h

Su primera parada fue en la comisaría central de policía de Tel Aviv, donde Uri y Maggie dejaron a un abatido Eyal para que denunciara la desaparición de su padre. El hijo de Kishon parecía convencido de que, fuera cual fuese la maldición que había acabado con Shimon y Rachel Guttman, esta había pasado a afectar a su familia como si de un virus contagioso se tratara.

Entretanto, mientras conducía, Uri siguió haciendo averiguaciones a través del móvil, preguntando en distintos directorios y recabando información sobre Afif Aweida. La compañía telefónica le dijo que había al menos dos docenas de abonados con ese nombre, pero la lista se reducía a nueve en la zona de Jerusalén. Uri tuvo que recurrir a sus dotes persuasivas para que la telefonista le leyera los datos de cada uno. Había un dentista, un abogado, seis que constaban como números residenciales y un Afif Aweida registrado como anticuario en la calle Suq el-Bazaar, en la Ciudad Vieja. Uri sonrió y se volvió hacia Maggie.

—Eso está en el *shouk*, y ese es nuestro hombre.

—¿Cómo puedes estar tan seguro?

—Porque mi padre ya tenía dentista y abogado, y no se puede decir que sus amigos árabes se contaran por millares. Las antigüedades eran lo único que podían haberle empujado a tratar con un árabe.

Mientras se acercaban a Jerusalén, pasada la medianoche, Uri se preguntó si no deberían dirigirse al mercado de la Ciudad Vieja sin más demora, pero al final tuvo que admitir que sería inútil ya que todos los comercios estarían cerrados. A menos que tuvieran la dirección de su domicilio, y no solo la de su tienda, les sería imposible localizarlo.

Detuvo el coche entre los taxis aparcados ante el hotel Citadel y tiró ostentosamente del freno de mano para indicar que el viaje había terminado.

—Bueno, señorita Costello, fin del trayecto. Todos los pasajeros bajan aquí.

Maggie le dio las gracias y abrió la puerta, pero antes de salir, se volvió y preguntó:

—¿Una última copa?

Enseguida se dio cuenta de que Uri no era un gran bebedor: daba vueltas a su vaso de whisky con agua como si fuera un líquido escaso y valioso que hubiera que admirar más que consumir. En cambio, ella, en comparación —apuró la copa de un trago rápido y pidió otra—, parecía claramente lo contrario.

—Bueno, ¿y qué me cuentas de lo tuyo con el cine? —le preguntó mientras se quitaba los zapatos por debajo de la mesa que habían escogido en el rincón y disfrutaba del cosquilleo de alivio que le subía por los pies.

—¿A qué te refieres?

—A cómo es que has resultado ser bueno en ese trabajo.

Uri sonrió, se daba cuenta de que estaba devolviéndole su propia pregunta.

—No sabes si soy bueno.

—Yo diría que sí. Te comportas como alguien que tiene éxito en lo que hace.

—Vaya, es muy amable por tu parte. ¿Has visto *The Truth About Boys*?

—¿Aquella película que seguía a cuatro adolescentes? La vi el año pasado. Me pareció estupenda.

—Gracias.

—¿Era tuya?

—Era mía.

—¡Anda! Era increíble lo que aquellos chavales contaban ante la cámara. Eran tan sinceros que pensé que había una cámara oculta o algo así. ¿Cómo conseguiste que lo hicieran?

—No había cámaras ocultas de ningún tipo, pero sí hay secreto. Y no se puede divulgar porque es comercialmente muy sensible.

—Yo soy buena guardando secretos.

—Lo único que has de hacer, y eso es realmente la clave de todo, es... No. No puedo contártelo. —La miró con aire burlón, fingiendo suspicacia—. ¿Cómo sé que puedo confiar en ti?

—Sabes que puedes confiar en mí.

—El secreto está en escuchar. Lo único que tienes que hacer es escuchar.

—¿Y dónde lo aprendiste?

—Con mi padre.

—¿De verdad? No me lo imaginaba como la clase de personas que escuchan.

—No lo era. Mi padre era de los que hablan. Y eso significaba que nosotros teníamos que escuchar. La verdad es que al final lo hacíamos muy bien. —Sonrió y tomó otro sorbo del líquido ambarino. A Maggie le gustó el brillo que le ponía en los ojos y la boca. Se dijo que Uri tenía una cara de esas que a uno le gusta mirar—. De todas maneras, tú solo contestaste a la mitad de mi pregunta. Me explicaste cómo llegaste a ser mediadora, pero no por qué.

—Tú me preguntaste «cómo fue».

—De acuerdo, entonces cuéntame el porqué.

Maggie lo observó recostarse en su asiento, relajarse por primera vez desde que se habían conocido. Era consciente de que aquel momento representaba una especie de respiro para él, un paréntesis en su duelo, la oportunidad de olvidarse durante un rato de la carga que llevaba soportando desde hacía cuatro días. Y también sabía que se trataba de un estado de ánimo pasajero que no podía durar. Aun así, no podía evitar disfrutar de aquel momento de intimidad entre ellos. No pasaría por alto su pregunta con una broma o cambiando de tema, como había aprendido a hacer con los incontables hombres que se le habían acercado en los bares de distintas capitales extranjeras. Esta vez pensaba ser sincera.

—El porqué suena tan sensiblero que nadie habla ya de ello.

—Me gusta lo sentimental.

Maggie lo miró fijamente, como si estuviera a punto de entregarle un objeto delicado.

—La primera vez que estuve en el extranjero trabajé de voluntaria en Sudán. En aquellos momentos, el país se hallaba en plena guerra civil. Un día, volvíamos en coche y vi una aldea que había sido completamente arrasada. Había cadáveres en la cuneta, miembros, todo lo que quieras imaginar. Pero lo peor eran los niños, vivos, deambulando sin rumbo entre los cadáveres. Como zombis. Habían visto escenas más atroces, cómo descuartizaban a sus padres y violaban a sus madres. Después de eso me dije que si podía hacer algo, lo que fuera, para evitar que una guerra se prolongara un día más, valdría la pena.

Uri no dijo nada, se limitó a seguir mirándola a los ojos.

—Por eso —añadió Maggie— se me ha hecho tan difícil mantenerme alejada de todo durante este tiempo.

Él frunció el entrecejo.

—No te lo he contado, ¿verdad? —prosiguió Maggie—. Esta es mi primera misión desde hace más de un año. Me han sacado del retiro. —Apuró su copa—. Del retiro forzoso.

—¿Qué pasó?

—Estaba en África. Otra vez. De mediadora en el Congo, una de esas guerras de las que nadie habla y que a nadie le importa un comino aunque hayan muerto millones de personas. El caso es que, aunque tardamos dieciocho meses, conseguimos sentar a todas las partes a la mesa de negociaciones. Faltaban días para firmar un acuerdo, puede que semanas, pero estábamos cerca, muy cerca. Entonces yo... —Maggie alzó la vista para ver si él seguía con ella, y así era, su concentración era absoluta—. Cometí un error. Un error grave, muy grave. —La voz se le quebró—. Y por culpa de ese error, por mi culpa, las negociaciones se rompieron y no hubo acuerdo.

»Tuve que abandonar el Congo unos días después, y cuando lo hice, cuando salía por la carretera principal camino del aeropuerto, volví a verlos. Aquellos rostros, aquellos niños, adolescentes, jóvenes... con la mirada perdida. Y comprendí que estaban así por mi culpa, porque yo la había cagado sin remedio. —Una lágrima le rodó por la mejilla—. Esos rostros me perseguirán mientras viva, haga lo que haga y vaya a donde vaya.

Uri entonces dejó el vaso, se inclinó hacia delante y le tomó la mano. Se la sostuvo un momento. Luego, por fin, se levantó, alzó a Maggie con él y la cabeza de ella se apoyó en su pecho. Sin decir palabra, le acarició el pelo una y otra vez, pero solo logró que las lágrimas fluyeran con mayor rapidez.

Subieron a su habitación en silencio. Después de cerrar la puerta, permanecieron abrazados hasta que, sin que supieran quién de los dos lo había provocado, sus labios se tocaron. Se besaron suavemente, tímidamente, sus lenguas rozándose apenas.

Las manos de ella fueron las primeras que se movieron, se apoyaron en su pecho y notaron su firme musculatura. Él la acarició con suavidad, su mano derecha se deslizó por su costado hasta el pecho y su roce la hizo estremecer de placer. Pero cuando la mano izquierda de Uri se internó en el resquicio entre su camisa y su falda y sus dedos tocaron su piel desnuda, ella se apartó.

—¿Qué? ¿Qué ocurre?

Maggie retrocedió a trompicones hasta quedar sentada en la cama. Estiró el brazo y encendió la luz, rompiendo así el hechizo del momento.

—Lo siento. Lo siento —dijo, meneando la cabeza y evitando la mirada de Uri—. No puedo hacerlo.

—¿Por el hombre que te espera en casa?

Edward debería ser el motivo, pensó Maggie con una punzada de culpabilidad, pero no era así.

—No. No es eso.

Uri volvió la cara. Su mirada había cambiado, como si un velo protector hubiera caído sobre sus ojos.

—Uri, por favor, deja que te lo explique.

Él la miró fijamente y luego se dejó caer en la silla que había junto al escritorio.

—Mira, no te lo he contado todo sobre mi error, el que cometí en África. No fue un... —Se esforzó por hallar las palabras adecuadas—. No fue un error profesional. No tiré por la borda las negociaciones. —Sonrió con amargura al darse cuenta del desliz semántico que acababa de cometer—. Me tiré a uno de los negociadores. Ese fue mi error. El jefe de uno de los bandos rebeldes. —Miró a Uri creyendo que hallaría en su rostro una expresión de desaprobación, pero él se limitaba a escuchar—. Por supuesto, todo el mundo se enteró y entonces dijeron que yo ya no podía ser imparcial y que, por extensión, Estados Unidos tampoco lo era, y las negociaciones se suspendieron.

Uri suspiró.

—Por eso te enviaron al exilio, te apartaron de tu trabajo. Fue un castigo.

—No. En realidad no fue así. Eso fui yo quien lo hizo. Me castigué. —Hizo un vano intento por sonreír, pero a duras penas pudo ver la reacción de él porque tenía los ojos llenos de lágrimas. En el fondo, era un inmenso alivio poder contárselo—. ¿Sabes?, la gente no ha dejado de repetirme que tenía que seguir adelante. Edward me lo decía una y otra vez: «Sigue adelante». Pero yo no podía. No sé si lo entiendes, Uri. No puedo seguir adelante hasta que haya hecho las cosas correctamente, y no lo conseguiré si vuelvo a cometer el mismo error.

—Pero, Maggie —dijo Uri con una sonrisa—. Yo no soy más que un tipo al que acabas de conocer. No tengo nada que ver con las negociaciones de paz.

—No, pero eres israelí. Y ya sabes lo demenciales que son las cosas aquí: significaría que estoy tomando partido.

—Das por sentado que la gente se enteraría.

—Por supuesto que se enteraría.

No quería mirarlo a los ojos demasiado rato, de modo que apartó la mirada y la clavó en el suelo. Temía que si lo veía como lo había visto momentos antes, su determinación flaquearía.

Se levantó de la cama y abrió la puerta de la habitación. Uri se levantó. Con los ojos todavía húmedos, Maggie dijo:

—Lo siento, Uri. De verdad que lo siento.

29

Jerusalén, jueves, 7.15 h

Maggie se incorporó de golpe, el corazón le latía desbocado. Estaba confusa, tardó un par de segundos en mirar alrededor y darse cuenta de dónde se hallaba. El teléfono la había arrancado del sueño. La reacción habría sido la misma si hubiera pedido que la despertaran a aquella hora. Cualquier sonido brusco, la alarma del despertador o el teléfono, la sobresaltaba.

—¿Sí?

—¿Maggie? Soy el vicesecretario.

«Dios Santo.» Se aclaró la garganta.

—Sí, hola.

—Tengo que hablar contigo. Encontrémonos abajo dentro de quince minutos.

Mientras se tomaban un café, Robert Sánchez la puso al corriente de lo mal que estaba la situación. Parecía que los dos bandos intentaban controlarla, pero se habían producido violentos enfrentamientos en Jenín y en Qalqilya, e Israel había recuperado amplias extensiones de la franja de Gaza. Por otra parte, los palestinos aseguraban que al menos una docena de niños habían muerto en los dos últimos días de lucha, y empezaba a circular la noticia de que, cerca de Netanya, un autobús lleno de escolares israelíes había saltado por los aires aquella mañana como resultado de un ataque suicida.

Y lo que era aun peor: toda la región parecía prepararse para la guerra. Ya no era solo que Hizbullah, desde el Líbano, seguía bombardeando con cohetes las ciudades del norte de Israel; además, Siria estaba movilizando sus tropas alrededor de los Altos del Golán, y Egipto y Jordania habían retirado a sus embajadores de Tel Aviv. Sánchez le mostró un montón de recortes de la prensa estadounidense. Tanto el *New York Times* como el *Washington Post* establecían comparaciones con lo ocurrido en 1967 y 1973, las guerras que afectaron a todo Oriente Próximo.

—Esta vez será peor —dijo Sánchez—. La mitad de esos países tienen capacidad nuclear y no tardarán en implicar a todo el mundo.

El pronóstico no podía ser menos halagüeño. A pesar de todo, a Maggie la reconfortó estar sentada nuevamente con Robert Sánchez. Era una de las pocas personas del departamento de Estado a la que conocía y, sin duda, el único rostro familiar del equipo estadounidense en Jerusalén. Su repetida designación como número dos había causado sorpresa en Washington; era un superviviente de la administración anterior. La prensa coincidía en que Sánchez estaba allí para llevar de la mano al nuevo secretario de Estado, lo que revelaba la falta de confianza del presidente en la persona a la que había elegido para el cargo. Pero a Maggie aquello no le importarba lo más mínimo. Había trabajado con Sánchez en un par de ocasiones, y eso le había brindado la oportunidad de conocerlo y de confiar en él, cosa rara en aquella profesión. Sánchez había encabezado el equipo estadounidense encargado de la segunda ronda negociadora de los Balcanes, en la que Maggie había participado siendo una novata y había tenido ocasión de observar su paciente y minucioso método de trabajo. Nada de gestos grandilocuentes, nada de filtrar noticias a los medios, sino una tenaz preparación. Entonces y más adelante, cuando se encontraron de nuevo en las negociaciones norte-sur en Sudán, Sánchez había asumido con la mayor naturalidad su papel de mentor.

Desde luego era un personaje peculiar en el paisaje diplomático de Washington. Para empezar, era un verdadero diplomático de carrera, no un generoso mecenas del partido en el poder al que recompensaban con una jugosa embajada. Como profesional de la diplomacia, y no como político designado a dedo, había llegado tan lejos como era posible: nunca alcanzaría el cargo de secretario de Estado. El hecho de que hubiera ascendido hasta el puesto de vicesecretario ya era algo fuera de lo normal.

Más relevante resultaba, al menos para Maggie, que fuera uno de los pocos hispanos que podían encontrarse entre los altos cargos del gobierno. Juntos formaban una pareja poco habitual: el tipo corpulento como un oso, originario de Nuevo México, y la joven alta y delgada de Dublín. Sin embargo, a los ojos de los estirados funcionarios del departamento de Estado, varones y blancos, eran intrusos. Al menos tenían eso en común.

—Lo único bueno es que no estamos en Camp David o en otro sitio —dijo Sánchez—. De ser así, las partes se habrían largado hace tiempo. En estos momentos Government House está prácticamente vacío.

Maggie se obligó a despertar y bebió un buen sorbo de café.

—No me lo digas. Los dos bandos han llamado a sus negociadores para «consultas».

—Exacto.

—¿Y dices que todo empezó con los asesinatos?

—Sí. Primero fue Guttman, luego Nur. Y qué decir de la incursión de Jenín en el kibutz anoche...

—Disculpa, ¿la incursión de Jenín?

—En efecto. Parece que se ha tratado de una célula palestina de Jenín. Cruzaron al otro lado e irrumpieron en Bet Alpha.

—¿Los israelíes están seguros de eso?

—Eso parece. Los terroristas dejaron una pintada en la pared: «No habrá descanso para Bet Alpha hasta que lo haya en Jenín».

—¿Y para los israelíes es motivo suficiente para interrumpir las negociaciones?

—Bueno, todavía no han ido tan lejos.

—Solo han llamado «a consultas» a sus negociadores.

—Exacto. Pero lo que los tiene asustados de verdad es que creían haber cortado los ataques desde Jenín. Sobre todo desde que construyeron el muro...

—Supongo que te refieres a la «barrera de seguridad»... —Maggie sonreía.

—Llámala como quieras. El caso es que hasta el momento ha mantenido a raya los ataques desde Cisjordania. La derecha quiere cargarse a Yariv, lo acusan de haber estado tan ocupado haciendo la pelota a los palestinos que ha dejado al país en una posición de debilidad, y que por eso ahora negocia bajo presión.

—¿Y sabe Yariv cómo consiguieron cruzar?

—Esa es la cuestión, Maggie. Hasta nuestra gente de Inteligencia está perpleja. Los israelíes dicen que han revisado el muro de arriba abajo..., perdón, la barrera, y que no han encontrado nada.

—Entonces, ¿cómo lo hicieron?

Sánchez bajó el tono de voz.

—A los israelíes les preocupa que esto pueda representar una especie de progresión, que quizá los palestinos hayan dado un paso más en materia de sofisticación. Como un aviso.

—¿Y los israelíes han respondido?

—Solo con un comunicado. A menos que cuentes el asesinato de anoche.

—¿Qué asesinato?

—¿No recibiste el mensaje de la CIA?

«Seguro que lo enviaron a las seis de la mañana», pensó Maggie. Cuando los otros integrantes del equipo del departamento de Estado ya estaban despiertos y listos para ponerse manos a la obra, ella seguía durmiendo después de haberse tomado unas copas con...

—Anoche apuñalaron a alguien en Jerusalén Oriental. En el mercado. Un comerciante.

Maggie palideció.

—¿Un comerciante? ¿Qué clase de comerciante?

—Ni idea. Pero escúchame, Maggie: sé que has intentado hablar con los colonos y con al-Shafi para intentar averiguar qué está ocurriendo, pero tenemos que ponernos serios con esto porque parece que los chicos malos de ambos bandos están decididos a hacer descarrilar las negociaciones. Vale, ¡chis!

Maggie se dio la vuelta y vio la razón de que Sánchez hubiera cerrado el pico. Bruce Miller dejaba el bufet del desayuno y se dirigía hacia su mesa. «Mierda.» Quería acabar de oír lo que Sánchez quería decirle, pero sabía que se comportaría impecablemente delante del hombre del presidente. El vicesecretario de Estado se levantó un poco al llegar Miller, como si quisiera reflejar físicamente cuáles eran sus posiciones en la jerarquía de Washington.

—Hola, Bruce. Estaba poniendo rápidamente al día a Maggie Costello.

Ella le ofreció la mano, y él se la estrechó, y la retuvo más de lo necesario. La saludó con un ligero gesto de la cabeza, al estilo de los caballeros sureños.

—El placer es todo mío —dijo.

Maggie se dio cuenta de que aquel pequeño número había permitido a Miller darle un buen repaso y que sus ojos habían recorrido su cuerpo de arriba abajo.

—Bueno —dijo al fin, aparentemente satisfecho con los resultados de su examen—, ¿qué tenemos hasta ahora?

Ella procedió a explicarle por qué creía que había una conexión entre los asesinatos de Guttman y Nur y le contó que estaba utilizando las relaciones que había establecido en ambos bandos para descubrir en qué consistía ese vínculo. (Notó un destello en los ojos de Miller cuando ella dijo «relaciones».) No se sintió capaz de mencionar el anagrama de Nur y se limitó a comentar que estaba convencida de que, fuera cual fuese dicha conexión, explicaría las amenazas que se cernían sobre el proceso de paz.

—¿A qué clase de conexión se refiere, señorita Costello?

—Arqueología.

—¿Cómo ha dicho?

—Tanto Guttman como Nur eran arqueólogos. Creo que incluso habían trabajado juntos. Guttman le contó a su esposa que había visto algo que lo cambiaría todo. Dos días más tarde, murió, y luego también ella.

—La policía dijo que se suicidó, que no consiguió sobreponerse a la muerte de su esposo.

—Sé lo que dijo la policía, señor Miller, pero el hijo de los Guttman está convencido de lo contrario. Y yo le creo.

—¿Trabaja usted muy estrechamente con él, señorita Costello?

Maggie notó que se ruborizaba. «Lo mismo que me ocurrió la última vez», pensó mientras se maldecía. Ella, que era capaz de la mayor discreción durante las negociaciones, que sabía guardar los secretos de cada bando sin desvelar la más pequeña pista, siempre acababa cediendo cuando el asunto no era la desmilitarización de una zona o el acceso a determinados puertos sino ella misma. Entonces se desmoronaba y lo revelaba todo. Eso era precisamente lo que le había ocurrido en el pasado. Y le había costado tan caro que creía que había aprendido a controlarse, pero no. Allí estaba de nuevo, intentando contener el rubor.

—Uri Guttman ha demostrado ser una valiosa fuente.

—¿Arqueología, dice? —Bruce Miller se estaba colocando la servilleta en el cuello de la camisa—. ¿Significa eso que lo de anoche fue una casualidad o qué?

—¿Lo de anoche?

—La incursión en Bet Alpha.

—¿Se refiere al kibutz?

—Sí, es un kibutz, pero también la sede de uno de los grandes tesoros arqueológicos de Israel. Eche un vistazo. —Le entregó la edición en inglés de *Haaretz*—. Página tres.

La mitad de la página estaba ocupada por una fotografía de un cielo nocturno convertido en anaranjado por el resplandor de un edificio ardiendo. El pie de foto lo identificaba como el centro de visitantes del Museo Bet Alpha que «todo apunta que fue el objetivo de una incursión palestina».

En un recuadro interior había una foto más pequeña donde aparecía un precioso mosaico dividido en tres paneles y cuya sección central mostraba el dibujo de una rueda. El pie de foto explicaba que se trataba del suelo de mosaico de la sinagoga más antigua de Israel y que databa del período Bizantino del siglo V o VI. «Preservado durante 1500 años, los expertos dudan de que pueda restaurarse.»

Mientras Maggie leía, Miller se había vuelto hacia Sánchez para discutir los siguientes movimientos. Estaban de acuerdo en que no tenía sentido que el secretario de Estado interviniera mientras las partes negociadoras no estuvieran dispuestas a hablar. Más valía reservar su intervención para la fase final y...

—Es demasiada coincidencia —intervino Maggie, consciente de que estaba interrumpiendo a dos superiores.

—¿Bet Alpha?

—Sí. Hasta el momento, los perjudicados de ambos bandos, desde el repentino empeoramiento de la situación, tienen algo que ver con todo esto —dijo señalando la foto del periódico—, con la arqueología, con ruinas, con el pasado.

Miller la miró con una sonrisa en los labios, como si Maggie le hiciera gracia.

—¿Cree que estamos ante un problema de fantasmas? ¿Que los espíritus del pasado se aparecen en el presente? —Movió las dos manos como si se le pusieran los pelos de punta.

Maggie prefirió hacer caso omiso del comentario.

—Todavía no sé de qué se trata, pero estoy segura de que explica la razón de que las negociaciones se hayan enfriado.

—Sea realista, señorita Costello. Todo en este jodido país... —De repente cayó en la cuenta de dónde estaba y bajó la voz—. Todo en este país está relacionado con esto. —Cogió el periódico y mostró la página con la foto del museo quemado—. Aquí todo son piedras y templos. Esa es la maldita cuestión, que no explica nada. Nos enfrentamos a un problema político serio que requiere una solución política seria. Y lo que yo necesito es que usted demuestre que está a la altura de su reputación de cinco estrellas y arregle las cosas ya. ¿Me he expresado con claridad, señorita Costello?

Maggie se disponía a insistir en que no perdía el tiempo y que esa conexión existía, cuando sonó un zumbido. La BlackBerry de Miller anunciaba un nuevo mensaje.

—La policía israelí acaba de confirmar el nombre de la persona que fue asesinada anoche en el mercado.

—Apuesto a que era un comerciante de antigüedades, ¿a que sí, señor Miller?

Él acabó de leer el mensaje.

—Me temo que se equivoca, señorita Costello. Según parece, el fallecido era un comerciante de fruta y verdura. Nada de antigüedades. Un simple tendero. Se llamaba Afif Aweida.

30

Jerusalén, el jueves anterior

A Shimon Guttman le temblaba la mano cuando metió la llave en la cerradura. El trayecto de regreso a casa había transcurrido en la confusión mientras que su mente pasaba de la excitación al sobresalto. En todos los años que llevaba en Jerusalén, nunca había temido que le robaran, pero ese día miraba sin cesar por encima del hombro y observaba con ojos suspicaces a todo el mundo. Se imaginaba la tragedia: un desaprensivo lo abordaba en plena calle y le exigía que vaciara los bolsillos. No podía permitir que le ocurriera tal cosa. No ese día ni con aquello en la mano.

—¡Estoy en casa! —avisó al entrar, rogando que no hubiera respuesta, rezando para estar solo.

—¿Eres tú, Shimon? —Su esposa.

—Sí. Voy un momento a mi estudio. No tardo.

—¿Ya has comido?

Shimon hizo caso omiso a la pregunta que le habían formulado, fue directo a su escritorio y cerró la puerta. Con el brazo apartó a un lado un montón de trastos —una cámara de vídeo, una grabadora digital y una pila de papeles— para despejar el escritorio. Lentamente, sacó la tablilla que Afif Aweida le había dado una hora antes. Durante la última parte del camino de regreso la había mantenido envuelta en un pañuelo para evitar que entrara en contacto con el sudor de su mano.

Mientras la desenvolvía y volvía a leer aquellas pocas palabras, sitió un estremecimiento de expectación. En el mercado solo le había dado tiempo de descifrar el comienzo de la inscripción. El resto seguía envuelto en el misterio. Para descifrar el texto completo tendría que examinarlo muy de cerca y recurrir a sus libros de consulta más antiguos. Le llevaría toda una noche de trabajo.

La idea le emocionó. No se había sentido así desde... ¿cuándo? ¿Desde su trabajo en el yacimiento de Bet Alpha, donde había descubierto las casas adyacentes a la sinagoga que demostraban la existencia de un asentamiento judío del período bizantino? ¿Desde sus trabajos en Masada, siendo estudiante de Yigal Yadin? No, el júbilo que sentía era muy diferente. Lo que más se le parecía, aunque le avergonzaba reconocerlo, era el momento en que, siendo un tímido muchacho de dieciséis años, perdió la virginidad con Orna, la belleza de diecinueve años del kibutz. Igual que entonces, la emoción que lo embargaba era casi explosiva.

«Yo Abraham, hijo de Terach...»

Estaba impaciente por averiguar lo que decía, pero sentía un nudo en las tripas. ¿Y si estaba equivocado? ¿Qué pasaría si ese resultaba ser un caso de identidad errónea?

Intentó tranquilizarse. Se levantó, dio una vuelta por el despacho estirando los brazos y masajeándose las sienes y volvió a sentarse. Lo primero era confirmar que aquellas eran realmente las palabras de Abraham; su significado podía esperar. Respiró hondo y se puso manos a la obra.

El texto estaba escrito en babilonio antiguo. Eso encajaba: era el dialecto que se hablaba dieciocho siglos antes de Cristo, en la época en que se creía que había vivido Abraham. Volvió a examinar el texto. Su autor decía que el nombre de su padre era Terach e identificaba a sus hijos como Isaac e Ismael.

Cabía la posibilidad de que hubiera otros Abraham que fueran hijos de Terach, incluso que hubieran vivido en la misma época y lugar. Esos otros Abraham podrían haber tenido dos hijos. Pero ¿dos hijos que se llamaran precisamente Isaac e Ismael? Eso ya era demasiada coincidencia. «Tiene que tratarse de él.»

La puerta se abrió. Instintivamente, Shimon cubrió la tablilla con la mano.

—Hola, *chamoudi*. No esperaba que volvieras. ¿No se suponía que tenías que estar con Shapira?

«Mierda. La reunión.»

—Sí, se suponía. Ahora lo llamo.

—¿Qué ocurre, Shimon? Estás sudando.

—Es que fuera hace calor, y he corrido.

—¿Por qué?

—¿A qué vienen tantas preguntas? —exclamó—. ¡Déjame solo, mujer! ¿No ves que estoy trabajando?

—¿Qué tienes en la mesa?

—¡Rachel!

Ella salió dando un portazo.

Intentó calmarse y volvió al texto. Siguió con la vista la línea donde el autor mencionaba Ur como su lugar de nacimiento, la ciudad de Mesopotamia donde Abraham había nacido. Vio el sello en el reverso de la tablilla, en el espacio entre el texto y la fecha, abajo de todo, y se repetía en otra esquina y en los bordes. No lo habían hecho con un cilindro, el tipo de sello utilizado por los reyes y los nobles y que consistía en un fragmento de piedra redondo y tallado que se hacía rodar sobre la blanda arcilla. Tampoco era la serie de incisiones en forma de media luna efectuadas en el barro por la uña del firmante. No. Se trataba de una marca mucho menos frecuente, Guttman la reconoció al instante y se emocionó profundamente.

Se trataba de una forma toscamente circular compuesta por una serie de líneas entrecruzadas. Shimon solo la había visto un par de veces, una de ellas en una fotografía. Era el resultado de presionar en la arcilla el nudo de los flecos de una prenda masculina, el tipo de prenda que llevaban los hombres de Mesopotamia en la época de Abraham. Aquellas prendas con flecos habían desaparecido a lo largo de la historia, salvo una excepción: la estola de oración de los judíos. Shimon solo tenía que salir a la calle y buscar a un judío ortodoxo, esperando el autobús o comprando el periódico, que llevara la misma prenda casi cuatro mil años después. Y allí estaba la misma marca, profundamente impresa por Abraham, el hijo de Terach.

Al margen de lo que dijera el mensaje, la importancia de aquella tablilla, de apenas unos diez centímetros de alto por ocho de ancho y uno y medio de grosor, no podía sobreestimarse. Sería la primera evidencia arqueológica significativa de la Biblia que se descubría. Estaba el Obelisco Negro de Salmanasar III, que se exhibía en el Museo Británico junto a las momias y los faraones. Una de las cinco escenas que aparecían en el obelisco mostraba al rey judío Jehu rindiendo pleitesía al monarca asirio. Jehu figuraba entre los personajes de la Biblia, y ese obelisco, hallado hacia el siglo XIX por Henry Layard, corroboraba su existencia.

Pero Jehu era un personaje secundario en la gran historia bíblica. De sus protagonistas principales, desde los patriarcas hasta Moisés y Josué, no había la menor constancia arqueológica. Al menos hasta ese instante. Ante sus ojos tenía la prueba material de la existencia del más importante de los antepasados.

Sin duda, parecía demasiado bueno para que fuera verdad. ¿Y si la tablilla era falsa? Recordó el gran escándalo que había estremecido a los eruditos e historiadores de todo el mundo y que él y sus amigos habían seguido con una mezcla de horror y fascinación. En 1983, el historiador británico Hugh Trevor-Roper declaró genuinos unos diarios de Hitler y pagó por ello con su reputación. Su error fue muy sencillo: quiso creer que eran auténticos. En esos momentos, sentado en su casa de Jerusalén, Guttman comprendía cómo había tenido que sentirse Trevor-Roper, porque él también deseaba desesperadamente que aquella tablilla fuera lo que parecía.

Observó la arcilla marrón-rojiza, precisamente del tipo que cualquier especialista atribuiría al Irak de aquel período. Estaba agrietada y gastada, y tenía el aspecto que solían tener las piezas de esa época. Se acercó la tablilla a los ojos. El ángulo de las inscripciones cuneiformes y todos los caracteres silábicos eran como debían ser. Y también las palabras. Las frases y su formulación encajaban con el período histórico. «Ante los jueces...» En todo el mundo solo había media docena de personas capaces de falsificar un objeto con tanta precisión, y él, Guttman, era una de ellas.

Pero una falsificación no tenía sentido. Trevor-Roper se había pillado los dedos con los diarios de Hitler porque había pasado por alto el elemento esencial: alguien se los había llevado para que ratificara su autenticidad. Una gran fortuna dependía de su veredicto. El riesgo de una estafa siempre estaba ahí.

Pero aquella tablilla no era lo mismo. Nadie había acudido a él intentando colocársela como el testamento de Abraham. Había sido más bien al contrario: él la había encontrado. De no haber sido por su impulsiva visita a Aweida, la tablilla seguiría en el mercado, en una estantería, esperando que algún coleccionista desconocido la comprara. Una sonrisa cruzó el rostro de Guttman. La lógica estaba de su lado.

Para creer que era una falsificación, tenías que creer en una serie de supuestos a cual más fantasioso: que alguien se había tomado la molestia y había corrido con los gastos de grabar una tablilla de arcilla para que pareciera una reliquia mesopotámica de cuatro mil años de antigüedad; que entonces el falsificador había puesto esa mercancía en manos de un comerciante de antigüedades con la esperanza de que el destino llevara hasta su tienda a uno de los pocos expertos mundiales en escritura cuneiforme; que dicho experto la vería entre todos los demás objetos de la tienda, la cogería y que comprendería su significado. Y todo eso para qué. ¿Qué ganaría con eso el falsificador? Dinero no, desde luego, pues Guttman no había pagado nada al comerciante, que por su parte no tenía ni idea de lo que estaba entregando. No, si fuera una falsificación, el falsificador la habría llevado personalmente a Guttman y habría pedido millones de dólares.

La fría y racional verdad decía que tenía más sentido creer que la tablilla era auténtica que pensar lo contrario. La lógica respaldaba lo primero y no lo segundo. Tenía que ser genuina.

La mente le funcionaba a toda velocidad. ¿Cómo era posible que hubiera llegado hasta allí? Estaba claro que había aparecido en Jerusalén como resultado del imparable flujo de antigüedades que salía de Irak desde la caída de Saddam. Si lo había hecho vía Beirut, Ammán o Damasco, poco importaba. Tampoco había manera de saber si había sido hallada recientemente o robada de alguna colección, incluso de algún museo. Quizá las autoridades del régimen de Saddam la habían escondido o quizá nunca habían llegado a comprender su verdadero significado.

Lo que fascinaba a Guttman era el recorrido anterior de la tablilla. Había sido escrita en Hebrón, el lugar donde Abraham estaba enterrado, un lugar tan sagrado para el judaísmo que Guttman y sus colegas radicales habían decidido restaurar la presencia judía en él poco después de 1967. ¿Significaba eso que Abraham había vivido sus últimos días en Hebrón? Sus dos hijos habían participado en el entierro, pero ¿acaso la tablilla daba a entender que los dos herederos habían protagonizado una escena en el lecho de muerte del padre? ¿Se había producido una disputa que el patriarca había intentado zanjar?

Guttman se preguntaba cómo era posible que la tablilla hubiera regresado a la tierra natal de Abraham, Mesopotamia. Quizá alguno de sus hijos la había devuelto allí. En la Biblia no mencionaba que Isaac hubiera regresado a Ur, pero quizá lo había hecho Ismael, para ver la tierra donde había empezado todo.

Guttman comprendió que aquello podía convertirse en la labor de su vida. Traducir la tablilla, descifrar su historia y exhibirla en los museos más importantes del mundo. Su nombre quedaría consagrado para la eternidad. Se conocería como la tablilla Guttman, saldría en televisión, recibiría homenajes en el Museo Británico, lo agasajarían en la Smithsonian. Los académicos de todo el mundo repetirían una y otra vez cómo había encontrado el documento fundacional de la civilización humana en un mercado callejero una calurosa tarde en Jerusalén.

Aquel pequeño y silencioso objeto le estaba enseñando algo inesperado sobre sí mismo. Se daba cuenta de que, a pesar de sus años de activismo político, seguía siendo ante todo arqueólogo. El simple descubrimiento de la tablilla, al margen de su significado final, lo emocionaba como erudito. Era la conexión con Abraham, la noción de que, al igual que aquellos telescopios de Nuevo México, había establecido contacto con un mundo muy lejano, lo que lo fascinaba más que cualquier otra cosa.

Sin embargo, no podía acallar sin más la otra voz de su cabeza, la del activista político. Le había estado llamando desde el principio, desesperada por conocer el exacto significado de aquel mensaje, y en esos momentos hervía de impaciencia. Guttman se levantó a buscar los cuatro libros clave que necesitaba para descifrar la escritura cuneiforme y entonces se puso a trabajar.

> Yo, Abraham, hijo de Terach, ante los jueces doy testimonio de lo siguiente. La tierra adonde llevé a mi hijo para sacrificar-

> lo al Altísimo, el monte Moria, esa tierra se ha convertido en fuente de discordia entre mis dos hijos, de cuyos nombres dejo constancia: Isaac e Ismael. Así pues, ante los jueces declaro que el monte sea legado como sigue...

Guttman no pudo evitar sentirse nuevamente abrumado. Allí estaba Abraham refiriéndose a uno de los episodios determinantes de la cultura del mundo, el *akeda*, cuando el gran patriarca llevó a su hijo al monte Moria para sacrificarlo al dios del que se había convertido en el primer creyente. Durante siglos los judíos se habían esforzado por comprender qué clase de padre era capaz de matar a su propio hijo y qué clase de dios podía exigirle semejante cosa. Pero no cabía duda, Abraham había estado dispuesto a hacerlo: levantó la espada y solo se detuvo porque se le apareció un ángel para comunicarle que, después de todo, Dios no le pedía que sacrificara a su hijo. Ese momento vincularía para siempre a Abraham y a Isaac y a sus hijos con Dios, sellando el pacto de Dios con los judíos. Ahí tenía una prueba textual de aquel episodio. Pero no era eso lo que aturdía a Guttman. Volvió a leer las palabras, sílaba a sílaba, por si había cometido algún error.

> El monte Moria, esa tierra se ha convertido en fuente de discordia entre mis dos hijos, de cuyos nombres dejo constancia: Isaac e Ismael.

Monte Moria. El Monte del Templo, el lugar más sagrado del judaísmo. La tradición sostenía que ese lugar, donde el ángel había salvado a Isaac, era el centro del mundo, la piedra angular sobre la que se había construido el universo. Los judíos de la antigüedad habían levantado allí su templo y, cuando fue destruido por los babilonios, volvieron a levantarlo. En esos momentos, todo lo que quedaba de él era el Muro Occidental, pero el lugar seguía siendo el centro espiritual de la fe judía.

Sin embargo, el monte Moria también era un lugar sagrado para los musulmanes, que remontaban su ascendencia a Ismael. Para ellos era Haram al-Sharif, el Noble Santuario, el lugar donde Mahoma había ascendido a los cielos en su caballo alado. Después de La Meca y de Medina, Haram era el lugar más sagrado del islam.

> ...esa tierra se ha convertido en fuente de discordia entre mis dos hijos, de cuyos nombres dejo constancia: Isaac e Ismael. Así pues, ante los jueces declaro que el monte sea legado como sigue...

En ese punto los caracteres resultaban más borrosos, como si la inscripción fuera menos profunda. Guttman abrió un cajón de la mesa y sacó una lupa. Algunas formas eran nuevas y requerían que las comprobara con otros textos y buscara las repeticiones que quizá sugirieran un uso específicamente local. Transcurridas más de dos horas, lo había logrado.

Guttman se aferró entonces al escritorio. Necesitaba notar la solidez de la madera, su materialidad. La enormidad de aquellas palabras saltaba a la vista. Olvidadas quedaban la fama y la gloria de un descubrimiento sin precedentes: lo que tenía delante iba a cambiarlo todo. La gente había luchado durante milenios por el control de aquel lugar sagrado creyendo ser los hijos de Abraham. A lo largo de distintas épocas, judíos, musulmanes y cristianos lo habían reclamado como propio en la creencia de ser sus legítimos herederos. Y en ese momento, él, Shimon Guttman, estaba en posesión del documento que zanjaría la cuestión para siempre. Todos los que se consideraban descendientes de Isaac e Ismael, judíos y musulmanes, se veían obligados a atenerse a aquel mensaje, a las palabras del gran padre. Aquello lo cambiaría.

Buscó frenéticamente el teléfono y entonces se dio cuenta de que no sabía de memoria el número de teléfono que debía marcar. Conectó el ordenador y lo buscó a toda prisa en internet. Buscó la página de contactos y marcó.

—Soy el profesor Shimon Guttman —dijo con voz ahogada—. Tengo que hablar con el primer ministro.

31

Ramallah, Cisjordania, jueves, 8.30 h

Jalil al-Shafi sabía que en realidad aquella solo era una reunión a medias. Lo acompañaban el jefe de la guardia presidencial y los responsables de otros tres cuerpos de seguridad, pero los líderes del ala militar de Hamas no estaban, ni tampoco los responsables de la policía de Gaza. Aquella mañana había bromeado con su esposa diciéndole que si eso era un gobierno de unión nacional, no le gustaría ver uno de desunión nacional.

Mientras estaba en la cárcel había pasado años planeando y diseñando una estrategia para cuando llegara ese momento. Había previsto cualquier movimiento de los israelíes y preparado distintas respuestas. Y para cada una de ellas había pensado las posibles reacciones de los israelíes, calculando por adelantado cuál sería la mejor estrategia para los palestinos. Estaba convencido de que si le abriesen la cabeza y mirasen dentro, encontrarían dentro un esquema más complicado que un circuito electrónico del transbordador espacial.

Sin embargo, no había tenido suficientemente en cuenta la persistencia de las disensiones entre los palestinos. Había dado por hecho que cuando llegara el momento de sentarse a negociar de verdad habría un único líder palestino. Había creído que su liberación se había hecho realidad gracias a que los palestinos habían formado un solo frente. Pero lo que habían hecho era apañar una especie de coalición, y eso no era lo mismo.

Había cometido otro error durante su larga estancia en la cárcel de Ketziot, confinado en una celda que no medía más de un metro ochenta por metro veinte durante veintitrés horas al día. Había imaginado que en las últimas fases de las negociaciones habría estallidos de violencia por ambos bandos. Siempre habría partidarios de la línea dura dispuestos a sabotear cualquier avance cometiendo las atrocidades que consideraran necesarias. Había ocurrido en los procesos de paz del mundo entero. Y al-Shafi lo sabía porque los había estudiado al detalle.

Pero no estaba preparado para ataques que nadie reivindicaba y que nadie sabía explicar. Se volvió hacia Faisal Amiri, el jefe de la organización palestina que más se parecía a una agencia de inteligencia.

—¿Cómo es posible que ese ataque se organizara desde Jenín? Eso está lejos, ¿no?

—Está lejos, señor, pero si un comando consiguiera saltar el muro...

—Pero en ese caso lo sabríamos, ¿no es así?

—Tal vez lo sepan otros —dijo Toubi, un veterano de las antiguas luchas dentro de la OLP que odiaba a Hamas con toda su alma.

—El problema es que no parece propio de ellos —repuso Amiri—. Una incursión rápida, entrar y salir. No es su estilo.

—Sin mártires —añadió Toubi—. Estoy de acuerdo en que no encaja. Si quisieran hacer saltar por los aires las negociaciones habrían volado un autobús con uno de ellos dentro en pleno centro de Jerusalén.

—¿Elementos incontrolados? —preguntó al-Shafi.

—Eso no estaría mal, ¿verdad?, que nuestros amigos de Hamas estuvieran perdiendo su legendaria disciplina —comentó Toubi, demasiado sonriente para el gusto de Jalil.

—No lo creo —contestó Amiri—. Hasta el momento se han

mantenido notablemente unidos. El buró político de Damasco ha decidido que estas negociaciones tienen que salir adelante, que debemos llegar a un acuerdo y después obligar a los israelíes a cumplirlo. Esa es la decisión estratégica que han tomado.

—¿Y sin Damasco no hay nada que los elementos descontrolados puedan hacer?

—Así es, señor al-Shafi. Sencillamente carecen del entrenamiento, el equipo y el dinero necesarios. No tienen nada.

—¿Y la Yihad?

—Nos hemos hecho muchas preguntas sobre la Yihad islámica, pero tenemos una fuente muy fiable ahí dentro y dice que están tan sorprendidos por esto como nosotros.

—¿Y qué me dicen del objetivo?

—Eso es lo más extraño de todo. Si lo que buscaban era cobrarse vidas, habrían ido directamente contra el kibutz y sus zonas residenciales. Sin embargo, fueron al museo, donde solo mataron a una persona.

Toubi asintió.

—Ni siquiera tenían por qué haber ido allí. Una vez hubieran saltado el muro, podrían haber dado el golpe en Magen Shaul. ¿Por qué recorrieron todo el camino hasta Bet Alpha?

—Yo sé por qué —repuso al-Shafi, que se había levantado de la mesa y se acercaba a un tablero de ajedrez que tenía en un rincón del despacho.

Era un recuerdo de sus días en la cárcel. Jugaba partidas enteras mentalmente, moviendo tanto negras como blancas; algunas duraban días enteros. Aquello lo había ayudado a no perder la cabeza durante los períodos de encierro en solitario. Últimamente siempre tenía una partida en marcha.

—En Bet Alpha hay un yacimiento arqueológico —prosiguió—. Se trata de los restos de una sinagoga que tiene mil quinientos años de antigüedad. A los sionistas les encanta porque según ellos demuestra que llevan tanto tiempo aquí como nosotros. Su destrucción significa una prueba menos.

—No lo dirá en serio.

—¿Y por qué no? ¿De qué otra cosa cree que hablan todo el día en Government House los del grupo negociador israelí? —Seguía con la mirada clavada en el alfil blanco que sostenía sobre la torre negra—. Todo se reduce a esto.

Capturó la torre, puso el alfil en su lugar y volvió a su mesa.

—No le entiendo.

—Todo se reduce al pasado. Todo se reduce a quién estaba aquí antes, quién tiene más derecho a reclamar. ¿Saben qué fue lo que llevó de cabeza a los israelíes durante Camp David en el año 2000?

Toubi se movió en su asiento, incómodo. No le gustaba que alguien más joven lo sermoneara.

—Un comentario de Arafat que los ponía de los nervios. Arafat negaba categóricamente que alguna vez hubiera habido un templo judío en Jerusalén. «¿Cómo puede ser eso el Monte del Templo? —decía—. ¿Por qué lo llaman el Monte del Templo? Aquí no había ningún templo, ¡estaba en Nablus!»

—¿Y qué tiene eso que ver con Bet Alpha?

—Es lo mismo. Un intento, mientras nosotros negociamos quién se queda con qué, de debilitar los argumentos del otro bando, de inclinar la balanza en nuestro favor. «Mirad, un yacimiento arqueológico judío menos. ¡Quizá nunca existió!»

—Eso es una locura.

—Es una locura. Pero creo que a algún palestino se le metió en la cabeza hacernos un favor y quiso echarnos una mano.

—No puedo creerlo.

—¿Tiene alguna explicación mejor?

Se hizo un silencio que finalmente rompió Amiri.

—Además está lo del comerciante, ese tal Aweida, muerto a cuchilladas en Jerusalén.

—¿Qué puede decirme de eso?

—Poca cosa. Según parece había una nota en hebreo prendida en el cuerpo. Una página de la Torá. Y la radio del ejército está informando de que un grupo que nadie conoce, los Defensores de Israel Unido, ha reivindicado su autoría.

—¿Colonos?

—Podría ser.

Al-Shafi se acarició el mentón y se rascó la barba.

—En ese caso, Yariv estará sudando la gota gorda en estos momentos.

Toubi intervino:

—Siempre creyeron que el *Machteret* acabaría reapareciendo.

Machteret, el movimiento clandestino. Toubi, como al-Shafi, había aprendido hebreo en una cárcel israelí.

—Si es así, intentarán matarnos a nosotros, pero es a él a quien quieren hacer daño.

—¿Qué quiere que hagamos, señor al-Shafi? —Amiri había conseguido sobrevivir a un grupo de ideólogos manteniendo siempre una visión práctica de las cosas.

—Quiero que averigüe todo lo que pueda de ese incidente en Bet Alpha. Peine los diarios israelíes, lea a los corresponsales militares, cualquier cosa que filtre el ejército. Siempre lo hace. Y averigüe qué sabe la gente de aquí sobre Afif Aweida. Según me han dicho, tiene parientes en Belén. Hable con ellos. Fue una víctima elegida al azar o hay una razón para que un puñado de fanáticos israelíes hayan asesinado a un simple tendero.

—¿Algo más?

—Sí. Quiero saber qué se trae entre manos esa mujer estadounidense, Costello. Me llamó con más preguntas sobre Ahmed Nur. Tenemos al menos tres asesinatos misteriosos. Y si no descubrimos qué está ocurriendo, habrá más. Morirán más palestinos y desaparecerá la mejor oportunidad que hemos tenido y tendremos de lograr nuestra independencia. Creo que saben qué tienen que hacer.

32

Jerusalén Oriental, jueves, 9.40 h

Por segunda vez en una semana, entraba en una casa sumida en el luto. Para ella se trataba de una novedad, aunque sabía que era algo normal en el repertorio de los mediadores. Durante una semana crítica en las conversaciones de paz en Irlanda del Norte, dos jóvenes, buenos amigos, uno protestante y el otro católico, habían sido asesinados a tiros en un bar. Sus muertes tenían como objetivo interrumpir las negociaciones de paz, pero acabaron produciendo el resultado contrario porque recordaron a todos lo hartos que estaban de aquella guerra. Los miembros de los equipos negociadores fueron a visitar a las destrozadas familias y salieron más decididos que nunca a seguir adelante. Maggie lo recordaba perfectamente: había seguido las noticias en una vieja radio de onda corta desde lo más profundo de Sudán. Y cuando por fin Londres y Dublín anunciaron la firma de los acuerdos de paz del Viernes Santo, se sentó en su tienda y las lágrimas se deslizaron por sus mejillas.

Sin embargo, los asesinatos de Jerusalén carecían de la claridad moral de los de Belfast. A decir verdad, carecían de ninguna puñetera claridad. Shimon Guttman pudo ser abatido de un tiro simplemente porque con su actitud pareció amenazar la vida del primer ministro. Ahmed Nur tal vez era un colaboracionista y lo ejecutaron por ese crimen. Rachel Guttman quizá se suicidó, y el kibutz del norte pudo haber sido incendiado por una panda de adolescentes palestinos resentidos. Solo el asesinato de Afif Aweida, que había sido reivindicado por un grupo marginal, parecía un claro intento de sabotear las conversaciones de paz. Aun así, nadie podía estar seguro.

Así pues, la visita de Maggie a casa de los Aweida no tenía la misma carga emocional que la realizada en Belfast años atrás. Ella no estaba allí para condolerse por la muerte de dos amigos, uno judío y el otro árabe, abatidos mientras tomaban una copa juntos. Lo cierto era que no estaba allí para condolerse de nada, sino para intentar averiguar qué demonios estaba ocurriendo.

Tal como esperaba, la casa estaba llena de gente y de ruido. Un agudo lamento se alzaba y remitía igual que una ola. Enseguida vio de dónde provenía: un grupo de mujeres apiñadas alrededor de una anciana envuelta en vestiduras negras bordadas y sin formas. Su rostro parecía arrasado por las lágrimas.

Ante Maggie se fue abriendo un paso a medida que avanzaba entre los dolientes. Había mujeres que se frotaban constantemente las mejillas, como si quisieran quitarse de la cara una suciedad que se resistía a desaparecer; otras estaban agachadas y golpeaban el suelo con las manos. Era una escena de abyecto dolor.

Al fin, Maggie llegó al fondo de la habitación, donde encontró a una mujer de más o menos su misma edad y vestida con ropa sencilla al estilo occidental. No lloraba; parecía sumida en el silencio del aturdimiento.

—Señora Aweida...

La mujer no dijo nada y siguió con la mirada perdida en la distancia. Sus ojos parecían vacíos de toda emoción.

—Señora Aweida, soy de un equipo de negociadores internacionales que está en Jerusalén para traer la paz. —Intuyó que era mejor no pronunciar la palabra «estadounidense» en aquel lugar—. He venido para presentarle mis respetos por su difunto marido y acompañarle en el sentimiento por tan terrible pérdida.

La mujer siguió con la misma mirada inexpresiva; parecía hacer caso omiso de las palabras de Maggie y del ruido que reinaba en la estancia. Maggie permaneció allí unos instantes agachada y mirando a la viuda. Le cogió una mano y se la estrechó, y luego se levantó para marcharse. No quería ser una intrusa.

Un hombre apareció entonces y se la llevó aparte.

—Gracias —dijo—. Nosotros agradecer Estados Unidos. Gracias por venir.

Maggie asintió y le dedicó una media sonrisa, pero el hombre no había terminado de hablar.

—Era un hombre sencillo. Vendía tomates, zanahorias, manzanas. No mata a nadie.

—Sí, lo sé. Es una tragedia lo ocurrido a su...

—Mi primo. Yo soy Sari Aweida.

—Dígame, ¿usted también trabaja en el mercado?

—Sí, sí. Todos nosotros trabajamos en mercado. Hace muchos años, muchos.

—¿Y qué hace usted?

—Vendo carne. Soy carnicero. Y mi hermano vender pañuelos para cabeza, *kefiya*s. ¿Sabe qué es una *kefiya*?

—Sí, lo sé. Dígame, ¿todos ustedes se llaman Aweida?

—Sí, claro. Todos somos Aweida. La familia Aweida.

—¿Y hay alguien de su familia que se dedique a vender objetos antiguos, ya sabe, piedras, vasijas, antigüedades?

El hombre parecía perplejo.

—Tal vez joyas... —preguntó Maggie.

—¡Ah, joyas! Entiendo. Sí, sí. Mi primo vender joyas.

—¿Y antigüedades?

—Sí, sí. Antigüedades. Él vender en el mercado.

—¿Puedo verlo?

—Claro. Vivir cerca de aquí.

—Gracias, Sari. —Maggie sonrió—. ¿Cómo se llama?

—También Afif. Afif Aweida.

33

Jerusalén, jueves, 10.05 h

Mientras caminaban por las estrechas calles de la misma pálida piedra que el resto de Jerusalén, Maggie comprendió que ningún miembro de la familia sospechaba que el Afif Aweida que se disponían a enterrar había sido víctima de un caso de error de identidad. Si aquel era un asesinato al azar, no cabría la posibilidad de que los asesinos se hubieran equivocado de persona.

Pero no había sido un asesinato al azar. Maggie estaba segura de eso. Cogió el móvil para marcar el número de Uri y vio que había recibido un mensaje de texto mientras estaba en casa de los Aweida. Era de Edward. Seguramente lo había enviado en plena noche.

Tenemos que hablar de lo que hay que hacer con tus cosas. E.

Sari Aweida vio la expresión del rostro de Maggie, el ceño fruncido, y dijo:

—No preocupes, Maggie. Ya muy cerca.

Borró el mensaje de Edward sin molestarse en responder y apretó la tecla verde para que apareciera el último número que había marcado.

—¿Uri? Escucha, Afif Aweida está vivo. Me refiero a que hay otro Afif Aweida. Es un marchante de antigüedades. Tiene que ser él. Deben de haberse equivocado de hombre.

—Más despacio, Maggie. No te sigo.

—Vale. En estos momentos me dirijo a ver a Afif Aweida. Estoy segura de que es el hombre que tu padre mencionó por teléfono a Baruch Kishon. Vende antigüedades. Es demasiada coincidencia. Te llamaré luego.

Como la mayoría de la gente que habla por el móvil mientras camina, Maggie avanzaba con la cabeza agachada. Cuando se irguió, no vio a Sari por ninguna parte. Caminaba tan deprisa que no se había dado cuenta de que la había dejado atrás. Maggie se detuvo y contempló el laberinto de callejuelas que la rodeaba, con sus vueltas y recodos cada pocos metros, y comprendió que Sari podía haberse metido por cualquiera de ellos.

Siguió adelante un poco más y se asomó a su izquierda, a un callejón tan estrecho que estaba oscuro a pesar de que era de día. Un cable para tender la ropa lo cruzaba de un lado a otro. A lo lejos vio a dos niños —chicos, supuso— que jugaban al fútbol con una lata vacía. Podría llegar hasta allí y preguntarle a su madre...

De repente notó que tiraban de ella hacia atrás con tanta violencia que creyó que le arrancaban la cabeza. Una mano enguantada le cubrió los ojos y otra, la boca, ahogando su grito, que le sonó como si fuera de otra persona.

A pesar de tener los ojos y la boca tapados, notó que la arrastraban hacia atrás y la empujaban contra una pared. Los cantos de piedra se le clavaron en la columna vertebral. La mano que le tapaba la boca descendió y le rodeó la garganta igual que un cepo. Se oyó soltar un grito ahogado.

La mano que le cubría los ojos se alzó durante un segundo, pero Maggie solo vio oscuridad. Entonces oyó una voz, justo delante de ella, un rostro cubierto por un pasamontañas negro. Le hablaba desde muy cerca, casi rozándola con los labios.

—Manténgase al margen. ¿Lo ha entendido?

—Yo no...

La mano de la garganta apretó con más fuerza, hasta obligarla a jadear en busca de aire. La estaban estrangulando.

—Manténgase al margen.

—¿Al margen de qué? —consiguió decir.

La mano se apartó de la garganta. El encapuchado le agarró los hombros con ambas manos, la atrajo hacia sí y volvió a lanzarla con fuerza contra el muro.

El dolor la traspasó de arriba abajo, empezando por la cabeza. Se preguntó si se habría roto la columna. Quería doblarse por la mitad, pero el hombre seguía sujetándola como si fuera una muñeca que se desmadejaría si la soltaba.

De repente, Maggie oyó otra voz que le susurraba en el oído izquierdo. Por un instante la invadió la confusión. El pasamontañas negro seguía ante ella, a escasos centímetros de su cara. ¿Cómo podía ser que al mismo tiempo le hablara en el oído izquierdo? Entonces lo comprendió: un segundo hombre, invisible en las sombras, la sujetaba contra la pared desde un lado.

—Ya sabe a qué nos referimos, Maggie Costello.

La voz era extraña, indeterminada. Sonaba extranjera, pero Maggie era incapaz de decir de dónde. ¿De Oriente Próximo? ¿De Europa? ¿Y cuántos hombres había? ¿Había un tercero al que no había visto? La sorpresa del ataque y la oscuridad la habían desorientado por completo. Era como si se hubiera producido un cortocircuito en sus sentidos, y no estaba segura de dónde procedía el dolor.

Notó que una mano le apretaba el muslo.

—¿Me oye, Maggie?

El corazón le latía desbocado, toda ella se retorcía en una inútil resistencia. Intentaba averiguar qué clase de voz era aquella —¿árabe?, ¿israelí?— cuando notó una sensación que hizo que le flaquearan las piernas. El aliento en su oído se había convertido en algo húmedo y caliente: una lengua hurgaba en su oreja. Dejó escapar un grito, pero la mano le selló la boca de nuevo. La otra mano, la que le aferraba el muslo, relajó la presión y se deslizó hacia arriba... hasta posarse con fuerza en su entrepierna.

Las lágrimas le inundaron los ojos. Intentó lanzar una patada, pero el primer hombre la tenía aprisionada y apenas pudo mover las piernas. La mano seguía apretando, la tenía cogida por la entrepierna como aferraría las pelotas de un hombre al que quisiera infligir el máximo dolor.

—¿Le gusta esto, Maggie Costello? —La voz, con su esquivo acento, sonaba caliente y húmeda en su oído. Podría ser árabe, podría ser israelí, podría no ser ninguna de las dos cosas—. ¿No? ¿No le gusta? —Notó que la cara y la lengua se apartaban un poco—. Entonces, ¡no meta las narices! —El primer hombre le soltó los hombros y la tiró al suelo—. De lo contrario, volveremos por más.

34

Jerusalén, jueves, 11.05 h

La tradición mandaba que esa hora se reservara para el fórum, la reunión informal de los asesores del gabinete que habían acompañado a Yariv desde que, tres décadas atrás, consideró la posibilidad de dedicarse a la política. Todos los jueves por la mañana, con la semana de trabajo a punto de finalizar, analizaban y resumían los acontecimientos, señalaban los errores, ideaban soluciones y planeaban los siguientes movimientos. Así lo habían hecho cuando Yariv fue nombrado ministro de Defensa; cuando lo designaron ministro de Exteriores; cuando hizo su travesía del desierto en la oposición. Incluso, a decir verdad, cuando todavía llevaba el uniforme de jefe del Estado Mayor. Esa era la tarea de los políticos, por mucho que fingieran otra cosa; no había que creer a quien dijera lo contrario.

La única diferencia era que se había producido un cambio en el personal. Los dos antiguos camaradas del ejército —uno ahora en publicidad, y el otro en el negocio de la importación— seguían acudiendo a las reuniones. También Ruth, su mujer, cuyo consejo Yariv apreciaba seriamente. El único cambio fue forzado: su hijo, Aluf, había sido un habitual en el fórum hasta que lo mataron en el Líbano hacía tres años. Su lugar lo había ocupado

Amir Tal, hecho aireado por la prensa, que no había dejado de describir al joven asesor como el hijo adoptivo del primer ministro.

Normalmente, las reuniones se celebraban en casa, y Ruth servía café y *Strudel*. Pero no ese día. Según dijo a Amir, la situación era demasiado seria para salir de la oficina; el fórum lo formarían únicamente ellos dos.

Las conversaciones de Government House se habían efectivamente interrumpido, ambos bandos se limitaban a mantener una presencia testimonial. Ni los palestinos ni los israelíes deseaban que los estadounidenses los acusaran de tirar la toalla, por eso no se atrevían a levantarse de la mesa. Sin embargo, nadie trabajaba en serio, y eso significaba que la obra culminante de Yariv —el proceso de paz— estaba desmoronándose ante sus ojos. Recibía todo tipo de críticas de los sectores de la derecha —los colonos y su maldita cadena humana alrededor de la ciudad— y estaba dispuesto a asumirlas, pero solo si tenía algo que ofrecer a cambio. Se acordó del hombre que había ocupado aquella silla hacía pocos años y que había visto derrumbarse su mandato después de que el intento de Camp David quedara en nada.

Y lo peor, confesó a Amir Tal mientras escupía la cáscara de la pipa, era que estaba hecho un lío.

—Mira, una *pigua*, un terrorista suicida, de Hamas o de la Yihad, eso lo esperaba. Ya lo hicieron con Rabin y con Peres. ¡Por Dios!, si incluso se lo hicieron a Bibi... Cada vez que alguien se acerca a un acuerdo, allí están ellos con un autobús lleno de dinamita. Contaba con eso. —Alzó la mano para indicar que no había concluido—. Incluso contaba con que el *Machteret* volvería a hacerse oír.

Los dos habían dado por supuesto que una reaparición de aquel movimiento clandestino era previsible. En los años ochenta, un puñado de colonos y de fanáticos religiosos había enviado una serie de cartas-bomba y colocado otras bajo los coches de distintos políticos palestinos. Algunas de sus víctimas seguían en activo y aparecían en los programas de televisión sentados en una silla de ruedas o exhibiendo terribles desfiguraciones.

—Cabía la posibilidad de que bombardearan un par de parques infantiles árabes —prosiguió Yariv—. O la mezquita.

No hacía falta que dijera qué mezquita. Los dos sabían que los elementos más radicales del *Machteret* soñaban con hacer saltar por los aires la Cúpula de la Roca, el lugar más sagrado del islam en Tierra Santa, y de paso despejar la zona para levantar allí el Templo Judío.

—Pero ¿estos ataques? No tienen sentido ¿Por qué iban a querer los palestinos cargarse el centro para visitantes de un kibutz del norte? ¿Y por qué hacerlo de noche, cuando no hay nadie cerca? Si lo que quieres es cargarte las negociaciones, ¡hazlo de día! ¡Mata a un montón de gente!

—A menos que fuera un aviso.

—Pero lo otro eran avisos. Así era como nos transmitían los mensajes en el pasado.

—Al-Shafi ha negado cualquier responsabilidad por su parte —dijo Tal.

—Claro, pero ¿y Hamas?

—Ellos también, pero...

—Pero no sabemos si podemos creerlos. Y luego está ese apuñalamiento en pleno Jerusalén. No me creo a los que lo han reivindicado, los Defensores de Jerusalén Unido o comoquiera que digan llamarse. ¿Cómo es que no hemos sabido de ellos hasta ahora? Siempre hay aficionados dispuestos a llevarse la fama de actos cometidos por otros. Podría tratarse de un simple delito callejero.

—No necesariamente.

—¿A qué te refieres? —El primer ministro devoraba y escupía las pipas a velocidad de vértigo.

—Ya sabe que hemos proseguido con la investigación del caso Guttman. Tenemos a su hijo, Uri, bajo vigilancia. Está trabajando estrechamente con Maggie Costello, del departamento de Estado...

—¿La mediadora? ¿Qué demonios hace metida en todo esto?

—Según parece, Rachel Guttman le comunicó algo. Estancadas como están las conversaciones, Estados Unidos le permite que continúe con sus pesquisas. Costello está convencida de que mientras el asunto de Guttman no se resuelva, no habrá paz que negociar.

—¿Y?

—Pues que, como usted sabe, Costello y Uri Guttman han descubierto que existe una relación entre el profesor y el arqueólogo palestino muerto, Nur. Nosotros opinamos que también puede haber una conexión con el asesinato de anoche en Jerusalén.

—Sigue.

—No nos dio tiempo de montar una unidad de vigilancia en el apartamento que Guttman y Costello fueron a visitar anoche en Tel Aviv, la casa de Baruch Kishon, pero sí conseguimos grabar las voces. Nuestros técnicos dicen que, justo antes de marcharse, Guttman y Costello encontraron algo, un nombre escrito en un papel.

—¿Qué nombre?

—Afif Aweida.

—Ya veo.

—Así pues —prosiguió Tal—, al parecer el profesor Guttman habló con Kishon y mencionó el nombre de Aweida. Y, de repente, tenemos un Aweida muerto.

Yariv permaneció en silencio, durante un instante, solo se oyó el ruido de una pipa especialmente grande al partirse entre sus dientes.

—Eso quiere decir que había alguien más escuchando.

—Por eso me alegro de que hoy nos hayamos reunido a solas, primer ministro.

—No estarás pensando...

—Los servicios de inteligencia militar son los únicos, aparte de nosotros, que tienen acceso a nuestra vigilancia.

—Eso es una tontería. ¿Crees que Yossi Ben-Ari, el ministro de Defensa, está llevando a cabo sus propias operaciones clandestinas y que ha matado a ese árabe en el mercado?

—Si su gente estaba escuchando anoche, él tuvo que enterarse del nombre.

—¿Y por qué iba a hacer algo así?

—Ignoro por qué querría liquidar a ese hombre en concreto. Para entenderlo, antes tendríamos que saber de qué va todo ese asunto de Guttman. Pero si miramos el cuadro en conjunto...

—Veremos que intenta sabotear las conversaciones de paz, hacerme caer y ocupar mi puesto. ¡Cielos!

—Ya sé que no es...

—¿Posibles aliados?

—Tal vez Mossek. Quizá el jefe del Estado Mayor.

—¡Un golpe militar!

—No podemos estar seguros.

—¿Por qué no? ¿Quién más podría haberlo hecho?

—Si aceptamos que no ha sido un asesinato al azar, sino que se trataba realmente del hombre que Kishon conocía, cualquiera que conociera su identidad y su relación con el asunto Guttman podría ser sospechoso.

—Pero esos solo pueden ser la mujer estadounidense y el hijo de Guttman.

—No podemos descartar nada.

—No tiene sentido. Esto no es uno de tus disparatados videojuegos, Amir. Esto es el mundo real.

—Tenemos que considerar cualquier posibilidad.

El primer ministro se recostó en su asiento e hizo una pelota con la bolsa de papel vacía que momentos antes estaba llena de pipas. Suspiró.

—Lo que estás insinuando...

—No insinúo nada, señor.

—... es que dentro de los estamentos militares del estado de Israel hay elementos incontrolados que están matando a gente y haciendo Dios sabe qué para derribar al gobierno democráticamente elegido y, de paso, liquidar la mejor oportunidad para la paz que este país ha tenido en generaciones.

—Usted sabe qué opina el ejército respecto a lo que estamos haciendo. Nunca aprobó la retirada de Gaza. ¿Cree que desmontar los asentamientos de Cisjordania y entregar la mitad de Jerusalén les gustará?

Yariv sonrió; la sonrisa melancólica de un anciano que creía haberlo visto todo.

—¿Sabes?, yo ascendí a Ben-Ari. Yo lo nombré general. «Pero Bruto es un hombre honorable...»

—¿Qué quiere que haga, primer ministro?

—Creo que deberías organizar un equipo de vigilancia que solo responda ante este despacho. Comprueba la tendencia política de sus miembros, asegúrate de que apoyan las conversaciones de paz. Si hace falta, recurre a los izquierdistas y a los marginales. Simplemente asegúrate de su lealtad. Corta el contacto con Defensa y el ejército, déjalos fuera. Y cuando tengas a tu equipo en posición, lánzalo sobre Mossek y Ben-Ari. Pincha sus llamadas telefónicas y sus reuniones. Quiero ver su correo electrónico, sus mensajes por móvil, el color del papel con el que se limpian el culo.

—Delo por hecho.

—Solo pretendo demostrar que te equivocas.

—Bien.

—Ah, otra cosa... No pierdas de vista a Costello y al hijo de Guttman. Si resulta que están a punto de encontrar la explicación a este sinsentido, tanto mejor. Así nos llevarán hasta ella.

35

Jerusalén, jueves, 11.11 h

No tenía ni idea de cuánto tiempo llevaba tirada en el suelo. Podía ser un minuto, cinco o diez. La empujaron, se largaron sin que ella viera por dónde, y se quedó allí inmóvil. Ni siquiera telefoneó para pedir ayuda. Estaba demasiado paralizada, temporalmente aturdida por lo ocurrido. Desgraciadamente, su cuerpo insistía en evocar la sensación de la lengua en su oreja y la mano en su entrepierna. Su piel, su carne, recordaban esa invasión con cruel exactitud.

Maggie se obligó a calmarse, a convencerse de que podría haber sido mucho peor, que podrían haberla matado, cuando vio que le tendían una mano.

Una mujer la miraba con cara de preocupación y desconcierto. Al cabo de un momento, las arrugas de su rostro se relajaron.

—Usted es la mujer estadounidense. La vi en casa de Aweida. —De nuevo se puso tensa—. ¿Qué hace aquí?

Maggie se vio obligada a levantarse, a sacudirse el polvo y a colocarse la coraza que había desarrollado en los últimos años. No dijo nada, solo dio un respingo cuando, al ponerse de pie, una punzada le atravesó la espalda como un relámpago, un destello que le llenó los ojos de lágrimas.

La mujer iba delante, la guiaba por el callejón hacia el cable de tender la ropa. Al final había un par de peldaños que daban a un patio de unos pocos metros cuadrados. Luego, una habitación con una cocina en un rincón, un televisor y un niño dibujando en una mesa. Tal vez era uno de los chicos a los que había visto jugar al fútbol. Quizá el niño había visto algo. O tal vez no era allí donde los chicos estaban jugando al fútbol, si no en el otro extremo del callejón. Estaba completamente desorientada.

Se sentó en un sofá mientras su rescatadora encendía un hornillo de gas para prepararle un poco de té con menta; sin embargo, lo único que Maggie anhelaba era una taza del Typhoo* de su madre como solía tomarlo su padre: con tres terrones de azúcar. Se miró las manos, que le temblaban, y se dio cuenta de lo lejos que se hallaba de casa. Habían pasado casi veinte años y seguía estando en el mismo sitio: en medio de ninguna parte, rodeada por gente dispuesta a ejercer la más implacable violencia.

—Bienvenida a mi casa.

Era una voz masculina, y Maggie se sobresaltó. Alzó la vista y se encontró con un hombre con un gastado traje azul, de cara larga y delgada, y un pelo denso, negro y muy corto que empezaba a encanecer.

La mujer se dio la vuelta, y los dos empezaron a hablar en árabe. Ella le explicaba lo ocurrido, señalaba a Maggie y gesticulaba constantemente.

—Ahora está usted a salvo —dijo él con una breve sonrisa que la inquietó.

Le dio la espalda y Maggie suspiró de alivio. No quería ver a aquel hombre. Sin embargo, no se había marchado, solo había ido a por un cenicero.

—Así que es usted estadounidense...

—Soy irlandesa —repuso en voz baja y con tono distante.

* Marca de té barato muy popular en Gran Bretaña. *(N. del T.)*

—¿Ah, sí? Nos gustan mucho los irlandeses, pero usted trabaja para Estados Unidos, ¿me equivoco?

Exhibía una forzada sonrisa que hacía que Maggie evitara mirarlo. Cuando la mujer llevó el té, Maggie agradeció la distracción, la oportunidad de concentrarse en el vaso y la cucharilla para evitar hablar con aquel individuo.

—¿Y qué hacía usted por aquí?

—¡Nabil!

Maggie supuso que la esposa estaba diciendo a su marido que la dejara en paz. Mientras los dos hablaban, se metió la mano en el bolsillo y sacó el móvil. Tenía un mensaje de Uri: «¿Dónde estás?».

Se disponía a responder cuando su anfitrión se inclinó sobre ella, como si quisiera quitarle el aparato.

—No necesita llamar a nadie. Nosotros nos ocuparemos de usted. ¿Qué necesita? Cualquier cosa que necesite, solo tiene que pedirla.

Maggie sintió de repente la urgente necesidad de marcharse, de salir de aquel laberinto de oscuras callejuelas y ver la luz del sol. Deseaba quitarse la ropa que llevaba y meterse bajo la ducha el tiempo necesario para limpiarse de...

—Por favor, explíquemelo: si trabaja para el gobierno de Estados Unidos, ¿cómo es que está aquí sola? ¿Dónde está su escolta? —La sonrisa era tan amplia como antes, dejaba al descubierto todos los dientes—. ¿De verdad que no hay nadie aquí para protegerla?

Maggie notó que las manos, hasta entonces tan frías e inertes como el resto de su cuerpo, empezaban a sudarle. Instintivamente miró hacia la puerta por donde había llegado. Estaba cerrada.

La mujer llevó un poco más de té y a continuación se dirigió a la habitación contigua con sus hijos. Maggie se quedó sola con aquel individuo. Quería llamar a Davis al consulado, o a Uri, o a Liz, en Londres, a quien fuera; pero temía la reacción del desconocido. ¿Le arrebataría el teléfono? ¿Se lanzaría contra ella? ¿Quién era?

Con toda la naturalidad de la que fue capaz, se levantó, se estiró y, como si estuviera intentando librarse educadamente de una cita para tomar el té con una tía abuela muy pesada, declaró que tenía que marcharse.

—Pero ¿adónde va a ir?

Maggie no sabía dónde se encontraba ni cómo salir de allí.

—Mi hotel está en Jerusalén Occidental.

—¿Y por qué no se aloja en Jerusalén Oriental? Es bonito. Tiene el hotel American Colony. Todos los europeos se hospedan ahí. ¿Por qué nunca hay ningún estadounidense? Ustedes solo quieren ver a los israelíes.

Maggie estaba demasiado cansada para soportar aquello, un conflicto tan enconado que hasta la elección de un hotel podía provocar un incidente diplomático.

—No, no —empezó a decir—, no es eso.

Mientras hablaba, se dirigió a la puerta del pasillo. Apoyó la mano en el picaporte y lo giró, pero no se abrió. Cerrado.

Notó entonces al hombre a su espalda, inclinándose y tendiendo la mano para coger el tirador. Su proximidad la hizo estremecer, le recordó el oscuro callejón y el húmedo aliento. Deseó poder quitárselo de encima.

Pero antes de que tuviera oportunidad de hacerlo, él abrió la puerta que daba al pequeño patio. Maggie salió con el hombre pisándole los talones.

—Por favor, se lo vuelvo a preguntar: ¿qué hacía usted aquí?

—Fui a casa de Afif Aweida.

—Sí, y luego ¿adónde se dirigía?

—Quería ir a ver a su primo, al otro Afif Aweida.

—Bien, yo la llevaré.

—No, no hace falta. Lo único que quiero es volver a mi hotel.

Pero el hombre no la escuchaba. La cogió por el codo y se internó con ella por el laberinto de callejuelas de la Ciudad

Vieja. «¿Me habré vuelto loca?», se preguntó Maggie por segunda vez en... ¿cuánto tiempo? ¿una hora? ¿dos?, mientras seguía al desconocido por aquella extraña ciudad. Sin embargo, en esos momentos no sentía ni rastro de la despreocupación anterior. Su corazón latía desbocado, miraba a izquierda y derecha, se giraba constantemente, pero sobre todo no quitaba ojo al individuo que la guiaba. ¿Era una trampa? ¿La había conducido Sari Aweida hasta sus agresores? ¿Haría lo mismo aquel hombre?

Pensó en la posibilidad de echar a correr, pero ¿adónde? En aquel laberinto de callejuelas se perdería sin remedio. A medida que se aproximaban al mercado, al *suq*, las calles cada vez estaban más llenas de gente. Vio a un grupo de mujeres algo más jóvenes que ella; parecían turistas. Podía correr hasta ellas, pero luego ¿qué?

Nabil la conducía por un camino que giraba y serpenteaba entre los puestos de los comerciantes, rebosantes de bongos de piel de cabra, gruesas alfombras y recuerdos tallados en madera. Había parejas de ancianos que paseaban tranquilamente; incluso un grupo de turistas japoneses. Según parecía, los informes que había leído en el avión estaban en lo cierto: la actividad de aquel mercado, que en los años de la Intifada había cesado casi por completo, se recuperaba a medida que los turistas volvían a pasear por la Ciudad Vieja. El mérito correspondía a las conversaciones en Government House: la simple perspectiva de la paz era suficiente para que la gente volviera, ya fueran cristianos deseosos de recorrer la vía Dolorosa, musulmanes que iban a rezar a la Cúpula de la Roca o judíos impacientes por deslizar una nota con unas palabras dirigidas a Dios en las grietas del Muro de las Lamentaciones.

Giraron a la izquierda y se metieron por el mercado de la carne. A Maggie le entraron náuseas al ver las hileras de reses muertas, con las costillas al aire y la carne roja y sangrienta. Vio una hilera de cabezas de cordero en una tabla de cortar, apartó la vista y se topó con los charcos de sangre del suelo.

—Ya no falta mucho, casi hemos llegado —dijo Nabil.

De repente volvieron a verse rodeados de recuerdos para turistas y souvenirs *kitsch*. Para Maggie fue un alivio perder de vista los puestos de carne y sentirse rodeada de gente. Se detuvieron ante una joyería.

—Por favor, es aquí. Esta es la tienda de Afif Aweida.

Maggie entró apresuradamente, seguida por Nabil, que estrechó la mano a un joven que estaba sentado tras el mostrador. Oyó que Nabil le decía algo en árabe y la palabra «americana» mientras la señalaba.

Instantes después, un hombre de mediana edad, con gafas de pasta negra y un jersey de cuello de pico, salió de detrás de un aparador de cristal lleno de joyas de oro y plata. Para Maggie fue casi como si lo conociera: había visto muchos hombres como él en África, de mediana edad, bien vestidos, intentando ofrecer una apariencia occidental, como si así desafiaran el caos y la pobreza que los rodeaba.

—Ha sido un placer verte. Gracias, Nabil.

Maggie se dio la vuelta y vio que Nabil saludaba tímidamente por encima del hombro y se iba. Ella le dio las gracias en voz alta, pero sin excesiva convicción. Unos segundos antes había albergado todo tipo de sospechas hacia él, incluso había temido que la agrediera. Después de lo que le había ocurrido, no era de extrañar. Y sin embargo había resultado ser igual que su esposa, un desconocido que simplemente quería ayudar. Se sintió confundida y, de repente, tomó de nuevo conciencia de cómo la habían tocado. Y con ello volvió el recuerdo de la voz del segundo agresor, caliente y jadeante: «De lo contrario, volveremos por más». ¿Quién era? Apartó la pregunta de su mente, se acercó a Aweida y le tendió la mano con una sonrisa.

—Me alegro de verlo, señor Aweida, pensaba que estaba muerto.

—Lo dice por lo que le ha ocurrido a mi primo. Un crimen terrible. Terrible.

—¿Cree que usted era el verdadero objetivo?

—Lo siento, no la entiendo.

—¿Cree que los hombres que asesinaron a su primo mataron al Afif Aweida equivocado?

—¿Cómo puede haber un «Afif Aweida equivocado»? A mi primo lo apuñalaron porque sí. Podría haberle pasado a cualquiera.

—Yo no estoy tan segura. ¿Sabe de alguna razón por la que su vida pueda correr peligro, señor Aweida?

Para sorpresa de Maggie, el comerciante parecía realmente perplejo ante sus preguntas. Estaba de luto por la muerte de su primo, pero los palestinos estaban acostumbrados a llorar a sus muertos. El hombre lo sentía, eso de compartir el mismo nombre creaba un vínculo. Pero eso no significaba que tuviera que estar asustado, ¿no? Maggie comprendió que debía comenzar por el principio.

—¿Podemos hablar en algún lugar privado, señor Aweida? Quizá en su trastienda... —Señaló con la cabeza la puerta por la que él había aparecido al llegar ella.

—No, no hace falta. Podemos hablar con libertad aquí mismo. —Dio una palmada para indicar al joven del mostrador que se fuera.

Maggie se levantó y se encaminó hacia la puerta del fondo. Quería poner a prueba a Aweida. Como esperaba, el hombre se levantó y le cerró el paso.

—Señor Aweida, trabajo para el gobierno estadounidense en las negociaciones de paz. No me interesan los negocios que haga en esta tienda ni nada de lo que pueda guardar usted tras esa puerta, pero necesito que me ayude porque su primo no fue asesinado por azar y mucha más gente morirá si no descubrimos qué está pasando.

Aweida palideció.

—Siga.

—¿Conocía a Shimon Guttman?

Aweida pareció de nuevo nervioso.

—De nombre, sí. Era un hombre famoso en Israel. Lo mataron el sábado.

Maggie estudió su rostro y vio el mismo nerviosismo que había visto un momento antes, cuando mencionó la trastienda. Empezó a comprender.

—Afif, escuche, no soy policía. No me importa qué compra o vende aquí. Lo que sí me importa es asegurarme de que el proceso de paz no se interrumpa. En caso contrario, morirán muchos palestinos como su primo y muchos israelíes como el profesor Guttman. Así pues, volveré a preguntárselo. Le juro que su respuesta no saldrá de estas cuatro paredes. ¿Conocía a Shimon Guttman?

Aweida miró por encima del hombro de Maggie para asegurarse de que no hubiera nadie y respondió en voz baja:

—Sí.

—¿Y tiene idea de por qué pudo haber mencionado su nombre a otra persona la semana pasada?

Aweida frunció el entrecejo.

—No. No sé por qué iba a mencionar mi nombre a nadie.

—¿Cuándo fue la última vez que lo vio?

—La semana pasada.

—¿Puede contarme lo que pasó?

A regañadientes, Aweida se sentó y le contó la breve e inesperada visita que Guttman le había hecho en la tienda, la primera desde hacía mucho. A medida que Maggie iba tirándole de la lengua, Aweida, con frases cortas le habló de su «acuerdo», según el cual Guttman le descifraba los textos de las tablillas antiguas y se llevaba una a cambio.

—¿Y dice usted que ninguna de esas tablillas parecía especial?

—Todas eran normales: trabajos escolares, listas e inventarios caseros.

—¿Nada más?

Nuevamente asomó la expresión de inquietud.

—Bueno, había una que era... una carta de una madre a su hijo.

—¿Y el profesor Guttman se la llevó?

—Intentó convencerme para que se la diera, pero al final renunció. Dejó que me la quedara y se llevó otra en su lugar.

Maggie se echó hacia atrás. Algo en esa escena le resultaba familiar.

—Dígame, ¿se puso pesado con esa tablilla nada más haberla leído o fue después de haber descifrado el resto?

—Señorita Costello, hace una semana de esto.

—Intente recordar.

—Las leyó todas y luego decidió que aquella era la más interesante.

«No, no fue así», se dijo Maggie. Por supuesto que esa escena le resultaba familiar. Ella había hecho lo mismo en otras ocasiones. Durante una ronda de negociaciones en los Balcanes insistió en que cierta carretera que daba acceso al mar era un punto irrenunciable y que la entrega de las armas podía esperar. No podía presentarse ante su gente sin aquella carretera. Tal como había previsto, el otro bando propuso inmediatamente entregar las armas, pero se mantuvo inflexible en la cuestión de la carretera. Con expresión sombría, contestó que vería qué podía hacer. Luego se levantó y fue a la sala donde la esperaban los otros para decirles que había conseguido lo que más deseaban: la entrega de las armas.

Guttman también había empleado el mismo truco: había luchado por las manzanas cuando lo que deseaba realmente eran las naranjas.

—¿Y tiene usted alguna idea de lo que ponía en la tablilla que se llevó?

—Dijo que era un inventario, de una mujer.

—¿Y usted lo creyó?

—No sé leer la escritura cuneiforme, señorita. Solo sé lo que el profesor me dijo.

—Una última cosa: ¿de qué humor estaba cuando se marchó?, ¿qué aspecto tenía?

—Ah, eso sí lo recuerdo. No parecía encontrarse bien. Como si necesitara un vaso de agua. Se lo ofrecí, pero no lo quiso y se marchó con mucha prisa.

«No me cabe la menor duda.»

—¿Y esa fue la última vez que lo vio o supo de él?

—Sí, hasta que oí las noticias.

—Gracias, señor Aweida. Se lo agradezco enormemente.

Mientras se levantaba y caminaba hacia la salida, comprendió la sensación que Guttman había experimentado: la certeza de haber realizado un importante descubrimiento y la necesidad de compartirlo con alguien.

Una vez fuera y sintiéndose a salvo entre la marea de turistas, sacó el móvil y marcó el número del hijo de Guttman.

—Uri, creo que ya sé de qué va esto.

—Bien, ya me lo contarás por el camino.

—Por el camino ¿adónde?

—¿No has recibido mi mensaje? El abogado de mi padre acaba de llamarme. Me ha dicho que tiene algo para mí. Un mensaje.

—¿De quién?

—De mi padre.

36

Lago Lemán, Suiza, el lunes anterior

Oficialmente, se suponía que Baruch Kishon odiaba Europa. Como ideólogo conservador que llevaba cuatro décadas dedicado a escribir punzantes columnas en la prensa israelí, se había ganado la vida fustigando a los pusilánimes apaciguadores del Viejo Mundo y comparándolos siempre desfavorablemente con los recios campeones de la libertad del Nuevo Mundo. Mientras los estadounidenses sabían diferenciar el bien del mal, los europeos —los franceses eran los peores, pero los ingleses no se quedaban atrás— se hincaban de rodillas cada vez que cualquier dictador bigotudo subía al poder. Se habían desmoronado ante Hitler, encogido ante Saddam y en ese momentos estaban dispuestos —mejor dicho, impacientes— a quitarse de encima a Israel del mismo modo que habían hecho con los judíos en los años treinta. En ellos era algo congénito. Kishon lo había escrito en más de una ocasión. La Unión Europea no necesitaba un lema, afirmaba recientemente en una de sus columnas, le bastaba con una palabra: «rendición».

Sin embargo, Baruch Kishon tenía un secreto inconfesable, común entre muchos de los israelíes que compartían su inflexible orientación política. Por mucho que odiase todo lo que Europa representaba, el lugar le encantaba. No se cansaba nunca de las terrazas de los cafés parisinos, con sus *café au lait* y sus *croissants*; el esplendor de los Ufizzi o de la plaza de San Pedro; los teatros del West End londinense y las tiendas de Bond Street. Después del caos, la tosquedad, el polvo y la suciedad de Israel, resultaba un alivio llegar a un lugar que no solo era más fresco, sino también más tranquilo y sereno; un lugar donde las colas del autobús no se convertían en algaradas y donde los trenes llegaban puntualmente.

Y en ningún otro lugar del mundo sentía aquello tan intensamente como en Suiza, donde podías comer en el andén de una estación y poner en hora el reloj viendo llegar los trenes. Por eso sintió esa alegría cuando Guttman mencionó Ginebra en aquel largo y confuso monólogo que le largó por teléfono el sábado anterior. Kishon se daba cuenta de que aquella tal vez había sido la última llamada del profesor.

Él y Guttman hablaban con frecuencia. Decir que eran periodista y fuente habría sido describir demasiado someramente su relación. Sus respectivos papeles se habían desdibujado más que eso: eran colegas de conspiración, almas gemelas del campo nacionalista cuya principal preocupación era siempre cómo servir mejor a la causa. Si Kishon conseguía de paso un buen artículo, y Guttman un poco más de publicidad, tanto mejor. Por encima de todo, su objetivo era la soberanía del pueblo judío sobre el que históricamente constituía su hogar: la Tierra de Israel.

No le sorprendió especialmente que Guttman lo llamara el sábado por la tarde. Aquella noche Yariv iba a celebrar su gran manifestación en favor de la paz. Que la derecha planeara su contraataque era lo normal.

Pero no era de eso de lo que Guttman quería hablarle. Empezó a parlotear como una quinceañera sobre algo que acababa de descubrir, algo que iba a cambiarlo todo. Las palabras brotaban atropelladamente: calles del mercado de Jerusalén, escritura cuneiforme, tablillas de arcilla, alguien llamado Afif Aweida y, algo increíble, las últimas palabras de Abraham. Bueno, no sus últimas palabras, sino su última voluntad.

—¿Me estás diciendo que Abraham decidió quién debía heredar el monte Moria, si Isaac o Ismael, si nosotros o los musulmanes? —había balbuceado Kishon a través del teléfono—. ¿Y que tienes la prueba? ¿Dónde está?

Llegado a ese punto, Guttman parecía casi histérico, dijo que tenían que planear cómo resolver aquello, que debían ser ellos, la derecha, quien revelara al mundo aquel hallazgo. ¡Sería su momento de gloria!

Kishon se había preguntado si su amigo deliraba.

—Pero primero tenemos que decírselo a Kobi —añadió Guttman.

—¿A Kobi?

—Sí, al primer ministro.

—Oye, ¿has estado fumando la mierda esa de tu hijo o qué?

No, no, insistió Guttman. Estaba perfectamente. Cuando Kishon le preguntó dónde se encontraba la tablilla, Guttman empezó a jadear y le dijo que había organizado una reunión con alguien en Ginebra y que allí estaría a salvo. Luego, cuando Kishon le presionó para que le diera más detalles, se lo quitó de encima diciendo que tenía que ir a la manifestación, que se reunirían más tarde y entonces le daría todos los detalles y planearían una estrategia.

Unas cuantas horas después, mientras Kishon cenaba en uno de sus locales favoritos, un restaurante francés en las afueras de Ibn Gvirol, a la espera de que Guttman apareciera, lo llamaron del periódico. Guttman estaba muerto, lo habían abatido durante la manifestación.

Lo dejó todo y salió corriendo hacia la redacción para escribir una columna crucificando a Yaakov Yariv por haber creado el caldo de cultivo que había hecho inevitable aquel asesinato. Una vez terminada, escribió un sentido artículo en homenaje a su difunto amigo, Shimon Guttman.

Pero al día siguiente, cuando empezó a saberse que Guttman no iba armado, que había intentado acercarse al primer ministro para entregarle una nota, Kishon empezó a hacerse preguntas. La febril llamada de su amigo podía deberse a los desvaríos de un hombre que había perdido la chaveta, como lo demostraba su intento de atentar contra el primer ministro en plan kamikaze. Sin embargo, también cabía la posibilidad de que estuviera en sus cabales y que su intento de llegar hasta el estrado únicamente evidenciara la seriedad de su propósito. Kishon sopesó lo que sabía de Guttman, los años que habían pasado juntos, la combinación de astucia táctica y erudición académica del profesor, el hecho de que se hubiera expresado con total coherencia en su última conversación..., sopesó todo aquello y llegó a la conclusión de que Guttman merecía que confiara en él tanto en la muerte como en la vida. Estaba claro que había realizado un descubrimiento de suma importancia, y que a él, su amigo, le correspondía la tarea de averiguar qué era y darlo a conocer al mundo. Sería su último acto de amistad. Además, si lo que Guttman le había dicho por teléfono era cierto, podía convertirse en el sueño de cualquier periodista: la noticia del siglo.

Intentó reunir los pocos elementos que recordaba de la llamada telefónica. Miró lo que había anotado y, para su irritación, vio que solo tenía escritas dos palabras, el nombre de un marchante de antigüedades de Jerusalén a quien no conocía: Afif Aweida. Había dado por hecho que Guttman le daría los demás detalles cuando se encontraran y no se había molestado en anotarlos. Por lo tanto, no le quedaba más remedio que reunirlos de memoria: antigüedades robadas, tablilla de arcilla, Ginebra, monte Moria, el testamento de Abraham.

Pensó en localizar a Aweida, pero lo descartó. Si conocía bien a su amigo y sus métodos, el marchante seguramente no tenía ni idea de qué le había vendido. De otro modo, el profesor no se la habría podido permitir. No. Mejor sería empezar por Ginebra, que era uno de los centros mundiales del mercado internacional de antigüedades. Hubo una época en que todo pasaba por allí. Los suizos interpretaban literalmente el principio de *«nemo dat quod non habet»* («No se puede dar lo que no se tiene») en la creencia de que, si alguien vendía algo, tenía que ser su legítimo dueño. Eso significaba que un objeto comprado en Suiza era considerado legítimo de modo automático y no se hacían más preguntas. Poco importaba cómo hubiera llegado hasta allí; una vez salía de Suiza, su origen se consideraba legal. No era de extrañar que el país se hubiera convertido en la lavandería mundial del mercado de objetos de arte robados. Kishon reservó un billete por internet y el domingo por la noche ya estaba allí.

No sin cierta presunción, se dijo que la mayoría de los periodistas habrían ido directamente a cualquiera de los almacenes fuertemente blindados que servían de lugar de venta para aquellos antiguos objetos. Sin embargo, él sabía que Guttman no pretendía vender su tablilla. Lo que le interesaba era su impacto político. Eso sí se lo había dicho por teléfono.

Y lo único que podía significar era que el profesor pensaba ir a Ginebra no para que le valoraran la tablilla, sino para que la autenticaran. Guttman no podría presentarla ante el mundo —«¡He aquí la prueba de que Abraham legó Jerusalén a los judíos!»— a menos que tuviera la plena certeza de que era verdadera. Había demasiado en juego para correr el riesgo de equivocarse. Así pues, Kishon había introducido en Google las palabras «cuneiforme», «Ginebra» y «experto» y había conseguido un nombre: el profesor Olivier Schultheis.

Estaría allí en unos diez minutos. No se había molestado en llamar por adelantado porque no quería dar la oportunidad de que le dijeran que no. Mejor sería presentarse personalmente y, si era necesario, meter el pie en el quicio de la puerta.

Además, aquellas impecables autopistas formaban parte del placer del viaje. Nada que ver con el congestionado frenesí de la autopista Jerusalén-Tel Aviv. Pero ¿qué era eso? ¿Un coche en su carril, detrás de él, haciéndole luces?

Kishon se apartó al carril más lento del centro, pero el conductor del BMW negro cambió de carril con él y se pegó a su parachoques. Kishon volvió a poner el intermitente y se metió en el de la derecha. Sin embargo, el BMW no se despegó. Kishon tocó el claxon, apremiando al conductor a que lo adelantara, pero consiguió el efecto contrario: al instante notó que el BMW establecía contacto con su parachoques.

Pegó otro bocinazo. «Apártate.» El BMW lo golpeó por detrás. Kishon miró por el retrovisor y luego volvió la vista al frente. Si quería escapar de aquel psicópata, tendría que salir en el siguiente desvío.

Era una pequeña carretera de montaña, y Kishon tuvo que tomar la curva bruscamente y frenar, pero se las apañó. Con gran alivio, se vio en una estrecha y serpenteante carretera de un solo carril. Seguiría por allí un poco más y después volvería a la autopista.

Pero entonces la vio: la negra forma se agrandaba en el retrovisor y lanzaba ráfagas con los faros. El BMW volvía a la carga. Kishon intentó mantener la calma. Tal vez no fuera un coche que se dedicaba a perseguirlo, quizá fuera un vehículo oficial que intentaba que se detuviera. ¿Había hecho algo mal? ¿Tenía alguna luz fundida? Se detendría.

Pero no había arcén, solo gravilla y piedras a un lado de la carretera y un precipicio de montaña. No obstante, aminoró la marcha, pero el BMW no pareció entender el mensaje.

Kishon apretó el claxon, un largo y prolongado aullido. El BMW aceleró y lo golpeó con fuerza. El cuello le dio un latigazo. Kishon perdió momentáneamente el control del volante. Oyó que los neumáticos pisaban la grava del borde de la carretera. Mientras volvía al asfalto, el BMW lo embistió de nuevo y, bruscamente, se situó junto a él.

Miró a su izquierda, pero los vidrios del BMW eran negros.

Entonces fue embestido de costado. Desde la ventanilla vio claramente la caída en vertical. Un poco más adelante, la carretera giraba en una horquilla. Kishon se dio cuenta de que necesitaría espacio para tomar una curva tan cerrada, pero el BMW no parecía dispuesto a retroceder ni a adelantarlo. Intentó detenerse, pero el BMW lo embistió de nuevo.

Su única posibilidad era acelerar y librarse de él. Lo intentó al acercarse a la curva, apretó el acelerador justo antes del giro. Pero cogió demasiada velocidad, y el BMW lo empujó con más fuerza que nunca. La suficiente para que los neumáticos derechos rozaran el vacío. Giró el volante desesperadamente para devolver el coche a la carretera, pero notó que las ruedas no agarraban: giraban en el aire.

Sintió la ingravidez mientras su coche caía casi grácilmente por el borde del precipicio durante cinco, seis o puede que hasta siete segundos antes de golpear contra los primeros peñascos. El impacto le partió la columna y casi le arrancó la cabeza. Cuando la policía de tráfico descubrió el coche siniestrado, dos horas más tarde, dedicó toda la noche a rastrear la zona a la luz de los focos, hasta que por fin encontró los últimos fragmentos de carne y huesos de Baruch Kishon y se dio por satisfecha.

37

Jerusalén, jueves, 13.49 h

Maggie hizo lo posible para que no se le notara lo que le había ocurrido. Pasó ante los guardias de seguridad de la puerta del hotel —dos jóvenes que preguntaban a todos los huéspedes si llevaban algún arma y cacheaban a los que les parecían sospechosos— con aire decidido y tan erguida como pudo. Con el tiempo había aprendido que, de todos los elementos del lenguaje corporal, la manera de andar solía ser el más elocuente. Los negociadores mediocres siempre ponían énfasis en las demostraciones de masculinidad: un firme apretón de manos, un mirar a los ojos fijamente... Pero olvidaban que la primera batalla se ganaba en el momento en que las partes entraban en la habitación. Había que hacerlo victoriosamente, confiando plenamente en las propias posibilidades, controlando el espacio. Los que entraban arrastrando los pies o con aire vacilante perdían la iniciativa y pasaban el resto del tiempo a la defensiva.

Maggie intentó insuflar ese conocimiento a sus doloridos músculos y huesos cuando cruzó la puerta automática del hotel y vio a Uri dando vueltas por el vestíbulo como un tigre enjaulado. No quería que pudiera intuir lo que le había ocurrido en el mercado. Nunca había entendido a las chicas del colegio que no habían dicho una palabra acerca del padre Riordan, a pesar de lo que les había hecho. Pero en ese momento las comprendía.

Por fortuna, Uri no le preguntó cómo se encontraba, sino únicamente qué había averiguado. Ella le habló del verdadero Afif Aweida, el marchante de antigüedades que traficaba con objetos robados y que seguía con vida mientras su primo, el verdulero que se llamaba igual, había sido asesinado. Cuando se lo contó, Uri sonrió con amargura.

—¿De qué te ríes?

—Me estoy acordando de algo que pasó hace tiempo. No a mí, a unos colegas míos.

—¿Qué?

—Un error grave de identidad. Ocurrió durante la segunda guerra del Líbano, hace unos pocos años. Las fuerzas especiales israelíes capturaron a un tipo que se suponía que era el jefe de Hizbullah. Fue todo un éxito para los servicios de inteligencia. Lo malo es que en realidad era un simple tendero de Beirut. El mismo nombre, pero el hombre equivocado.

—¿Crees que los servicios de inteligencia israelíes mataron a Aweida?

—No he dicho eso. Solo digo que esos errores ocurren. Podría haberlo cometido cualquiera.

Caminaban por la calle Shlomzion Ha'Malka hacia el coche de Uri. A Maggie le habría gustado subir a su habitación y asearse un poco, pero él le había dicho que no había tiempo que perder. Mientras subían al coche, le contó lo que creía que había ocurrido: que Shimon Guttman había estado en la tienda de Aweida, había descifrado varias tablillas de arcilla y había dado con una de gran importancia política, una cuyo texto podía tener grandes consecuencias en la marcha de las negociaciones de paz; luego, había llamado a Baruch Kishon, su colega de toda la vida en el campo de la acción política, para hablar con él del mejor modo de dar a conocer su descubrimiento, y después se había lanzado a hacer llegar la información al primer ministro.

—Para que mi padre estuviera tan alterado tenía que haber descubierto algo que demostraba que los judíos llevaban en esta tierra desde siempre, algún documento en hebreo de miles de años atrás.

—¿Como el mosaico de la sinagoga de Bet Alpha?

—Quizá.

Maggie se mordió el labio y miró las calles por la ventanilla. Hombres vestidos de negro y tocados con el clásico sombrero de ala ancha, algunos de ellos adornados con piel a pesar del calor. Mujeres envueltas en vestidos sin forma y cargadas con bolsas de la compra. Uri siguió la mirada de Maggie.

—Lo religioso se está apoderando de este lugar. En fin, no tardaremos en saber qué fue lo que mi padre encontró. Su abogado estaba fuera del país, ha llegado esta mañana y ha visto que le esperaba esa carta.

—¿Te ha dicho cuánto tiempo llevaba en el buzón?

—Según parece, mi padre la llevó en mano el sábado pasado.

Ambos intercambiaron una mirada.

—Lo sé —dijo Uri—. Yo pensé lo mismo. Es como si mi padre supiera que iba a ocurrirle algo.

Siguieron avanzando en silencio mientras Maggie repasaba los acontecimientos de la mañana y de la noche anterior. Ojalá encontrara la manera de dar sentido a todo aquello... Quizá debería explicar a Uri el incidente del mercado; quizá entre los dos podrían averiguar la identidad de sus agresores. Pero ya le había revelado mucho de sí misma la noche anterior. Se disponía a decir algo cuando Uri encendió la radio y sintonizó las noticias del mediodía. Una vez más, se las fue traduciendo.

—Dicen que todo el mundo teme el desenlace de las conversaciones de paz de Oriente Próximo después de que ambas partes hayan reconocido que las negociaciones se han interrumpido. Hay imágenes de satélites que muestran que el ejército sirio se ha movilizado cerca de la frontera. El ejército egipcio ha cancelado todos los permisos. Y al parecer el presidente de Irán ha dicho que si Israel rechaza esta última oportunidad de ser aceptado en la región, la región deberá eliminar a Israel de una vez por todas. «Extirpar ese cáncer.» Washington ha manifestado que cualquier uso de armas nucleares contra Israel será «debidamente» castigado.

«¡Santo Dios! —se dijo Maggie—, Miller y el resto no bromeaban. El mundo entero está pendiente de las negociaciones. Si fracasan se puede producir una verdadera catástrofe geopolítica.» Entonces, en medio del parloteo en hebreo, identificó dos palabras conocidas e inesperadas.

—¿Qué ha pasado, Uri?

Él levantó la mano pidiendo silencio y palideció. Cuando por fin habló, lo hizo con un hilo de voz.

—Dicen que se van a celebrar funerales por un veterano periodista, Baruch Kishon, que se ha matado en un accidente de coche en Suiza, en las afueras de Ginebra.

—Uri, para el coche. Ahora mismo.

Pero Uri estaba metido en pleno tráfico y no podía apartarse. La mente de Maggie funcionaba a toda velocidad. Alguien se estaba adelantando a cada uno de sus movimientos. Ella y Uri habían descifrado el nombre de Afif Aweida en el apartamento de Kishon y, unas horas después, un hombre llamado Afif Aweida yacía muerto en pleno mercado de Jerusalén. Ellos eran los únicos que habían estado en casa de Kishon y habían descubierto que había recibido la última llamada de Guttman. Pero alguien había eliminado también a Kishon.

Aquello solo podía significar una cosa: los estaban siguiendo y estaban grabando todas sus conversaciones. Era eso. No podía haber otra explicación.

Uri apretaba el claxon para apartarse y detenerse a un lado.

A menos que...

¿Dónde había dicho Uri que había realizado el servicio militar? En inteligencia. Y era la única persona que sabía todo lo que ella sabía. Maggie estaba segura de que no había mencionado el nombre de Kishon a nadie más; sin embargo, el periodista había muerto, con toda probabilidad asesinado.

Había confiado en Uri inmediatamente y totalmente. Tal vez había sido un error. Ya se había equivocado otras veces juzgando a la gente.

Se sentía mareada y aturdida; tenía las manos pegajosas. Se volvió para mirarlo. Pensó en el hombre que aquella mañana le había plantado la mano ahí. No había podido verle la cara ni identificar su voz; el acento le había parecido extraño. Entonces se le ocurrió que podía haber sido el de alguien que disfrazara la voz a propósito. ¿Era posible que Uri la hubiera seguido hasta allí? ¿Era posible que el tipo del pasamontañas fuera él? Esperó a que el tráfico les permitiera detenerse. Entonces intentó alcanzar el tirador de la puerta para abrirla.

Pero Uri fue más rápido. Presionó el mecanismo de su lado que bloqueaba las puertas. Maggie estaba atrapada. Uri la tenía acorralada.

Se volvió hacia ella y con voz firme y tranquila dijo:

—No vas a ir a ninguna parte.

38

Jerusalén, jueves, 14.25 h

Uri, quiero salir!

—No vas a ir a ninguna parte, Maggie.

—¡Déjame salir ahora mismo! ¿Me oyes? —Maggie casi nunca alzaba la voz y sabía que, cuando lo hacía, el sonido impactaba.

Uri cedió al fin.

—Escucha, Maggie, no puedes abandonarme ahora solo porque las cosas dan un poco de miedo.

—Eres tú el que me da miedo, Uri.

—¿Yo? ¿Te has vuelto loca?

—Cada vez que hemos descubierto un nombre, esa persona ha aparecido muerta. Primero Aweida. Ahora Kishon. Y yo no los he matado, eso lo tengo claro.

—¿Y crees que he sido yo?

—Bueno, tú eres el único que sabes tanto como yo.

Uri meneaba la cabeza con incredulidad y la mirada gacha; el motor del coche seguía en marcha.

—Eso es absurdo, Maggie. ¿Cómo iba yo a matar a alguien en Suiza si no me he movido de aquí?

—Puedes haber hablado con alguien.

—¡Pero si no sabía que estaba en Suiza! —Intentó no perder la calma—. Escucha, lo único que quiero es saber qué les pasó a mis padres. Alguien mató a mi madre, Maggie. Estoy seguro de eso. Y quiero saber quién fue. Nada más.

Poco a poco, Maggie notó que la angustia remitía, como si la sangre se calmara en sus venas.

—Aun así, podrías estar pasando lo que sabes a los servicios de inteligencia israelíes.

—¿Y por qué iba a hacer eso? No olvides que los servicios de seguridad abatieron a mi padre. Incluso es posible que estén detrás de todo esto desde el principio. ¿Por qué iba a ayudarlos?

Eso era verdad. Un agente secreto que perdía a su padre y a su madre solo para no ser descubierto: no tenía sentido. Se había dejado llevar por el pánico.

—De acuerdo, te creo. Ahora desbloquea las puertas.

Uri levantó el pestillo y esperó a que ella se apeara. Cuando vio que no se movía, dijo:

—Cerré las puertas porque te necesito. No puedo hacer esto solo. —Calló unos segundos y añadió—: No quiero que te vayas.

Ella lo miró a los ojos y vio lo mismo que la noche anterior. La misma chispa, la misma calidez. Quería sumergirse en esa mirada, quedarse en ella. Sin embargo, volvió la cabeza y asintió para indicarle que se pusiera en marcha.

Apenas había recorrido cien metros cuando Uri, de repente, echó mano al volumen de la radio y lo subió. Luego recorrió el dial hasta que dio con una machacona música *rap*. El coche parecía estremecerse.

Maggie, aturdida por el ruido, intentó bajar la música, pero él no solo se lo impidió sino que la puso aún más fuerte y cubrió la radio con la mano para impedirle que la tocara.

—¿Qué demonios haces? —preguntó ella a gritos.

Uri la miró con los ojos muy abiertos, como si acabara de hacer un gran descubrimiento.

«Micrófonos —dijo solo moviendo los labios—. Micrófonos en el coche.»

Naturalmente. La seguridad siempre había sido un elemento clave en los intentos de mediación del pasado, y también ella, en su época, había tomado medidas extremas de precaución: en una ocasión había informado a cierto primer ministro en el cuarto de baño de un hotel mientras corría el agua del grifo. Pero eso había sido cuando ella tomaba parte en las negociaciones. Había dado por hecho que aquello sería diferente. El miedo repentino hacia Uri y después eso... De pronto se sintió muy estúpida. El año que había pasado fuera de circulación, ayudando a matrimonios mal avenidos, la había dejado más oxidada de lo que suponía.

Uri tenía razón. Debían actuar como si los estuvieran espiando. Cuando se detuvieron en un semáforo, él se inclinó hacia ella para hablarle al oído y que no pudieran grabar su voz.

—El ordenador, también.

Además de oír su voz, Maggie pudo notarla, percibir el aliento de Uri acariciándole el oído; el olor de su cuello.

—Seguro que han visto todo lo que hemos visto —añadió él—. A partir de ahora, hablemos con naturalidad. —Bajó el volumen de la música—. ¿No te gusta el rap? En Israel se ha puesto muy de moda.

Maggie se sentía demasiado aturdida para seguir la comedia. Si habían espiado su sesión en el ordenador de casa de Guttman, entonces, fueran quienes fuesen los que lo habían hecho, sabían todo lo que ellos sabían, incluyendo la verdad acerca de Ahmed Nur. Y algo esa mañana los había sobresaltado, los había alterado lo suficiente para que decidieran asustarla. Al haber ido a ver a Aweida se había acercado demasiado.

Uri detuvo el coche, y ambos bajaron. Una vez fuera, Maggie empezó a hablar, pero él se llevó un dedo a los labios, indicándole silencio.

—Sí —dijo, fingiendo una conversación intrascendente—, esta es la música que todo el mundo escucha últimamente, sobre todo en Tel Aviv.

Con un gesto le indicó que lo siguiera. Maggie lo observó. Llevaba barba de varios días y el pelo despeinado, con mechones que le caían por la cara. No se le ocurrió nada que decir, ni de música ni de cualquier otra cosa. Se limitó a mirarlo con la más absoluta perplejidad.

Uri se le acercó y le susurró al oído.

—La ropa también.

Ella se palpó los bolsillos en busca de un micrófono invisible mientras Uri sonreía como diciendo: «No te molestes, no lo encontrarás».

Caminaron hacia lo que parecía un bloque de apartamentos y no de oficinas, que era lo que ella esperaba. ¿Acaso iban a ver al abogado de Guttman a su casa?

Uri llamó al interfono.

—¿Orli?

Maggie oyó una voz de mujer a través del altavoz.

—*Mi zeh?*

—Uri. *Ani lo levad* —dijo. Vengo acompañado.

La puerta se abrió y dos pisos más arriba encontraron la puerta de un apartamento abierta. En el umbral, y con aire de sorpresa, había una mujer a la que Maggie juzgó cinco años más joven que ella y guapísima. Pelo largo castaño, grandes ojos oscuros, una esbelta figura que ni los holgados vaqueros lograban afear... Maggie deseó que fuera la hermana de Uri y temió que en realidad se tratara de su novia.

Al instante los dos se fundieron en un abrazo que hizo que Maggie deseara que se la tragara la tierra. ¿Eran parientes? ¿Lo consolaba ella por su reciente pérdida? Unos segundos más tarde estaban los tres dentro del apartamento y Maggie seguía a un lado sin que la hubieran presentado.

Sin que nadie se lo indicara y sin pedir permiso, Uri fue hacia el aparato de música, puso un disco y subió el volumen. Mientras sonaba Radiohead, explicó a Orli lo que había ocurrido y sus sospechas. Luego, para sorpresa de Maggie, señaló lo que ella supuso que sería el dormitorio y la apremió para que lo siguiera. Una vez los tres dentro, y con la música sonando, Uri presentó a las dos mujeres y ambas intercambiaron una media sonrisa educada. Acto seguido, se volvió hacia Maggie y le explicó entre susurros que, primero, Orli era una antigua novia y, segundo, que Maggie tenía que desnudarse.

Luego, en tono normal continuó:

—Orli estudió diseño de moda en Londres. Pensé que te gustaría echar un vistazo a las últimas prendas que ha creado.—Hizo el gesto de escuchar y señaló hacia todas partes. El micrófono podía estar en cualquier sitio: la camisa, los zapatos, el pantalón...

A continuación, Uri abrió una cómoda y empezó a sacar ropa de hombre. ¿Era suya y la guardaba allí a pesar de su insistencia en que la preciosa Orli solo era una ex? ¿O pertenecían al nuevo novio de la joven?

Fuera como fuese, Orli se llevó a Maggie ante su armario vestidor y la examinó de arriba abajo con la despiadada mirada que las mujeres reservan para sus congéneres. Al final resultó que, aunque Maggie no estaba tan delgada como Orli, no había tanta diferencia, podría vestirse con su ropa.

Orli sacó una falda larga y suelta. «Con eso no hay error posible», se dijo Maggie.

—¿Y estos? —preguntó señalando un elegante pantalón gris junto con una camisa y un cárdigan a juego.

Orli se los entregó a regañadientes. Tentando la suerte, Maggie indicó también un par de bonitas botas que había en el fondo del armario. Ya que iba a llevar la ropa de otra mujer, por lo menos que la llevara a gusto, pensó.

Orli dejó las prendas encima de la cama, dio media vuelta y salió. Maggie no la culpó. Si Edward se hubiera presentado un día en casa con otra mujer, le dijera que debía desvestirse y, a continuación, le pidiera a ella que le dejara su ropa, no le habría hecho mucha gracia. Edward. Hacía cuatro días que no hablaba con él.

Unos minutos después se despidieron, Uri prolongó su abrazo con Orli un par de segundos más de lo estrictamente necesario. Luego él y Maggie bajaron por la escalera no solo vestidos con ropa nueva, sino después de haberse desprendido de cualquier cosa que hubiera podido ocultar un micrófono: zapatos, bolso, bolígrafo y todo lo demás.

—Te sorprendería dónde se puede ocultar un micro o incluso una cámara en la actualidad —le dijo él mientras iban hacia el coche—. En un bote de laca para el pelo, en una gorra de béisbol, en unas gafas de sol, en el tacón de un zapato, en una solapa... En cualquier parte.

Ella lo miró.

—Es lo que hicimos para rodar documentales para la televisión. Ya sabes, investigación con cámaras ocultas.

—Claro, Uri —contestó Maggie, convencida de que todo aquello lo había aprendido llevando el uniforme del ejército y no en las salas de montaje de la televisión israelí.

Una vez en el coche, Uri puso de nuevo la música y avanzaron en silencio hasta que Maggie lo rompió.

—¿Qué relación tienes con Orli? —Esperó sonar lo menos forzada posible, como si no le importara.

—Ya te lo he dicho. Es una ex novia.

—¿Cómo de ex?

—Pues ex. Dejamos de vernos hace más de un año.

—Creí que hace un año estabas en Nueva York.

—Sí. Orli estaba conmigo. Pero ¿qué es esto, un interrogatorio?

—No. Pero hace cinco minutos estábamos en el apartamento de una chica a la que no había visto en mi vida y me ordenabas que me vistiera con su ropa. Creo que tengo derecho a saber quién es.

—Vale, se trata de tus derechos, ¿no es eso? —Uri la miró con el rabillo del ojo y una sonrisa.

Maggie, sabiendo lo que pensaba, prefirió no decir más y se

puso a mirar por la ventanilla. Estuvo así al menos quince segundos.

—¿Por qué te dejó?

—¿Cómo sabes que me dejó ella a mí y no al revés?

—¿Fue al revés?

—No.

—¿Qué pasó?

—Me dijo que estaba harta de dar vueltas por Nueva York esperando a que yo me decidiera a comprometerme. Así que, se volvió a Israel.

—¿Y se ha acabado? Me refiero a lo vuestro.

—Por Dios, Maggie, ¿qué es esto? Hasta la semana pasada, hacía más de un año que no hablaba con ella. Cuando se enteró de lo de mi padre me llamó y me dijo que si necesitaba cualquier cosa la llamara. Y como necesitábamos algo, la llamé. ¡Por favor!

Maggie se disponía a disculparse, a ser buena chica y a perdonar a Uri por tener una ex novia tan guapa, pero no tuvo ocasión. Su móvil empezó a sonar y en la pantalla apareció el número del consulado. Hizo un gesto a Uri para que se detuviera para que ella pudiera salir del coche y hablar lejos de los micrófonos que pudiera haber en él. Desde luego, cabía la posibilidad de que también le hubieran pinchado el móvil, pero ¿qué podía hacer? No iba a tirarlo. Tenía que estar localizable. Fue hasta una esquina y contestó.

—Hola, Maggie. Soy Jim Davis. Estoy aquí con el vicesecretario Sánchez y con Bruce Miller. —Se oyó un clic cuando conectaron el altavoz exterior.

—Maggie, soy Robert Sánchez. Las cosas se han puesto un poco feas a lo largo del día y...

—¿Un poco feas? ¿Solo un poco? —Era Miller, su acento sureño había interrumpido la voz de barítono de Sánchez. Maggie se lo imaginó caminando arriba y abajo mientras que Davis y Sánchez permanecían sentados—. Se han puesto muy feas,

Costello. Todo el país está ardiendo más deprisa que una cruz del Ku Klux Klan. Ahora tenemos en plena revuelta a los árabes israelíes de Galilea, Nazaret y el jodido jardín de Getsemaní. Y los de Hizbullah siguen machacando en el norte. La verdad es que los israelíes están empezando a preocuparse de veras.

—Entiendo.

—Eso espero, señorita Costello, porque le diré una cosa: el presidente y un montón de gente se están jugando mucho en este proceso de paz para que ahora se vaya a la mierda.

Maggie sabía que esa manera de expresarse convertía a Bruce Miller en una fuerza de la naturaleza que en Washington abrumaba a cualquiera que se interpusiera en su camino. Antes de que su hombre fuera elegido para el cargo de la Casa Blanca, ya era la estrella de los debates de televisión, en los que superaba incluso a los Bill O'Reilly y a los Chris Matthew con su característica combinación de argot de chico recién llegado del campo y su costumbre de entrar sin tapujos en política. Los productores de televisión estaban encantados con él.

—Tenemos tres cuestiones fundamentales en juego —prosiguió Miller—. Primero, debo conseguir que el presidente sea reelegido en noviembre. Con la firma de un tratado de paz en Jerusalén sería cosa hecha. En política no surgen muchas oportunidades como esa, así que cuando sale una hay que aprovecharla. Segundo, la paz en Oriente Próximo asegurará al presidente un puesto de honor en la historia porque habrá triunfado allí donde todos han fracasado. Y eso me gusta. Me gusta mucho.

Maggie sonrió a su pesar. En su campo, los eufemismos y los circunloquios eran habituales. La franqueza tan poco diplomática de Miller era un cambio estimulante.

—Pero la cuestión, señorita Costello, es que hacer lo correcto y ganar votos no suelen ir de la mano. Cuando Johnson dio derecho a voto a los negros, hizo lo correcto, pero jodió al Partido Demócrata en el sur hasta nuestros días. Era lo que había que hacer, pero nos dio por el culo. Sin embargo, esto es diferente. Hasta un cínico y viejo sapo como yo puede verlo. Nos hemos labrado la oportunidad de hacer lo correcto y, de paso, llevarnos un montón de votos por hacerlo. Créame, lograr que árabes y judíos dejen de matarse después de los años que llevan haciéndolo es hacer lo correcto. No podemos echarlo todo por la borda. Se lo debemos. —Hizo una pausa para asegurarse de que su homilía había calado—. Así pues, ¿qué tiene para mí?

Maggie habló de los progresos que había hecho cada bando y luego insistió nuevamente en que la violencia cesaría tan pronto conociera la causa que, según ella, estaba detrás, de la mayoría de los incidentes, si no de todos. Se estaba acercando, pero necesitaba más tiempo.

—Tiempo es precisamente lo que no tenemos, Maggie.

—Lo sé, señor Miller.

Maggie, había percibido la casi lastimera nota de desesperación en la voz de Miller. Sintió una punzada de culpabilidad; le habían confiado una tarea vital y se estaba entreteniendo con otras cosas. Miller no era solo un tipo duro en política: detrás de su apariencia había alguien que deseaba sinceramente la paz. Y ella, en lugar de ayudar, no había conseguido nada. Colgó después de haber prometido un nuevo informe con sus progresos un poco más tarde esa noche. Cuando volvió al coche, su anterior preocupación respecto a Orli le pareció vergonzosamente trivial.

Permaneció durante un rato sentada en silencio, contemplando un terror mucho más espantoso: un segundo fracaso letal. Uri conducía sin hacer preguntas.

Cuando se detuvieron ante el edificio donde el abogado de Guttman tenía su despacho, la luz empezaba a teñirse con el tono del atardecer. Se trataba de una vieja casa de dos plantas hecha de la piedra que abundaba por doquier y que Maggie ya había dado como característica de todas las construcciones.

Subieron por la escalera y llegaron a una puerta con un rótulo en el que se leía: DAVID ROSEN. ABOGADO.

Uri llamó suavemente y acto seguido empujó la puerta. No había nadie en el mostrador de recepción, pero aquello no pareció preocuparlo.

—Habrá salido un momento —dijo Uri en voz alta. Después de haberse desprendido de su ropa, confiaba en que ya no llevaba encima ningún micrófono. Y tampoco Maggie.

Llamó en hebreo, pero no respondió nadie. La oficina parecía desierta. Se asomaron juntos al primer despacho: nadie, luego al siguiente, y lo mismo.

—¿A qué hora nos esperaba? —preguntó Maggie.

—Le dije que iríamos enseguida.

—Pero de eso hace una eternidad. Perdimos un montón de tiempo en casa de Orli...

Uri buscó el que tenía que ser el despacho principal. Cuando por fin abrió la última puerta, la que daba al cuarto más amplio, su expresión cambió y palideció.

Maggie entró tras él y abrió unos ojos como platos. Ese despacho no estaba vacío. David Rosen se hallaba sentado a su mesa. Mejor dicho, estaba caído sobre ella, inmóvil como un cadáver.

39

Tekoa, Cisjordania, jueves, 15.13 h

No por primera vez desde que había llegado a Israel, y de eso hacía ya casi veinticinco años, Akiva Shapira maldijo su educación estadounidense. Contempló a los jóvenes que hacían sus prácticas de adiestramiento en los viñedos cercanos, cargando de tres en tres, blandiendo sus cuchillos, dispuestos a hundirlos en los blandos cuerpos de los maniquíes rellenos de paja, y lamentó no poder ser como ellos. Ya era demasiado tarde, desde luego. A sus cincuenta y dos años y pesando más de cien kilos, Akiva Shapira nunca podría unirse a aquel glorioso ejército de la resistencia judía de un modo que implicara acción. Lo que le dolía no era que su momento hubiera pasado, sino el saber que nunca había llegado realmente.

Había crecido en un acomodado barrio periférico de Nueva York, en Riverdale, para mayor precisión. Mientras los jóvenes israelíes aprendían el lenguaje de los tanques, la artillería y la infantería como lengua materna y eran educados como guerreros desde la infancia, él lo había sido para unirse a un ejército de abogados, contables y médicos. Cuando llegó a Israel tenía veintipocos años, a tiempo de cumplir tres meses de entrenamiento básico, pero entonces ya era demasiado tarde: nunca podría compartir los conocimientos marciales que cimentaban buena parte de la cultura propia de esa sociedad. Nunca lo admitiría públicamente debido a su militancia nacionalista y su influencia política en Israel, pero Akiva Shapira seguía sintiéndose un extraño.

Por lo que sabía, los hombres que estaban con él no sentían eso. Todos tenían a su espalda un largo historial en el ejército, los tres años de rigor en el servicio militar y la experiencia de un par de guerras. Eran capaces de asistir a la exhibición y después hablar de las tácticas de combate con absoluto conocimiento. Cuando fueran al campo de tiro y vieran a los equipos de jóvenes tiradores surgir de la maleza y disparar a la hilera de sandías que servían de blanco, todos ellos, de la misma edad que Shapira o incluso mayores, sabrían qué comentarios hacer a los instructores. Shapira permaneció en silencio, intimidado por el estruendo de los disparos que, sin el menor fallo, convertían las frutas en una masa informe.

Para él fue un alivio cuando la demostración concluyó y los jóvenes reclutas se dispersaron. A partir de ese momento, los mayores hablarían de estrategia, y él ocuparía su lugar en la mesa con ellos como un igual.

Solo habían acudido cuatro a aquella reunión cuya existencia todos estaban de acuerdo en negar. Shapira y el hombre que tenía a su derecha eran los únicos que ocupaban cargos formales en el seno del movimiento colono. El hombre de la silla presidencial se había hecho famoso de otra manera: como fundador del *Machteret*, el movimiento clandestino judío que veinte años antes había llevado a cabo atentados terroristas contra políticos árabes. Había pasado un tiempo en la cárcel y en esos momentos se encontraba oficialmente retirado de la vida pública. La mayoría de los periodistas israelíes creían que vivía en el extranjero; sin embargo, allí estaba, en el corazón de Samaria, como Shapira y sus camaradas habrían llamado al lugar.

De todas maneras, si un equipo de la televisión irrumpiera allí —cosa bastante improbable teniendo en cuenta que un perímetro fuertemente armado protegía la zona—, lo que más le llamaría la atención no sería la presencia del fundador del *Machteret*, sino la figura que se sentaba a la mesa de picnic justo delante de Shapira: el ayudante personal del mismísimo Yossi Ben-Ari, el ministro de Defensa del estado de Israel.

—Bien —empezó diciendo el fundador del *Machteret*—, como sabéis estamos aquí para hablar de la operación Bar Kochba.

A Shapira le gustaba aquel nombre. Había sido sugerencia suya bautizar aquella revuelta judía del siglo XXI en honor de quien había conducido su equivalente del siglo II. (El hecho de que el alzamiento de Bar Kochba contra los romanos hubiera acabado en desastre y supuesto el exilio de los judíos de Palestina era algo que Shapira prefería pasar por alto.)

—La opción que seguimos prefiriendo es la desobediencia en masa en el seno del ejército —prosiguió el fundador—. Yariv no tendrá su plan de paz si las fuerzas armadas se niegan a hacerlo efectivo. Si da orden de desmantelar un asentamiento como este, como Tekoa, nuestra gente se negará a obedecer.

—Sí, pero debemos tener en cuenta el precedente de Gaza —dijo el hombre de Ben-Ari.

—Precisamente. En Gaza esperábamos un rechazo masivo a obedecer que no se produjo. Así pues, necesitamos un plan B. Y eso es lo que acabamos de ver: jóvenes muy entrenados y dispuestos a quitarse el uniforme y tomar las armas con tal de defender su patria.

Shapira no pudo evitar mirar al ayudante del ministro de Defensa. El hecho de que estuviera allí ya era suficientemente significativo, pero que escuchara sin protestar cómo un grupo de compatriotas planeaban tomar las armas contra el ejército, el mismo ejército al que su jefe mandaba, era extraordinario. Tener de su lado a aquel hombre —y por derivación a su superior— era la mejor prueba de su fuerza y de la debilidad de Yariv.

—Repito, desplegaremos estas fuerzas únicamente cuando

el acuerdo se haya firmado y el gobierno empiece a hacerlo efectivo.

—Pero entretanto... —dijo Shapira en su deseo de intervenir y dar lo mejor de sí mismo.

—Entretanto —el fundador lo fulminó con la mirada—, podemos dar algunos pasos para evitar que el tratado llegue a buen fin. De hecho, ya los estamos dando. Sin duda habrán oído que hemos reivindicado la autoría de nuestra última acción en el mercado de Jerusalén.

Los demás asintieron.

—Centraremos nuestras energías en estas iniciativas, que tienen como fin desestabilizar el gobierno antes de que pueda cometer un acto de rendición nacional. En los últimos días hemos organizado una pequeña unidad dedicada precisamente a esa tarea. Por el momento, caballeros, nuestro destino se halla en manos de esos hombres. Esta noche, cuando celebremos el servicio de la tarde, me gustaría que alzáramos una oración por la buena suerte y el éxito de los Defensores de Jerusalén Unido.

40

Jerusalén, jueves, 15.38 h

Para Maggie, la sensación fue casi física, como si cayera al vacío. No había discusión posible: llevaban consigo el aliento de la muerte. Cualquiera que se acercara lo bastante a Uri o a ella, cualquiera que hubiera estado cerca de Guttman, acababa muerto: la esposa de Shimon, envenenada con pastillas; Aweida, apuñalado en la calle; Kishon, despeñado por un precipicio en Suiza. Y por último ese hombre, David Rosen, el abogado a quien Guttman había confiado sus últimas palabras, desplomado sobre su escritorio antes de haber tenido ocasión de transmitirlas.

Uri se acercó con cautela; Maggie se dijo que seguramente estaba pensando lo mismo. Cuando estuvo lo bastante cerca para tocar a Rosen, su mano vaciló, como si no supiera qué debía examinar primero. Lentamente, la puso en el cuello y sus dedos le buscaron el pulso. Casi al segundo de haber tocado a Rosen, Uri retrocedió de un salto, como si hubiera recibido una descarga eléctrica. En ese mismo instante, el cuerpo se movió, y Rosen se incorporó bruscamente. Miraba a Uri con la misma perplejidad con la que este lo miraba a él.

—Por Dios, Uri... ¿qué estás haciendo aquí?

Rosen era alto y delgado, llevaba unas gafas pasadas de moda y tenía el cabello plateado. Tenía la piel de los antebrazos, que asomaba bajo la camisa de manga corta, salpicada de manchas de la edad. Mientras el hombre recobraba la compostura, Maggie le vio unas ligeras marcas rojas en la cara, el resultado de haberse quedado dormido sobre una superficie dura; en aquel caso, un escritorio.

—¡Usted me dijo que viniera!

—¿De qué estás hablando? —Maggie vio que Rosen buscaba sus gafas a pesar de llevarlas puestas. Hablaba en inglés con un ligero acento británico—. Ah, sí, es verdad. Pero ¿eso no fue ayer?

—No. Ha sido hoy. Lo que pasa es que se ha quedado dormido.

—Ah, claro. He llegado de Londres esta mañana. Un vuelo nocturno. Estoy agotado. Me habré quedado dormido.

Uri se volvió hacia Maggie y alzó los ojos al cielo como si dijera: «¿Y nuestro destino está en manos de este hombre?».

—Sí, señor Rosen. Usted me llamó y me dijo que tenía una carta de mi padre.

—Sí, es cierto. —Empezó a toquetear los montones de papeles que abarrotaban el escritorio—. Si no recuerdo mal, la trajo en mano la semana pasada y... —De repente se interrumpió, se levantó y dijo—: Lo siento, Uri. No sé en qué estaba pensando. Por favor, ven aquí. —Uri se acercó y se agachó un poco, igual que un adolescente que recibe un beso de una abuela menuda. Rosen lo estrechó entre sus brazos mientras murmuraba lo que parecía una plegaria. Luego, en inglés, añadió—: Os deseo a ti y a tu hermana una larga vida, Uri.

Maggie lanzó una mirada a Uri.

—Disculpe, señor Rosen, quiero presentarle a Maggie Costello, de la embajada estadounidense. Me está ayudando un poco.

Maggie se dio cuenta de lo que Uri pretendía.

—¿De la embajada de Estados Unidos? ¿A qué te refieres?

No había funcionado.

—Es una diplomática. Está aquí por las conversaciones de paz.

—Ya entiendo, pero ¿en qué está ayudándote exactamente la señorita Costello?

«Rosen es viejo y está medio dormido —pensó Maggie—, pero no es idiota.»

Uri hizo lo que pudo para explicarse sin dar detalles concretos. Dijo que su madre había confiado en aquella mujer y que también él confiaba en ella. Maggie estaba ayudándole a resolver un problema que parecía aumentar exponencialmente. Pero los ojos de Uri decían algo más sencillo: «Yo confío en ella, de modo que usted también debería confiar en ella».

—Muy bien —dijo Rosen al fin—. Aquí está.

Y sin más ceremonias le entregó un sobre blanco.

Uri lo abrió lentamente, como si fuera una prueba en un juicio. Miró dentro con expresión de perplejidad y sacó una funda de plástico que contenía un disco. No había ninguna nota.

—Un DVD. ¿Podemos utilizar su ordenador? —preguntó Uri.

Rosen puso en marcha el aparato. Uri se situó junto a él, lo apartó suavemente, cogió una silla y se sentó frente al teclado. No había tiempo para cortesías.

Insertó el disco y esperó con impaciencia mientras el programa de reproducción se cargaba. A Maggie la espera se le hizo interminable.

Por fin apareció una pantalla dentro de la pantalla; primero negra, hasta que un par de segundos después se llenó con caracteres hebreos.

—«Mensaje para Uri» —tradujo Uri.

Luego, saliendo del fundido, apareció una imagen animada: Shimon Guttman sentado ante el mismo escritorio donde Maggie se había instalado la otra noche. Parecía estar mirando la pantalla del ordenador. Maggie recordó la cámara de vídeo que había visto y los aparatos electrónicos que había en el despacho y dedujo que Guttman se había filmado a sí mismo.

Contempló aquel rostro, tan distinto de la persona que había visto en las imágenes de archivo de internet. No había en él ni rastro de la arrogancia que mostraba en las fotos de los discursos. Al contrario, Guttman parecía aturdido y preocupado, como un hombre al que hubieran perseguido toda la noche y que apenas hubiera dormido. Estaba inclinado hacia delante, con el rostro demacrado y cansado.

«Uri yakiri.»

—«Mi querido Uri —empezó a traducir su hijo con un murmullo—, espero que nunca tengas que ver esto, espero que podré volver al despacho de Rosen la semana que viene para recuperar este sobre que le confío para que te entregue en caso de que yo desaparezca o, Dios no lo quiera, en el caso de que muera. Con un poco de suerte podré resolver este asunto yo solo y no hará falta que te arrastre a él.

»Pero si por alguna razón no lo consigo, no puedo permitir que este conocimiento muera conmigo. Mira, Uri, resulta que he visto algo tan valioso, tan antiguo e importante que de verdad creo que cambiará a cualquiera que lo vea. Me consta que tú y yo no estamos de acuerdo en casi nada, y sé que crees que tu padre es un exagerado. A pesar de todo, estoy convencido de que comprenderás que esto es distinto.»

De repente Uri se inclinó bruscamente sobre el teclado y detuvo el reproductor. Luego se volvió hacia Maggie y, con una expresión donde se leía claramente «¡Seré idiota!», le dijo con los labios: «¡Micrófonos!».

Tenía razón. Rosen lo había llamado. Si Uri tenía el teléfono intervenido, los servicios de información israelíes, o quien fuera, había tenido tiempo de infiltrarse en el despacho del abogado y colocar micrófonos. Incluso podían haberlo hecho mientras la Bella Durmiente sesteaba encima de la mesa.

Uri se levantó y recorrió el despacho hasta que vio el televisor. Lo encendió, sintonizó un canal que emitía un programa de variedades estadounidense —con muchos aplausos y gritos—, subió el volumen y volvió al ordenador. Luego lo pensó mejor, volvió al televisor y le dio la vuelta, con la pantalla cara a la pared.

—Cámaras ocultas —le susurró a Maggie—. El lugar más típico para esconderlas es dentro de un televisor.

Rosen parecía más desconcertado que nunca.

Cuando Uri puso nuevamente en marcha el reproductor y siguió traduciendo lo hizo directamente al oído de Maggie. Sin querer, ella cerró los ojos y se dijo que era para concentrarse mejor en sus palabras.

—«En los últimos días he hecho un descubrimiento que sin duda constituye el hallazgo arqueológico más importante de mi carrera y de la de cualquiera, dicho sea de paso. Un descubrimiento que convertirá a su propietario en alguien famoso y en alguien muy, muy rico.»

Uri soltó un suspiro.

—«Ahora que dicho descubrimiento obra en mi poder, esas serían razones suficientes para que temiera por mi vida. Pero es que hay algo más y, como no puede ser de otra manera tratándose de tu padre, ese algo más tiene que ver con la política. No te sorprende, ¿verdad, Uri?»

Uri meneó la cabeza.

—No, padre. No me sorprende.

—«Vayamos al grano: lo que he visto es la última voluntad de *Avraham Avinu*. Sí, has oído bien: el testamento de Abraham, el gran patriarca. Sé que parece una locura, pero créeme si te digo que hasta yo he dudado de mi propia cordura. Sin embargo, aquí está...»

En ese momento Maggie abrió los ojos desmesuradamente. Uri dejó de hablar. Los dos miraban boquiabiertos la pantalla del ordenador; David Rosen estaba tan estupefacto como ellos. Shimon Guttman, con la frente perlada de sudor, había sacado un objeto que se hallaba fuera del encuadre y lo sostenía ante la cámara. De color marrón y del tamaño aproximado de una vieja cinta de casete, resultaba difícil distinguirlo. Pero los ojos de

Uri brillaron. Sabía exactamente qué era porque había crecido rodeado de objetos como ese.

—«No voy a mostrarte el texto de cerca» —siguió traduciendo—. Por si acaso esta grabación cae en manos equivocadas, no quiero que nadie más vea lo que pone. Sé que te puedo parecer paranoico, Uri, pero estoy convencido de que cierta gente estaría dispuesta a lo que fuera si llegara a sospechar de la existencia de esta tablilla.»

—En eso tiene razón —murmuró Maggie.

—«Sé que estarás haciéndote la pregunta obvia. ¿Cómo sé que no se trata de una falsificación? No te aburriré con detalles técnicos... la calidad y el origen de la arcilla, el estilo de la escritura cuneiforme, el sello y el lenguaje, todos ellos de la época de Abraham, pero te aseguro que cualquier experto en el tema estaría casi seguro de que es verdadera. Y digo "casi". Si yo estoy seguro al cien por cien es porque nadie ha intentado vendérmela, nadie ha intentado convencerme de que era auténtica. La encontré por un golpe de suerte en una tienda del mercado de Jerusalén. Mi hipótesis es que fue robada de Irak y sacada de allí de contrabando. Tal vez salió de unas excavaciones, tal vez incluso del Museo Nacional. Nunca lo sabremos, aunque cabría preguntarse si el Museo de Bagdad conocía su existencia. En cualquier caso, la hipótesis de Irak tiene sentido. Al fin y al cabo, ¿dónde había nacido *Avraham Avinu*, nuestro padre Abraham, sino en la ciudad mesopotámica de Ur? —La imagen de Guttman de la pantalla sonrió—. Y esa ciudad sigue en pie hoy en día. En Irak.

»Puedes fiarte de mi palabra. Este texto es real. En él aparece Abraham al final de sus días. Es un anciano que ha llegado a Hebrón. Según parece, sus dos hijos, Isaac e Ismael están cerca. Eso también cuadra: sabemos por la Torá que Isaac e Ismael enterraron a su padre, de modo que es posible que estuvieran a su lado cuando murió. También parece que hubo cierta disputa en torno a la última voluntad de Abraham. Por los textos, que lo repiten una y otra vez, sabemos que Abraham legó la tierra de Israel a Isaac y sus descendientes, el pueblo judío. Sé bien que ni tú ni tus amigos de la izquierda soportáis este tipo de discurso, Uri, pero dedícame dos minutos y coge el *Bereshit*, el Génesis, capítulo quince, versículo veinticuatro, donde José dice a sus hermanos: "Voy a morir, pero Dios acudirá sin duda en vuestra ayuda y os sacará de esta tierra para llevaros a la tierra prometida en juramento a Abraham, Isaac y Jacob". O mira en el *Shmot*, en el Éxodo, capítulo treinta y tres, versículo primero, donde dice: "Y el señor dijo a Moisés: 'dejad este lugar, tú y la gente que has sacado de Egipto, y dirígete a la tierra que prometí a Abraham, Isaac y Jacob diciéndoles: Yo se la daré a vuestros descendientes'". O cuando Dios le dijo a Josué "Sed fuertes y valerosos porque vosotros conduciréis a los israelitas a la tierra que les prometí, y yo mismo estaré con vosotros". Esto, dicho sea de paso, pertenece al *Dvarim*, el Deuteronomio, capítulo treinta y uno, versículo veintitrés. Supongo que captas la idea: la tierra de Israel fue entregada al pueblo de Israel. No hay duda de eso.

»Pero, según parece, la cuestión de Jerusalén, al igual que hoy en día, no estaba tan clara entre los hijos de Abraham. Este texto —Guttman volvió a mostrar la tablilla ante la cámara— no lo detalla, pero deja bastante claro que Isaac e Ismael discutieron y que Abraham decidió zanjar la disputa antes de morir. Seguramente llamó a un escriba (esa gente ya existía hace treinta y siete siglos), para que fuera a Hebrón y diera fe de su testamento y de ese modo no hubiera lugar a confusiones.

»En este texto, el anciano Abraham solo se refiere al monte Moria. Todavía no existía allí el Jerusalén que conocemos en la actualidad. Él no refiere lo que ocurrió allí, pero todos nosotros lo sabemos, como lo sabían los que estaban junto al lecho de muerte. ¡Imagina la tensión en la familia! El monte Moria era el lugar donde Abraham llevó a su hijo Isaac para sacrificarlo. Y lo que Abraham zanja en este texto es la propiedad de ese lugar.

»Mi querido Uri, conoces bien la importancia de todo esto. El gobierno de Israel incluye ahora a tres partidos religiosos. Si resulta que este texto demuestra, claramente y sin ambigüedades, que Abraham dejó el Monte del Templo a los judíos, esos partidos no podrán tragarse un tratado de paz que compromete la soberanía de Jerusalén. ¿Y qué me dices del otro bando, nuestros enemigos, los palestinos? En su gobierno están los de Hamas, devotos musulmanes que reverencian a Abraham. Si este texto dice que Haram al-Sharif pertenece exclusivamente a los herederos de Ismael, ¿cómo van a poner en cuestión esa última voluntad? Es más, y le he dado vueltas a este asunto largo y tendido, ¿qué hay de la primera posibilidad, y si el testamento entrega esa tierra sagrada enteramente a los judíos, a nosotros? Entonces, ¿qué? ¿Cómo reaccionarían ante eso los fundamentalistas islámicos?

»Por eso estoy seguro de que si cualquiera de los dos bandos llegaran a conocer la existencia de esta tablilla, estaría dispuesto a adoptar las medidas más extremas para evitar que viera la luz del día. Por eso necesito llevar este asunto con mucho cuidado y hacer llegar la información a las personas que la tratarán con el debido cuidado. Más tarde intentaré hablar con el primer ministro. Sin embargo, si algo llega a ocurrirme, esta grave responsabilidad pasará a ti, Uri.»

Maggie le apoyó una mano en el hombro.

—«Te habrás dado cuenta de que no te digo qué revela el texto. No puedo arriesgarme, no fuera que este mensaje acabara en manos indebidas. Pero si yo desaparezco, será tarea tuya averiguarlo, Uri. Lo he dejado en lugar seguro, un lugar que solo tú y mi hermano conocéis.

»Me consta que entre tú y yo ha habido enconadas diferencias, especialmente en los últimos años, pero ahora necesito que las dejes a un lado y recuerdes los buenos tiempos, como aquel viaje que hicimos juntos por tu *bar mitzvá*. ¿Qué hicimos durante ese viaje, Uri? Confío en que lo recuerdes.

»Solo puedo decirte que esta búsqueda comienza en Ginebra, pero no en la ciudad que todos conocen, sino en un lugar nuevo y mejor donde puedes ser quien quieras ser. Ve allí y recuerda los momentos que pasamos juntos y de los que te he hablado.

»*Lech lecha*, hijo mío. Empieza a partir de aquí. Y si resulta que dejo esta vida, entonces me verás en la otra vida, que también es vida. Buena suerte, Uri.»

La pantalla se oscureció. David Rosen se echó hacia atrás en su asiento, anonadado por lo que acababa de ver. Maggie se había quedado sin palabras, pero Uri estaba furioso.

Se puso a teclear furiosamente en el ordenador, buscando cualquier otra cosa que pudiera haber en el DVD, algún elemento que se le hubiera pasado por alto.

—¡No puede acabar así! ¡No puede! —rebobinó la grabación y repitió la última parte. «Buena suerte, Uri.» La pantalla se oscureció de nuevo y Uri se llevó las manos a la cabeza.

—¡Esto es típico del cabrón de mi padre! —masculló.

—¿Qué es lo típico? —quiso saber Rosen.

—¡Esto! ¡Otro de sus gestos grandilocuentes para llamar la atención! Está en posesión de un secreto que ha costado la vida a su mujer y podría costar la de sus hijos, y ¿qué hace? ¿lo desvela? ¡No, ni hablar! ¡En vez de eso se dedica a jugar a las adivinanzas!

—Pero, Uri —Maggie intentó suavizar la situación—, ¿acaso no ha intentado decirte dónde se encuentra? Ha dicho que debíamos empezar en Ginebra.

—¡Por favor, no hagas caso de esas tonterías! ¡No tienen sentido!

—¿Qué quieres decir?

—Que son una gilipollez de principio a fin.

—¿Cómo puedes estar tan seguro?

Uri la miró con ojos llameantes.

—Está bien, empecemos por lo primero que ha dicho. Ya sabes, eso de «Lo he dejado en lugar seguro, un lugar que solo tú y mi hermano conocéis». Bien, pues no tiene sentido.

—¿Por qué?

—Es muy simple, Maggie. —Hizo una pausa y la miró a los ojos—. Mi padre no tenía un hermano.

Tanto Maggie como Uri estaban demasiado aturdidos, demasiado confusos por lo que habían visto en la grabación, y también excesivamente absortos en su conversación para prestar atención a sus oídos cuando salieron del despacho de Rosen. De haberlo hecho, seguramente habrían oído cómo el veterano abogado descolgaba el teléfono y pedía hablar con el hombre a quien tanto él como el difunto Shimon Guttman consideraban un camarada y su alma gemela ideológica.

—Sí, enseguida —dijo por teléfono—. Tengo que hablar ahora mismo con Akiva Shapira.

41

Campamento de refugiados de Rafah, Gaza, dos días antes

Estaban quedándose sin lugares donde reunirse. La primera norma de un movimiento armado clandestino —«Nunca dos veces en el mismo sitio»— requería un número infinito de casas seguras, y Salim Nazzal empezaba a temer que estuvieran quedándose sin ellas. Las conversaciones de paz en Jerusalén no habían beneficiado al negocio: de repente las calles de Palestina se mostraban menos receptivas a los que ponían bombas en los autobuses y en los centros comerciales israelíes. Había que dar una oportunidad a los negociadores. Esa era la postura del hombre de la calle. Nadie decía que no pudiera volverse a la lucha si —cuando— las negociaciones fracasaran; pero durante unas semanas había que ver qué proponían los negociadores.

En ese ambiente, solo unos cuantos habitantes de Gaza estaban dispuestos a abrir sus puertas a un grupo escindido de Hamas que, como todos sabían, se proponía sabotear las conversaciones. El riesgo era altísimo. Bastaba que alguien se enterase de que tenías a uno de ellos bajo tu techo para que tu casa fuera arrasada por un obús israelí. O para recibir un balazo de los hombres de al-Fatah que, a pesar de haberse coaligado con Hamas, no olvidaban las luchas callejeras que habían librado con la organización hacía bien poco. O para que te asesinaran los antiguos camaradas de Hamas por haber desafiado las órdenes de un partido que contaba con la aprobación del mismísimo Alá.

Así pues, Salim hizo una respetuosa reverencia ante su anfitrión, un hombre de unos treinta años, como él, con la barba recortada propia de un islamista. La casa era como todas las demás: un cuadrado hecho con bloques de cemento, el suelo cubierto con delgadas alfombras, equipada con un televisor, una cocina y unos cuantos colchones en los que dormían todos los miembros de la familia. No era una ciudad formada por tiendas de campaña, tal como los visitantes extranjeros esperaban ver después de haber oído hablar del «campamento de refugiados». Se parecía más a un barrio marginal de barracas. No había calles propiamente dichas, sino un entramado de callejones que formaba una especie de vecindario. A ese lo llamaban Brasil por la nacionalidad de las tropas de Naciones Unidas que en su día habían tenido allí sus cuarteles.

La reunión de aquella noche era aún más clandestina de lo habitual. Salim disponía de una información crucial y altamente confidencial que debía comunicar. Un técnico de Jawwal, la compañía de teléfonos móviles palestina, se disponía a cerrar la cuenta del difunto Ahmed Nur cuando vio que en el buzón de voz del arqueólogo quedaba un mensaje sin abrir. El buzón estaba bloqueado con un código PIN, pero no le costó forzarlo. La curiosidad por el asesinato de Nur le llevó a escucharlo. Se trataba de un apasionado y confuso mensaje en inglés de algún académico israelí. El técnico, un fiel seguidor de Hamas con grandes reparos hacia la política de paz de su partido, se puso en contacto con Salim, y le dijo que quería pasar aquella información a los patriotas palestinos y a los devotos musulmanes.

—*Masa al-kahir...* —empezó a decir.

—*Masa a-nur* —respondieron la media docena de individuos allí reunidos.

—Somos afortunados por disponer de una información que

tendrá grandes consecuencias en nuestra lucha. Un arqueólogo judío, famoso activista sionista, asegura que compró a un marchante árabe de Jerusalén una tablilla que recoge la última voluntad de Ibrahim. —Hizo una pausa para que sus palabras calaran en la audiencia—. Sí, de Ibrahim Jalilullah, Abraham, el amigo de Alá.

En el rostro de los hombres se dibujó una sonrisa de escepticismo y se oyó algún que otro bufido burlón.

—Esa fue también mi reacción, hermanos, pero todo parece indicar, y os ruego que no salga de aquí una palabra de esto, que la tablilla puede ser auténtica. Está claro que ese hombre asegurará que el texto apoya las pretensiones sionistas sobre Jerusalén.

—Todos sabemos lo que dirá la cúpula de Hamas: que esa tablilla ha sido robada en Irak y...

Se oyeron disparos en el exterior. En Rafah, pasada la medianoche eso no era algo demasiado infrecuente, pero los seis hombres, incluido Salim, comprobaron inmediatamente su teléfono móvil por si habían recibido el aviso de un ataque inminente. Tras unos segundos de tenso silencio, Salim prosiguió:

—Sabemos qué dirán nuestros líderes: o que se trata del robo sionista de un legado árabe, perpetrado casi con toda seguridad en Irak, o que se trata de una falsificación que solo los medios de comunicación sionistas se niegan a ver. Sabemos qué dirán porque es lo mismo que diríamos nosotros.

Los reunidos asintieron. Salim era más joven que la mayoría de ellos, pero lo respetaban. Durante la segunda Intifada había desempeñado un importante papel en las brigadas Ezzedin al-Qassam, el ala militar de Hamas. Era un artificiero especialista en la fabricación de bombas, uno de los pocos que habían conseguido escapar a los tiradores de élite del ejército de Israel. Eso le proporcionaba una doble credibilidad: había matado israelíes y no lo habían capturado.

—Pero nada de eso importará. La derecha israelí no cederá

un palmo de Haram al-Sharif si puede presentar un texto en el que se afirme que Ibrahim se lo dio a ellos. Las conversaciones de paz habrán terminado.

—¿Y qué pasa si resulta que esa tablilla dice que Haram nos pertenece?

—Ya lo he pensado. Creo que no nos equivocaríamos al suponer que, si un erudito sionista hubiera desenterrado semejante fuente, la habría vuelto a enterrar a toda prisa.

El hombre que había hecho la pregunta sonrió y asintió.

—Así pues —continuó Salim—, nos encontramos en la siguiente situación: estoy seguro de que algunos palestinos harán todo lo posible para evitar que ese documento salga a la luz porque pensarán lo obvio: que si se conoce la última voluntad de Ibrahim, las reclamaciones palestinas sobre Jerusalén perderán fuerza. Esa gente matará y se dejará matar con tal de evitar que ese texto antiguo sea revelado. Lo más probable es que ya se hayan puesto manos a la obra.

»Pero también hay otro punto de vista, y es que si esa tablilla sale a la luz y da a los sionistas lo que quieren, no estarán dispuestos a firmar los acuerdos que se han estado discutiendo en Government House. ¿Por qué iban a compartir Jerusalén si resulta que Ibrahim se lo dio en testamento?

—Interrumpirán las conversaciones inmediatamente —intervino uno de los hombres de confianza de Salim.

—Lo harán, y con ello concluirá esta farsa que es el proceso de paz. Ya no se hablará más de la necesidad de reconocer al ente sionista. Se acabarán las tonterías de establecer treguas con el enemigo. Podremos volver a la verdadera lucha, la que el Profeta, la paz sea con él, ha determinado que ganaremos.

—Así pues —dijo otro—, crees que nos interesa que ese testamento se haga público, ¿no?

—Si queremos poner fin a la traición que se está cometiendo con nuestro pueblo, sí, lo creo. De todas maneras, no tenemos que decidirlo ahora.

—¿A qué te refieres?

—A que solo podremos decidir qué hacemos con esa tablilla cuando obre en nuestro poder. Hasta ese momento debemos dedicar todas nuestras energías a encontrarla y apoderarnos de ella. Ese es nuestro sagrado deber. Sea lo que fuere lo que haya que hacer para conseguirla, debemos hacerlo. ¿Estamos de acuerdo?

Los hombres se miraron. Luego, a coro, respondieron:

—¡Alá es grande!

42

Jerusalén, jueves, 18.23 h

Regresaron al hotel en silencio. Uri había vuelto a poner música rap a todo volumen para saturar cualquier micrófono con el que pudieran escucharlos, pero a Maggie le parecía insorportable. Prefirió no hablar a tener que aguantar aquel ruido.

En cualquier caso, le dolía la cabeza. Había tomado algunas notas mientras escuchaba la grabación de Guttman y les echó un vistazo.

> ... en lugar seguro, un lugar que solo tú y mi hermano conocéis.

¿Qué sentido había en eso si el padre de Uri no tenía un hermano? Había demasiadas preguntas en el aire. Deseó sentarse en algún sitio tranquilo donde pudieran hablar sin tener que gritar con la música a tope o mirando constantemente por encima del hombro. Si los espiaban, casi con toda seguridad también los seguían.

Cuando llegaron al hotel, Maggie llevó a Uri directamente al bar. Pidió un par de whiskies y casi lo obligó a tomarse el suyo antes de pedir otra ronda. Dobles. La temprana penumbra del anochecer que bañaba el bar le resultó relajante.

—Bueno, Uri, ¿qué me dices de ese hermano?

—No existe.

—¿Estás seguro? ¿No pudo tu abuelo haberse casado anteriormente y haberlo mantenido como un secreto de familia?

Uri la miró por encima del vaso, y sus ojos reflejaron el licor ambarino mientras sonreía ligeramente.

—Después de todo esto, después de lo de Nur y del testamento de Abraham, no me sorprendería que mi padre tuviera un hermano secreto. Creo que ya nada me sorprendería.

—O sea, que puede ser.

Uri parecía cansado.

—Sí, supongo que puede ser. Si puedes guardar un secreto, imagino que puedes guardar varios.

Maggie, sin pensarlo, puso su mano en la de él. Estaba cálida. La dejó ahí unos segundos, hasta que se dio cuenta de que sería mejor retirarla.

—Bien. De momento dejemos a un lado la cuestión del hermano —dijo—. Ya volveremos después a eso. —Maggie vio en el extremo de la barra a un judío ortodoxo que comía cacahuetes mientras leía el *Jerusalem Post*, como si esperara a alguien. No recordaba haberlo visto allí al entrar—. Vamos —dijo de repente en voz alta—. Necesito sentarme en una silla cómoda.

Se bajó del taburete e hizo un gesto a Uri para que la siguiera. Cuando llegó a una mesa a cierta distancia de la barra y de espaldas al devorador de cacahuetes, dejó su vaso y se sentó para tener una amplia perspectiva. Si ese hombre quería observarlos o leer sus labios tendría que darse la vuelta y ponerse en evidencia. Miró alrededor. En el bar no había nadie más, aparte de ellos.

Llamó a un camarero y pidió algo de comer. Esperaron un momento y entonces, sin haberlo planeado, obedeciendo a un impulso, le contó a Uri lo que le había sucedido aquella mañana. Fue breve, se ciñó a los hechos e hizo lo posible por no mostrar autocompasión. Evitó los detalles anatómicos, pero vio que aun así la expresión de Uri pasó del espanto al enfado.

—¡Qué hijos de puta! —exclamó al tiempo que se levantaba.

—¡Siéntate, Uri! —Lo agarró de la muñeca y tiró de él—. Escucha, yo también estoy furiosa, pero solo daremos con esa gente si mantenemos la calma. Si perdemos la cabeza, ganarán. —Lo miró a los ojos—. Ganarán los que mataron a tu madre.

Lentamente, Uri tomó asiento, justo cuando el camarero se acercaba con un par de sándwiches. Maggie agradeció el breve respiro.

—Escucha —dijo cuando estuvo segura de que Uri no volvería a saltar—, ¿sabes qué no logro entender? Por qué nos siguen pero no dan el golpe, por qué no nos borran del mapa. A todos los demás los han matado.

Uri comió en silencio durante un rato, como si se tragara su rabia. Al fin, haciendo un esfuerzo evidente por sonar menos preocupado de lo que estaba, habló:

—Como ex oficial de inteligencia de las fuerzas israelíes, yo diría que cuando siguen a alguien de ese modo solo puede significar dos cosas.

—¿Cuáles?

—La primera, que eliminar el objetivo es demasiado arriesgado. Hablo de ti. Si los que nos están siguiendo son palestinos, lo último que necesitan es matar a un representante del gobierno de Estados Unidos, y más tratándose de una mujer guapa.

Maggie bajó la vista, no sabía cómo reaccionar. Los diplomáticos de mediana edad solían piropearla, y ella les devolvía el cumplido con una caída de ojos, pero con Uri no se sentía capaz de semejante maniobra. Sobre todo porque ese comentario, a diferencia de los otros, significaba algo para ella.

—Imagina cómo reaccionaría la gente en Estados Unidos si tu cara apareciera en las noticias y qué pensaría de los malvados árabes que te habían matado.

—De acuerdo, he captado la idea. —A Maggie le quedaba todavía un poso del tiempo que pasó interna en el colegio de monjas para temer tentar al destino—. Y eso valdría lo mismo para los israelíes.

—En cierto sentido para ellos incluso sería peor —dijo Uri, un poco más relajado con la ayuda del whisky—. Espiar a los estadounidenses ya es bastante malo, aunque lo hemos hecho algunas veces, pero ¿matarlos? No sería buena idea. Además, tú sigues siendo ciudadana irlandesa, ¿no?

—Sí. No he renunciado.

—Pues si te mataran se montaría una bronca de cuidado con los europeos.

—¿Y cuál es la otra posibilidad? Dijiste que había dos.

—No matas a la persona a la que estás siguiendo porque quieres que te lleve a alguna parte.

Maggie tomó un sorbo de su whisky y dejó que un cubito de hielo se deslizara entre sus labios. Lo hizo rodar dentro de la boca, disfrutando de su frescor en la lengua. Así pues, alguien, fuera quien fuese, quería que ella siguiera la pista del caso Guttman. No le harían nada mientras les fuera de utilidad.

—Pero la gente que me agredió esta mañana me dijo que me mantuviera alejada, que no husmeara más.

—Lo sé —contestó Uri—, por eso es posible que pertenezcan al primer grupo. No te han matado porque eso les causaría demasiados problemas.

—O tal vez hay más de un grupo siguiéndonos. Siguiéndome. Pero por razones distintas.

—Puede ser. Como he dicho millones de veces, las cosas en este país, en esta área, están muy jodidas.

Maggie dejó el vaso y sacó el post-it con las notas que había tomado en el despacho de Rosen.

—Tu padre dijo algo acerca de los «buenos tiempos». Mencionó un viaje que habíais hecho juntos con ocasión de tu *bar mitzvá*. Decía que esperaba que te acordaras.

—Y me acuerdo.

—¿Qué ocurrió?

—Me llevó con él en un viaje de trabajo a Creta. Quería visitar las excavaciones de Cnosos. Imagínatelo: con trece años y buscando viejas reliquias polvorientas.

—¿Y?

—Eso fue todo.

—Vamos, Uri. Tuvo que pasar algo. ¿Fuisteis a un museo? ¿Hubo alguna pieza que tuviera un valor especial para tu padre?

—Fue hace mucho tiempo, Maggie, y yo era un chaval. La verdad es que nada de aquello me interesaba. No recuerdo nada.

—¿No pasó nada?

—De lo que me acuerdo es de que tuve que esperar un montón. Y que me gustó el viaje en avión. Eso lo recuerdo.

—Piensa, Uri, piensa. Tiene que haber una razón para que tu padre lo mencionara en su mensaje. ¿Ocurrió algo importante mientras estabais allí?

—Bueno, al menos en aquella época a mí me pareció importante. Fue especial estar así solo los dos, él y yo. Fue la primera vez. —Miró a Maggie y le mostró nuevamente una sonrisa amarga—. Y no se repitió.

—¿Hablasteis de algo en concreto?

—Recuerdo a mi padre hablando de los minoicos, explicándome que habían sido una gran civilización. «Y míralos ahora —decía—. Ya no existen. Eso podría pasarnos a nosotros, a los judíos. De hecho, ha estado a punto de ocurrirnos varias veces. Casi desaparecemos. Por eso necesitamos Israel, Uri. Después de todo lo que hemos pasado, necesitamos un lugar que sea nuestro.» Eso fue lo que me dijo.

«Algo en concreto», pensó Maggie con impaciencia, haciendo un esfuerzo por ajustarse a sus propias normas: sabía que en ocasiones bastaba con dejar hablar a la gente, dejar que las palabras brotaran por sí solas hasta que surgía la frase crucial.

—Me habló de sus padres, de cómo su madre había muerto

con Hitler y cómo su padre había logrado sobrevivir. Esa sí es una historia increíble. Mi abuelo se refugió en la granja de una familia que no era judía en Hungría. Los escondieron, a él y a un primo suyo, en una pocilga. Justo antes de que acabara la guerra, logró escapar recorriendo kilómetros de alcantarillas.

»Mi padre decía que la lección que había que extraer de la vida de mi abuelo era que los judíos necesitaban tener un lugar donde nunca más debieran pedir permiso a nadie para sobrevivir, donde pudieran luchar y defenderse por sus propios medios si era necesario. No tener que esconderse nunca más en un chiquero.

La era nazi... Una idea acudió a la mente de Maggie. Se acordó de las discusiones acerca de los bancos suizos que habían seguido controlando las cuentas de los judíos asesinados por los nazis. ¿Podía haber una relación?

—Uri, el mensaje mencionaba Ginebra. ¿Es posible que tu familia hubiera dejado...?

—Mi familia no tenía dinero, no tenía nada. Era pobre antes de que llegaran los nazis y siguió siéndolo después.

—De acuerdo, descartemos el dinero. Pero ¿qué me dices de una caja de seguridad en Ginebra? Quizá tu padre escondió la tablilla en un banco suizo.

—Me cuesta imaginarlo; no era su estilo. ¿Una bóveda acorazada en Ginebra? Eso vale mucho dinero. Además, ¿cuándo podría haberla llevado allí? En la grabación dice que acaba de encontrar la tablilla.

Maggie asintió. Uri tenía razón. Lo de Ginebra tenía otro significado.

—¿Y qué piensas de esa frase que dice al final? «Y si resulta que dejo esta vida, entonces me verás en la otra vida, que también es vida.» Yo creía que tu padre no era un hombre religioso.

—La verdad es que fue una sorpresa oírlo hablar de esa manera, pero quizá eso es lo que te pasa cuando tienes en las manos la última voluntad de Abraham. Y si encima te da miedo la muerte, es posible que acabes hablando como un rabino.

—Lamento todo esto, Uri.

—Tú no tienes la culpa. Es horrible darte cuenta de que no sabes casi nada acerca de tu padre. Todos esos secretos... ¿Qué clase de relación puedes tener con alguien que te oculta tantas cosas?

—Mira —dijo Maggie—. Creo que van a cerrar. Será mejor que nos marchemos.

Sin embargo, en lugar de dirigirse a los ascensores, Maggie fue al mostrador de recepción. Uri la observó largar una historia acerca de alergias y polvo que no le permitían dormir una noche más en su habitación. El recepcionista del turno de noche puso cierta resistencia, pero acabó por claudicar. Cogió su llave y se la cambió por la número 302; luego llamó a un botones para que trasladara las maletas.

Maggie se dio la vuelta y le guiñó un ojo a Uri.

—No habrá micrófonos en la trescientos dos.

Él insistió en acompañarla. Cuando llegaron, Maggie le preguntó dónde pensaba dormir. Uri la miró como si no lo hubiera pensado hasta ese instante.

—Mi apartamento seguro que está vigilado y la casa de mis padres, también.

—Casi diría que la única razón de que no te hayan matado es porque estás conmigo —dijo Maggie con una sonrisa.

—Entonces lo mejor será que me quede contigo.

43

Jerusalén, jueves, 22.25 h

Sabía que tendría que haberle dicho que no, que debería haber insistido en que bajara en el ascensor y pasara la noche en el coche si era necesario. Pero se dijo que no sucedería nada, que él dormiría en el sofá o en el suelo y que eso sería todo.

Incluso abrió un armario en busca de una almohada y una manta con la que improvisar una cama. Pero cuando se dio la vuelta, Uri estaba tras ella, inmóvil, como si se negara a participar en aquella farsa.

—Uri, escucha, ya te expliqué que...

—Sé lo que dijiste —la interrumpió él poniéndole un dedo en los labios.

Antes de que Maggie pudiera decir palabra, él le selló los labios con un beso. Al principio fue un beso suave, como el de la otra noche, pero eso no duró. Enseguida se convirtió en algo que despertó una fuerza apremiante en el interior de Maggie.

Lo besó con ansia, con los labios y la lengua deseosos del contacto con la boca de Uri. La fuerza de su deseo la desconcertó, pero fue incapaz de contenerla. Lo había reprimido tanto tiempo, hora tras hora, que una vez rota la presa no había forma de frenar las aguas.

Hundió los dedos en su pelo y tiró de él en su necesidad de acercar aún más su rostro y su olor. Fue como si lo devorara; ambos sentían la misma urgencia. Las manos de Uri se movían deprisa, primero le acariciaron la cara, después el cuello, y empezaron a quitarle el top.

Segundos más tarde rodaban por la cama con la piel erizada por la electricidad del primer contacto. Cada caricia, cada sabor despertaba un nuevo destello de intensas sensaciones, hasta que sus cuerpos se unieron. La espalda de Uri se tornó resbaladiza por el sudor, y Maggie se aferró a ella; estaba segura de que podía sentir no solo su deseo, sino también su añoranza, su necesidad, incluso su pena. Y cuando ella gimió su abandono, supo que él ya había oído su necesidad, su anhelo de sentirse libre después de tanto tiempo. Permanecieron unidos durante horas; después de que la primera oleada hubiera remitido, su ardor siguió casi intacto.

Quizá estuviera demasiado tensa, porque cuando se despertó, en algún momento después de las dos de la madrugada, no consiguió conciliar el sueño de nuevo. Uri dormía junto a ella; su pecho subía y bajaba rítmicamente con cada respiración. Maggie supuso que era la primera vez que descansaba de verdad desde la muerte de su padre. Le gustaba mirarlo. Durante un largo rato permaneció tumbada de costado, simplemente mirándolo, y notó que la invadía una especie de paz.

Así pasó casi una hora, hasta que Maggie al final se sintió inquieta. Se levantó y se puso una camiseta que había cogido del armario de Edward cuando hizo las maletas el domingo por la tarde. «ATENCIÓN, ESTADO: EL COMERCIO PATEA LOS CULOS», ponía en el pecho. Era un recuerdo de un torneo interdepartamental de *softball* del verano anterior. Edward había creído que su participación era crucial para su carrera política.

Caminó de puntillas hasta la mesa, a solo unos pasos de la

cama. Abrió el ordenador y lo conectó. El color azul de la pantalla la iluminó en la oscuridad. Uri no se movió.

Esperó a tener conexión y abrió el correo. El primer mensaje de la lista era de su hermana Liz.

> Mags:
>
> Mi cuenta de Second Life me dice que no has utilizado el enlace que te envié. ¡Sabía que no lo harías! Pero deberías. No solo demuestra tu nivel de popularidad, sino que además encontrarás algunas cosas interesantes. Aquí tienes (¡otra vez!) mi nombre en el juego y mi contraseña, además de unas pocas instrucciones básicas para que entres como si fueras yo. Cambiando de tema: hemos de hablar del setenta cumpleaños de papá. Deberíamos hacer algo grande, no sé, un viaje para él y mamá a Las Vegas con *strippers* y todo eso. ¿Qué te parece? No me hagas caso, es broma. Besos. L.

Su hermana había firmado con una cara sonriente que hizo que Maggie sonriera.

El siguiente era de Robert Sánchez. «Asunto: últimas noticias.» Dentro, sin mensaje alguno, había un documento con un resumen de las últimas comunicaciones que el equipo negociador en Jerusalén había enviado a Washington. Una lectura superficial le bastó para saber que la situación pintaba mal.

> Las conversaciones han quedado reducidas a una actividad puramente testimonial en Government House, y ambas partes han retirado a la mayoría de sus representantes. Los avances logrados hace una semana, justo antes de la muerte de Guttman, parecen cosa del pasado ... las dos partes no hacen más que cruzarse reproches ... los países árabes empiezan a lanzar mensajes hostiles, ruido de sables en Irán y Siria ... el lobby proisrael de Estados Unidos, encabezado por los Cristianos Evangélicos, empieza a inquietarse y se ha aliado con grupos de colonos de aquí para organizar un telemaratón que será emitido el domingo por la noche en el *Christian Broadcasting Network* ... hoy ha

habido choques violentos en la zona del Monte del Templo cuando fuerzas de seguridad israelíes dispararon gases lacrimógenos a los que acudían a la mezquita de al-Aqsa. Hay dos palestinos muertos, uno de ellos un adolescente ... emboscada contra un coche de colonos en las afueras de Ofra, murieron dos pasajeros, uno de ellos de doce años ...

Maggie se pasó los dedos por el cabello como si lamentara haber dejado de fumar. Dios, en esos momentos se moría por un cigarrillo... Se preparó para el tercer mensaje. De Edward. Sin asunto.

M:

No creo que te interese, pero esta noche salgo para Ginebra. Negocios del gobierno que no puedo decidir con el e-mail.

Cuando ambos regresemos, tendremos que resolver algunas cuestiones prácticas. Por favor, infórmame de tus planes.

E.

Maggie se recostó en la silla. «Infórmame de tus planes.» ¿De verdad ese hombre había sido su amante? Miró a Uri. Bajo la sábana se dibujaba la silueta de su cuerpo dormido. Sonrió y volvió al mensaje de su hermana. Seleccionó RESPONDER.

Eres una hermana estupenda. No te merezco. Echaré un vistazo a ese enlace. En cuanto a Las Vegas, ¿qué tal si las *strippers* aparecieran como jugadoras de bolos de Crown Green?

Se disponía a entrar en Second Life cuando sintió un nudo en el estómago. Le habían pinchado el teléfono, la seguían y, al parecer habían espiado su trabajo con el ordenador de Guttman. Seguramente en esos momentos alguien en alguna parte estaba leyendo lo mismo que ella. Desconectó bruscamente el ordenador y la habitación volvió a sumirse en la oscuridad.

Sabía que ya no conseguiría dormirse. Demasiados nervios. Así pues, se puso algo de ropa, abrió la puerta sin hacer ruido y salió. Avanzó casi de puntillas por el pasillo buscando la sala que todos los hoteles seguían conservando a pesar de que, en la era de las BlackBerry y la Wi-Fi, casi nadie utilizaba ya: el Business Center.

La tarjeta magnética de su habitación le franqueó la entrada a una sala oscura, vacía y fría. Solo había una terminal, pero funcionaba. El ordenador le pidió el número de su habitación y nada más. Eso no era problema: el personal del hotel podía ver lo que estaba haciendo, lo que Maggie deseaba evitar era a los *hackers*, los piratas y los mirones.

Volvió a abrir el mensaje de Liz, apuntó el nombre —Lola Hepburn— y la contraseña. Luego abrió el enlace. La pantalla se oscureció y mostró un mensaje.

«Bienvenida a Second Life, Lola.»

Introdujo sus datos. La imagen de un paisaje generada por ordenador llenó poco a poco el monitor, como si anunciara el comienzo de un videojuego. En primer plano, dando la espalda a Maggie, aparecía la versión infográfica de una atlética joven vestida con ceñidos vaqueros y un top con la bandera inglesa. Maggie comprendió que se trataba de Lola Hepburn, la encarnación de Liz en Second Life, su «avatar». Observó la serie de botones que aparecía en la parte inferior de la pantalla: MAPA, VOLAR, CHAT y unos cuantos más cuyo significado se le escapaba. Unas instrucciones indicaban que debías utilizar las flechas del teclado para moverte adelante y atrás, a derecha e izquierda. Lo intentó y contempló con asombro cómo la pechugona sílfide de la pantalla avanzaba, moviendo rítmicamente los brazos en una imitación del andar humano.

Parecía encontrarse en una especie de jardín virtual, donde las hojas del otoño se movían mecidas por una leve brisa. Era como si Maggie estuviera controlando una cámara que se hallara por detrás y por encima del avatar y que siguiera todos sus movimientos. Cuando caminó entre los árboles, las hojas se hicieron más grandes y adquirieron detalle, como si la cámara las enfocara de cerca. Era extraño y fascinante.

Giró a la izquierda, pero la chica pechugona de la pantalla no pareció moverse. Más bien fue todo el encuadre el que lo hizo: la imagen giró alrededor de ella como si realmente hubiera ido hacia la izquierda. Entonces vio las casas, con sus tejas de pizarra delineadas con todo detalle. Y había un sonido, una tonadilla que se repetía, como un tintineo de feria. Efectivamente, Maggie vio un tiovivo a lo lejos. A medida que se acercaba, la música sonaba más fuerte. Parecía avanzar por un prado y, a cada paso que daba, brotaban del suelo flores de brillantes colores: amarillo, escarlata y violeta.

Maggie echó un vistazo a las instrucciones que había anotado del correo de Liz. Para llegar a la sala donde encontraría a la Maggie Costello virtual, el lugar donde se celebraba la simulación de las conversaciones de paz, tenía que apretar el botón MAPA; luego encontrar el menú desplegable de MIS LUGARES CONOCIDOS y buscar «Universidad de Harvard, Estudios de Oriente Próximo». Estaba allí, cerca de la parte de arriba. Una vez seleccionado, apretó TELETRANSPORTE y sonrió cuando el ordenador hizo «¡Swooosh» como si diera un salto por el universo, igual que en *Star Trek*. La pantalla se oscureció y apareció un mensaje: «Llegando a Second Life». Entonces, un instante después, vio un primer plano de la chica de los vaqueros ceñidos y el corto top, de pie en un sitio totalmente distinto, como si la cámara la siguiera desde arriba.

En esos momentos estaba rodeada de edificios distribuidos como en un campus universitario. Algunos eran de ladrillo tradicional; otros, más modernos, de cristal y acero. Cuando el avatar empezó a caminar balanceando los brazos rítmicamente, Maggie se fijó que el suelo estaba adoquinado, como los senderos de los campus.

Ante ella había una rampa con unas palabras pintadas que se hicieron visibles cuando se acercó: BIENVENIDA A LA FACULTAD DE ESTUDIOS DE ORIENTE PRÓXIMO. Subió por ella y al hacerlo, el cambio de perspectiva la maravilló. Entró en un vestíbulo donde había imágenes, que giraban cuando apretaba las teclas de las flechas, y también un mostrador de recepción y una serie de postes indicadores. Maggie fue hacia el que señalaba SIMULACIÓN DE PAZ.

De repente se encontró en una habitación dispuesta como la clásica sala de negociaciones: una larga mesa rectangular para más de veinte personas. Parecía llena. Los distintos avatares ocupaban sus respectivos sitios, con un rótulo con su nombre delante de cada uno de ellos. Estaba el del presidente de Estados Unidos, el del secretario general de Naciones Unidas y varios de los representantes de las distintas partes intervinientes: los eternamente estados árabes moderados, Egipto y Jordania; la Unión Europea, Rusia y demás. Lejos de la mesa, junto a las paredes, había dispuestas más sillas para otros altos funcionarios, desde el secretario de Estado estadounidense hacia abajo. Maggie desplazó el cursor sobre el equipo de Estados Unidos, en el que estaban Bruce Miller y Robert Sánchez, hasta que dio con un avatar femenino, una mujer delgada y de pelo largo y castaño, con expresión convenientemente neutra. Se abrió una ventana informativa: «Maggie Costello, mediadora norteamericana».

—Al menos estoy en la habitación —murmuró Maggie para sí misma.

Suponía que aquellas figuras inertes habían sido colocadas en Second Life para dar mayor realismo a la escena. Al menos eso había que reconocérselo a la comunidad de pirados informáticos: se preocupaban por los detalles.

Fue entonces cuando Maggie se fijó en que dos de las figuras sentadas a la mesa no estaban inmóviles, sino que se agitaban. Estaban frente a frente, y sus ventanas de información los identificaban como Yaakov Yariv y Jalil al-Shafi. Les habían puesto su cara, o al menos una simulación de ordenador muy lograda. Solo las ropas y los cuerpos no encajaban. Seguramente se trataba de figuras adjudicadas automáticamente por el software de Second Life. Estando tan cerca de ellos —su avatar se hallaba a medio camino entre la puerta y la cabecera de la mesa— podría escuchar su conversación. Consultó su reloj: última hora de la tarde en la costa Este. Seguramente un par de posgraduados estaban pasando un rato con ese juego de rol.

Justo encima del avatar de Yaakov Yariv apareció un texto de color amarillo: «Hola, ¿puedo ayudarte? ¿Estás tomando parte en la simulación de paz?».

Maggie se quedó perpleja. ¿Qué diantre debía responder? ¿Debía fingir que era otra persona? Debía asumir un personaje y optó por el de estudiante californiana. Pulsó la tecla CHAT y tecleó. Mientras las palabras aparecían en pantalla, se fijó en que su avatar cambiaba de postura, levantaba los brazos y movía las manos. Maggie comprendió que su álter ego digital también tecleaba.

«Espero no ser una intrusa, chicos; me estoy graduando en relaciones internacionales y me sería de gran ayuda escuchar un rato.»

Un par de segundos después, Yariv movió las manos como si estuviera manejando un teclado invisible.

«¿Dónde estudias?»

Maggie vaciló mientras miraba el avatar de Liz.

«Burbank Community College.»

Una pausa.

«Vale.»

Maggie esperó mientras disfrutaba de aquel extraño juego y se preguntó a qué clase de travesuras se dedicaría Liz. ¿Tendría en Second Life el novio que no tenía en la vida real?

El personaje de al-Shafi empezó a hablar.

«¿Habéis visto el mapa de Siloam, el último?»

Al cabo de unos segundos se abrió un bocadillo de diálogo encima del avatar de Yariv.

«Lo hemos visto. Hace referencia a una ruta de circunvalación para la conducción principal de agua.»

Jalil al-Shafi: «Sí.»

Yaakov Yariv: «¿Estáis dispuestos a pagar por ella?»

Jalil al-Shafi: «Proponemos tres años a cargo de los fondos de Naciones Unidas y la Unión Europea, hasta que sea autosuficiente.»

Yaakov Yariv: «¿Con acceso a los acuíferos de Jordania?»

Jalil al-Shafi: «Eso creemos, pero necesitamos vuestro acuerdo antes de llevar la propuesta a los jordanos.»

Maggie asintió con admiración profesional. Se quitaba el sombrero ante aquellos chicos: se tomaban sus estudios realmente en serio y en lugar de intercambiar trivialidades iban a los detalles de las negociaciones. El agua era precisamente una de las cuestiones que solían pasarse por alto en el conflicto de Oriente Próximo: estaban demasiado pendientes del petróleo. «Fantástico, chicos», pensó Maggie mientras volvía a su curvilínea estudiante.

«¡Qué listos sois! Os lo agradezco un montón, pero creo que para poder seguir con vosotros tengo que estudiar un poco más. ¡Deseadme suerte!»

Después de despedirse, Maggie tecleó por error una de las flechas y su avatar trastabilló; entonces, avergonzada como si de verdad estuviera en la sala con dos posgraduados de Harvard y no encontrara la salida, apretó el botón VOLAR. Efectivamente, su glamouroso avatar se alzó del suelo y, con un poco de ayuda de la flecha ADELANTE, empezó a volar.

Al instante chocó de cabeza contra el edificio contiguo. Maggie vio que su álter ego digital daba un respingo. Pero un momento después estaba planeando sobre el campus de Harvard. Los gráficos eran extraordinariamente detallados, como las proyecciones tridimensionales de un arquitecto, y mostraban el revestimiento de estuco del campanario de Duster House e incluso los quioscos y los soportes para las bicicletas de Harvard Yard.

Siguió volando, con los brazos extendidos y el cuerpo horizontal, como si fuera Superwoman. De vez en cuando descendía para echar un vistazo más de cerca. Vio una mezcolanza de edificios, como si los hubieran construido sin una planificación global, rodeados todos por un ondulante paisaje; no tardó en darse cuenta de que se trataba de casas particulares con jardín. Sobrevoló una extensión de agua en la que distinguió una isla bordeada de cocoteros. Cuando descendió, se abrió un aviso en la pantalla: el anuncio promocional de un concierto que iba a dar allí un roquero de los años ochenta al día siguiente por la noche. Maggie meneó la cabeza, impresionada.

Siguió volando unos minutos más mientras imaginaba a su hermana perdiéndose en aquel mundo de vívidos colores y marcados perfiles. Divisó un grupo de avatares y descendió, con la misma curiosidad que si hubiera visto a una multitud de verdad en una calle que fuera de verdad. Cuando aterrizó, sus rodillas se doblaron.

Las luces de neón lo decían bien claro: aquel era el barrio chino de Second Life. Las figuras llevaban brillantes corsés de látex que, al mover el cursor sobre ellos, mostraban el precio. Látigos, antifaces, tenían de todo. De pronto se sintió desnuda y sus neumáticos pechos se le antojaron un estorbo. Pero era Lola Hepburn. Podía hacer lo que le viniera en gana.

Se acercó a un avatar masculino, una criatura desproporcionadamente musculosa que imaginó que habría sido diseñada pensando en el mercado gay. Al instante surgió un gráfico circular dividido en secciones que correspondían a diversas opciones: CHAT, LIGAR, TÓCAME fueron los primeros que Maggie vio. Vaciló mientras miraba aquellas grotescas figuras generadas por ordenador —una de las cuales era ella— y se preguntó qué diría la gente si la viera en aquella situación: en plena noche, en una sala llena de máquinas de fax abandonadas, una diplomática del gobierno de Estados Unidos en Jerusalén husmeando en lo que parecía material pornográfico de internet en las horas más negras de la negociación de paz. Se preguntó cómo sería eso de tocar sin tocar de verdad y qué haría esa máquina para simular el contacto. Entonces se acordó del hombre que había dejado durmiendo en la habitación, arriba.

En ese momento, otro hombre, un avatar con barba y pelo al estilo afro de los setenta, había entrado y se había acercado lo bastante para dirigirse a ellos con una línea de texto.

«Shaftxxx Brando: ¿Qué tal, chicos? ¿Cómo va todo?»

Maggie apretó al instante el botón VOLAR y salió a toda prisa de allí y del barrio chino. Volvió a planear sobre mares, ciudades y centros turísticos. En una ocasión descendió y se encontró en medio de una perfecta reproducción del centro de Filadelfia pulcramente representado en tres dimensiones.

Volvió a presionar la tecla MAPA y tardó unos segundos en averiguar lo que tenía que hacer. La nostalgia decidió por ella. Tecleó «Dublín» y apretó TELETRANSPORTE.

Un «¡Swooosh!» más tarde se hallaba en un paisaje que, a pesar de haber sido reproducido digitalmente, enseguida le resultó familiar. El agua del Liffey estaba demasiado quieta, pero la zona del Temple Bar estaba allí con todos los bares y tabernas típicas que recordaba de la adolescencia, cuando ella y las otras chicas del colegio de monjas bebían vodka como si fueran marineros rusos. Pero esa noche solo estaba ella y dos o tres colgados más deambulando por Dame Street; parecía un paraje desolado.

Cuando tomó conciencia de la situación, arrugó la nariz con disgusto. Era verdaderamente patético: una mujer contemplando una pantalla en plena noche para recordar su hogar. Se suponía que todo aquello, el ir dando tumbos por el mundo, había acabado; se suponía que debía estar echando raíces con Edward en Washington. Sin embargo, allí estaba, en la penumbra del Business Center de un hotel, pasadas las tres de la madrugada, añorando su hogar gracias a un famoso juego de ordenador. Se recostó en su asiento y se preguntó por qué su plan de sentar la cabeza había fallado. ¿Se había equivocado de ciudad? ¿De hombre? ¿De momento?

Apagó el ordenador, salió de la estancia y se dirigió al ascensor mientras pensaba en el Dublín que acababa de ver. No era como el que ella recordaba, sino más limpio y ordenado y mucho más solitario.

Entró en el ascensor y, cuando las puertas se cerraron tras ella, cayó en la cuenta. «¡Claro!» ¡A eso se refería Shimon Guttman! ¡Viejo astuto! ¿Cómo no se había dado cuenta?

«Vamos, vamos», se dijo, impaciente por regresar a la habitación y despertar a Uri. Los números de los pisos desfilaron hasta que llegó al suyo. Las puertas se abrieron, y ella se asomó con cautela y miró a un lado y a otro, no fuera a ser que los hombres que la seguían desde a saber cuándo, estuvieran esperándola ante la puerta de su habitación. No, no había nadie.

Corrió de puntillas por el pasillo, apenas rozando la moqueta. No quería hacer ruido. Lentamente, metió la tarjeta electrónica en la ranura y esperó a que se encendiera la luz verde. Abrió la puerta y se disponía a llamar a Uri cuando notó un fuerte golpe en la nuca y se desplomó en el suelo sin un gemido.

44

Jerusalén, viernes, una hora antes

Primero oyó el doble clic, la señal de que estaban hablando a través de una línea segura. Como siempre, el jefe fue directo al grano.

—Lo que me preocupa es que las cosas se están desmadrando.

—Lo entiendo.

—Está claro que necesitamos esa tablilla.

—Sí.

—Me refiero a que la necesitamos ahora. Esto es de locos. El remedio empieza a parecer peor que la enfermedad.

—Sé lo que parece. —Oyó un profundo suspiro al otro lado del hilo.

—¿Cuánto tiempo más cree que debemos conceder a este asunto.

Ese era el inconveniente de un trabajo como aquel, trabajar para quien tomaba las grandes decisiones. Ese tipo de personas siempre esperaban una acción inmediata, como si el mero hecho de murmurar que algo podía ocurrir fuera suficiente para que ocurriera. Tarde o temprano todos los líderes políticos se volvían así y acababan considerando sus palabras como actos divinos. «He dicho que se haga la luz, ¿cómo es que no hay luz?»

—Bueno, ahora que hemos empezado, no veo cómo podemos parar. Ya ha visto lo último. Hizbullah está lanzando cohetes en plena noche sobre pueblos y ciudades para aumentar el riesgo de que haya víctimas. No podemos permitir que dicten nuestras acciones.

—¿Qué sabemos de Costello? ¿Ha conseguido algo?

—La seguimos muy de cerca. Creo que está haciendo progresos. Y lo que ella sabe, nosotros lo sabemos.

Otro suspiro.

—Necesitamos hacernos con esa tablilla. Tenemos que saber lo que hay escrito en ella antes que ellos. Así podremos ser los primeros en actuar, determinar los acontecimientos.

—Como sabe, cabe la posibilidad de que nadie logre hacerse con ella. Ni ellos ni nosotros.

—¿A qué se refiere?

—A que Costello puede conducirnos hasta la tablilla o puede fracasar. Esa tablilla podría haber desaparecido junto con Shimon Guttman. Entonces sería como si ese asunto nunca se hubiera planteado.

La voz al otro lado de la línea no necesitaba oír más. Podía juntar las piezas.

—Eso no estaría mal.

—Sería casi una victoria para ambos bandos.

—Si Costello la consigue, nosotros la conseguimos. Si no la consigue... Si Costello, por alguna razón imprevista, no logra sacar adelante su misión, nadie la conseguirá. Problema resuelto.

—Podría ser.

—De acuerdo. Volveremos a hablar por la mañana.

Oyó el familiar segundo clic, cortó la comunicación y repasó sus contactos hasta dar con el número del equipo de vigilancia encargado de Guttman y Costello. Le pasaron la comunicación al instante.

—¿Tiene a los sujetos a la vista? Bien, tenemos que hablar de un cambio de planes.

45

Jerusalén, viernes, 3.11 h

Al principio no estaba segura que tuviera los ojos abiertos. La habitación se hallaba totalmente a oscuras. Levantó la cabeza, un acto reflejo para mirar el reloj, y sintió una aguda punzada de dolor. Entonces recordó lo ocurrido: había salido del ascensor, impaciente por contar a Uri su descubrimiento, había abierto la puerta y en ese momento la habían golpeado.

¿Dónde estaba? Tumbada, sus manos palparon la suavidad de las sábanas. Forzó la vista y alcanzó a distinguir la silueta de la cortina que había delante de la cama. Así pues, seguía en su habitación. ¿Qué demonios había pasado?

De repente, oyó una voz inesperadamente cerca de su oreja.

—Lo siento. Lo siento mucho, Maggie.

Uri.

Intentó incorporarse, pero el dolor la traspasó de nuevo.

—Me desperté y vi que la cama estaba vacía. Pensé que te había ocurrido algo. Esperé detrás de la puerta y entonces...

—Me golpeaste.

—No sabía que eras tú. No sabes cuánto lo siento, Maggie. ¿Qué puedo hacer para compensarte?

Maggie decidió sobreponerse al dolor y sentarse. Uri le colocó detrás varios almohadones y le acercó un vaso de agua. Ella bebió un sorbo y notó una leve presión en el cabello, la mano de Uri que la acariciaba. Cuando sus ojos acabaron de adaptarse a la oscuridad, vio que estaba arrodillado junto a la cama. Uri le acarició la mejilla.

—Todo lo que toco acaba recibiendo. Todos los que me importan acaban heridos.

Maggie notó el agua deslizarse por su garganta. De algún modo, parecía que le aliviaba el dolor de la nuca.

—Joder, Uri... ¿Dónde has aprendido a pegar así?

—Conoces la respuesta.

—Los israelíes no os andáis con medias tintas, ¿eh? —dijo frotándose el cuello.

—Toma, ponte esto.

Uri había cogido una toalla humedecida, la enrolló y se la puso en la nuca, pero primero tuvo que levantarle el cabello para dejarla al descubierto. Maggie fue consciente de las contradictorias sensaciones: una combinación de dolor y de renovado deseo. La toalla estaba fría y la alivió.

—Uri —dijo de repente, cogiéndole la toalla de las manos para poder mirarlo mientras hablaba—, pásame la chaqueta que hay encima de la silla.

Uri vaciló, no sabía si lo había perdonado.

—¡Vamos, Uri!

Él se levantó y le entregó la prenda. Maggie, haciendo caso omiso al dolor, rebuscó en los bolsillos hasta que encontró lo que buscaba: el post-it con las anotaciones que había tomado en el despacho de Rosen.

—Enciende la luz. Bien. Escúchame. Tu padre dijo: «Solo puedo decirte que esta búsqueda comienza en Ginebra, pero no en la ciudad que todos conocen, sino en un lugar nuevo y mejor donde puedes ser quien quieras ser. Ve allí». ¿Te acuerdas?

—Sí.

—Pues creo que sé a qué se refería.

—A Ginebra.

—Sí, pero no a la ciudad que todos conocemos. —Maggie siguió leyendo hasta llegar a la última línea—: «Y si resulta que dejo esta vida, entonces me verás en la otra vida, que también es vida». Ahora dime una cosa, Uri, y dímela con la mayor exactitud posible: ¿cuáles fueron las palabras precisas que tu padre dijo en hebreo?

—No entiendo nada de lo que dices.

—Ya lo entenderás. ¡Ahora dime lo que dijo!

—Muy bien. dijo: *«Im eineini ba-chaim ha'ele, tireh oti ba-chaim ha-hem»*.

Maggie miró las anotaciones del post-it.

—Y eso quiere decir «Y si resulta que dejo esta vida, entonces me verás en la otra vida», ¿no?

—En efecto.

—De acuerdo, sigue. —Maggie notó que la adrenalina le corría por las venas y anestesiaba el dolor.

—Entonces, mi padre añadió algo extraño: *«B'chaim chteim»*, lo cual yo diría que significa «en la segunda vida».

—¿Te refieres a cuando dijo «también es vida»?

—No, no, me refiero a que *«Shteim»* quiere decir «dos», el «número dos».

—O sea —dijo Maggie cuya excitación iba en aumento—, que en realidad, cuando tu padre estaba diciendo «me verás en la otra vida» quería decir «me verás en la vida número dos», ¿no es eso?

—Sí.

—¿Y esa es la traducción literal?

Maggie se dio cuenta de que parecía que había perdido un tornillo, pero no era la primera vez que actuaba de ese modo. Lo había hecho en una ocasión, durante unas negociaciones, cuando todos estaban a punto de firmar y se inició una discusión sobre la traducción al inglés del acuerdo que iba a ser el documento vinculante según la legislación internacional. Entonces se había visto obligada a revisar, con dos traductores, cláusula por cláusula y palabra por palabra para asegurarse de que ningún bando se aprovechaba del otro. No había cena entre mediadores en la que alguien no contara la anécdota de Menájem Beguin en Camp David y cómo había logrado que la versión en hebreo del acuerdo con Egipto fuera mucho menos exigente con su país que el texto en inglés que Jimmy Carter se llevó a Washington. Por tanto, presionar a Uri como lo estaba haciendo no era nuevo para ella. Eso sí, nunca antes lo había hecho en la cama y con una toalla húmeda en el cogote.

—La frase es rara, pero eso fue lo que dijo: *«chaim shteim»*. Vida dos.

—O para expresarlo de otro modo —dijo Maggie con un brillo en los ojos—: Second Life.

46

Jerusalén, viernes, 3.20 h

Maggie le echó los brazos al cuello y le plantó un largo beso en la boca. Sintió la repentina suavidad y humedad de los labios de Uri cuando empezó a separarlos.

—¡Lo sabía! —exclamó, cerrando los ojos y sumergiéndose en la satisfacción que sentía—. ¡Tenía que ser eso!

Por primera vez le parecía que aquel problema tenía solución. Sabía que Shimon Guttman era astuto. Sus acrobacias políticas eran famosas por su capacidad para llamar la atención. Ella misma había sido testigo de su sagacidad a la hora de ocultar su colaboración con Nur creando el álter ego israelí de Ehud Ramon. Además, Uri le había contado que su padre, a pesar de su edad, se desenvolvía perfectamente con las nuevas tecnologías. ¿Acaso no le había dicho incluso que al viejo le gustaban los juegos de ordenador?

Lo que había hecho encajaba perfectamente con su carácter. Sometido a presión, consciente de que tenía en sus sudorosas manos una bomba geopolítica que podía estallar en cualquier momento, había decidido esconder la tablilla de Abraham donde nadie la buscaría: no en el mundo real, sino en el virtual: «Un lugar nuevo y mejor donde puedes ser quien quieras ser.»

Había escondido su tesoro, o como mínimo el secreto de su ubicación en Second Life.

Entonces sintió que se le hacía un nudo en el estómago. «¡Oh, no!», se dijo. No podía ser que hubiera llegado hasta allí solo para estropearlo todo. ¿Cómo podía haber sido tan estúpida?

—¿Qué ocurre? —preguntó Uri, desconcertado.

Maggie no contestó, se limitó a ponerle un dedo en los labios. «¡Qué idiotas!» Desde el asesinato de Afif Aweida habían comprendido que alguien espiaba constantemente sus conversaciones. A partir de ese momento solo habían conversado cuando tenían de fondo ruido o música a todo volumen, o entre susurros en lugares públicos e incluso habían llegado a pasarse notas. Sin embargo, cuando ella recobró el conocimiento después de que Uri la noqueara, a ninguno de los dos se le había ocurrido tomar precauciones. Quizá estaba atontada por el golpe; tal vez Uri todavía estaba medio dormido o se sentía culpable. El caso era que ambos se habían olvidado. No bastaba con que hubieran cambiado de habitación: sus perseguidores habían dispuesto de varias horas para tomar medidas, lo cual significaba que el crucial descubrimiento que acababan de hacer podía hallarse en manos de quien los espiaba, fuera quien fuese.

Maggie arrancó una hoja del cuadernillo del hotel y escribió a toda prisa: «Vístete». No tenían tiempo que perder. Debía entrar en Second Life antes que ellos. Si se ponía en marcha ya quizá tuviera cierta ventaja. Los israelíes —o quienesquiera que fuesen— seguramente tardarían un poco en digerir la información. Estuvo tentada de usar su portátil, pero era demasiado arriesgado. Si se lo habían pinchado, descubrirían lo mismo que ella descubriera y en el mismo momento.

Uri se vistió en la oscuridad. Si los observaban desde el exterior no tenía sentido avisarles de que iban a salir. Con el rabillo del ojo Maggie vio la silueta del cuerpo de Uri perfilada contra la ventana y sintió una punzada de deseo.

Comprobó que estaban listos y condujo a Uri escalera abajo, hasta el Business Center. Encendió el ordenador y su anonimato la tranquilizó. No había nada que pudiera llevar a sus perseguidores hasta aquella máquina. Utilizando el nombre y la contraseña que Liz le había dado, se registró sin perder tiempo en Second Life. Uri se quedó de pie, tras ella, con el rostro iluminado por los colores de la pantalla. Cuando el avatar de Liz apareció, abrió los ojos como platos.

—¡Guau! ¡Vaya con Lola!

—No soy yo —repuso Maggie torciendo el gesto—. Es mi hermana.

—Pues tu hermana Lola parece una chica interesante.

Maggie le propinó un codazo. Luego, sintiéndose casi una experta, abrió TELETRANSPORTACIÓN y tecleó las seis letras que confiaba que resolverían aquel rompecabezas de una vez por todas. Imaginó la llamada a Sánchez para decirle que tenía la explicación de los recientes brotes de violencia, y también la respuesta: «Será mejor que se lo digas en persona, Maggie. Siéntalos alrededor de la mesa y vuelve a poner en marcha esas malditas negociaciones de paz. Sé que puedes hacerlo».

Su avatar había aterrizado en las pulcras calles de la Ginebra virtual. Echó a andar por la rue des Etuves, y giró por la rue Vallin. No había prácticamente nadie a la vista, salvo por unos pocos avatares, con cabeza de conejo, en una esquina. Maggie se metió por la rue du Temple para evitarlos.

—No puedo creerlo —murmuró Uri—. ¿Me estás diciendo que mi padre ha estado en este... sitio?

—Sí, en Ginebra; pero no en la ciudad que todos conocemos. Eso fue lo que dijo. Kishon fue a la Ginebra equivocada. Lo que tu padre descubrió está escondido en alguna parte de este sitio.

—Pero no haces más que dar vueltas por las calles. ¿Qué estamos buscando exactamente?

—No lo sé. Podría ser un mapa, quizá direcciones. Algo que nos diga dónde escondió la tablilla. Tendremos que averiguarlo.

Buscó en su bolsillo y sacó el post-it con sus notas. «Lo he dejado en lugar seguro, un lugar que solo tú y mi hermano conocéis.» Ojalá supiera a qué demonios se refería. Siguió leyendo: «... necesito que las dejes a un lado y recuerdes los buenos tiempos, como aquel viaje que hicimos juntos por tu *bar mitzvá*. ¿Qué hicimos durante ese viaje, Uri? Confío en que lo recuerdes. Solo puedo decirte que esta búsqueda comienza en Ginebra».

—¿Qué hiciste en ese viaje con tu padre, Uri? —le preguntó volviéndose hacia él—. Piensa, por favor.

—Ya te lo he dicho. Fuimos a Creta, hablamos un poco, me aburrí bastante y eso fue todo. Lo siento, Maggie, pero no se me ocurre nada.

—De acuerdo, tendremos que ver si en Ginebra hay algún museo helénico o algo parecido.

—Minoico.

—¿Qué?

—Creta es minoica.

Maggie lo fulminó con la mirada. «Gracias, profesor.» Luego intentó averiguar si había un directorio de edificios o incluso un mapa detallado de aquella Ginebra virtual. No encontró nada, de modo que decidió sobrevolar la ciudad para ver si alguna estructura le llamaba la atención. Quizá hubiera un gran museo con un departamento minoico. Tal vez Shimon Guttman habría dejado allí la pista vital de la ubicación de la tablilla.

—Lo curioso es que lo que más recuerdo de ese viaje fue el vuelo en avión —comentó Uri, hablando más para sí que con Maggie—. Era la primera vez que subía a un avión. Supongo que por eso se me ha quedado grabado en la mente. Se lo dije a mi padre, e imagino que herí sus sentimientos, pero era la verdad. Nos sentamos juntos, al lado de la ventanilla, y me pareció increíble mirar hacia abajo y ver aquel maravilloso mar azul mientras él señalaba las diferentes islas. Fue lo mejor del viaje. Lo demás...

Maggie se volvió de repente. Casi podía oír la voz de Shimon Guttman: «¿Qué hicimos durante ese viaje, Uri? Confío en que lo recuerdes».

—Tu padre quiere que hagamos lo mismo aquí —dijo manejando las teclas direccionales con renovado ánimo—. Quiere que sobrevolemos el lago Lemán y busquemos islas.

El avatar planeó sobre la ciudad virtual mientras Maggie lo dirigía primero hacia el oeste y después hacia el este. No tenía ni idea de la geografía del lugar. Solo había estado una vez en la verdadera Ginebra, por un asunto de Naciones Unidas, pero fue el trámite de siempre: aeropuerto, coche, sala de reuniones, coche, aeropuerto. Así pues, se ajustó al método más primitivo: buscar una gran mancha azul.

Cuando localizó la orilla disminuyó la velocidad para que el avatar pudiera volar cerca y a poca altura, con tiempo suficiente para ver todo lo que había debajo.

—¡Allí hay una! —exclamó Uri, señalando la parte inferior izquierda de la pantalla.

Torpemente, Maggie dio la vuelta y se acercó tanto como pudo, sobrevolando lo que parecía el dibujo animado de una isla desierta: era redonda, con una solitaria bandera plantada en medio de la arena amarilla. En ella se anunciaban los horarios de un grupo semanal de discusión sobre poesía. Maggie apretó la tecla ARRIBA.

Había varias islas en el lago. Algunas se utilizaban como si fuera una sede de acontecimientos virtuales —Maggie vio carteles que anunciaban conciertos y la conferencia de prensa de una empresa de software—, otras no eran más que parcelas de propietarios particulares. Ninguna parecía guardar relación con Shimon Guttman. Maggie empezó a inquietarse: era la única pista que tenían.

—Vamos —le dijo Uri—. Sigue volando. Si está aquí la encontraremos.

Maggie continuó planeando, ascendiendo y descendiendo

sobre la superficie azul de la versión virtual del lago Lemán de Second Life. Así transcurrió casi un minuto, en silencio, y fue como si los dos se hallaran en un planeador, flotando a través del claro cielo de una ciudad real, en lugar de en una oscura e impersonal habitación de hotel en lo más profundo de la noche de Jerusalén.

Maggie estaba muy concentrada. No resultaba fácil mantenerse en la altitud correcta: demasiada altura, y las islas se convertían en simples puntitos; demasiado bajo, y perdían el sentido de la perspectiva. Si Uri tenía razón, necesitaban recrear la experiencia que había tenido de niño, en aquel avión, observando las islas que aparecían debajo.

—¡Eh! ¿Qué es eso? —dijo Uri, señalando una pequeña extensión de tierra. Maggie tuvo que retroceder, hizo dar la vuelta a Lola. Cuando la vio, planeó sobre ella y descendió lentamente.

—¡No puedo creerlo! —exclamó Uri—. ¡Aquí también!

—¿Qué es, Uri? ¿A qué te refieres?

—Mira eso, ¿ves la forma de la isla? Mira esa forma. —Señaló los píxeles de la pantalla.

Maggie vio que era diferente. No era la masa tosca, más o menos circular, que parecían preferir la mayoría de los propietarios de islas en Second Life, sino que era una serie de líneas oscilantes con un gran cuadrado que sobresalía en su parte derecha. Se trataba de un diseño deliberado, pero no significaba nada para Maggie.

—¿Qué es, Uri?

—¿Ves eso de la derecha? Es Israel. ¿Y esa gran curva? Es Jordania. Estás viendo un mapa de Eretz Israel, del territorio completo de Israel según la idea que tienen los fanáticos de derecha que veneran a Jabotinski. La gente como mi padre. Imprimen esta silueta en las camisetas, las mujeres la llevan como colgante, *Shtei Gadot*, la llaman, que significa «las dos orillas». Incluso tienen una canción que dice: «El río Jordán tiene dos orillas, y las dos son nuestras».

—¿Estás seguro?

—Conocía esa forma antes de saber el alfabeto, Maggie. Crecí con ella. Créeme. Es cosa de mi padre.

Maggie clicó para dejar de volar y aterrizó entre salpicaduras en el agua que lamía la orilla de la isla. Caminó hacia tierra, pero alguna cosa la detuvo. Una línea roja, igual que un rayo láser que rodeara la isla, aparecía y le impedía el paso cada vez que se acercaba. Miró con detenida atención y comprobó que, vista de cerca, esa línea estaba compuesta por las palabras PROHIBIDA LA ENTRADA PROHIBIDA LA ENTRADA PROHIBIDA LA ENTRADA. Era una cerca perimetral eléctrica. Un pequeño mensaje apareció en pantalla: «No tiene acceso. No es miembro del grupo».

—¡Madita sea, está cerrado! —Su avatar permanecía inmóvil. Maggie buscó en la pantalla una ventana donde introducir la contraseña.

—Oye, Maggie, ¿quiénes son esos?

Maggie levantó la vista y sintió un escalofrío. Dos avatares la sobrevolaban a escasa distancia. Tenían esa extraña cabeza de conejo que había visto antes, pero ambos iban vestidos de negro. Se acordó de los que la habían agredido en el callejón: el pasamontañas negro, el cálido aliento... Miró a Uri.

—Nos están siguiendo. Están intentando poder conseguir antes que nosotros la información que tu padre dejó en este lugar. ¿Qué puedo hacer?

—¿Puedes hablar con ellos?

Maggie miró fijamente la pantalla. Seguían flotando junto a ella. Apretó CHAT y, haciendo un esfuerzo por aparentar la naturalidad de su personaje, tecleó: «Hola, chicos. ¿Qué tal?».

Aguardó a que llegara la respuesta. Tres segundos, cinco, diez... Esperó hasta que el reloj de Second Life que había en la esquina de la pantalla marcó un minuto. Nada.

—Están esperando que hagamos un movimiento. Solo saben lo que averiguan a través de nosotros —dijo Maggie antes de intentar una vez más pasar a través de la barrera láser. «No tiene acceso. No es miembro del grupo.»

Los cabezas de conejo permanecieron cerca, sin moverse. También ellos estaban fuera de la barrera, pero algo en su inmovilidad inquietó a Maggie. Se imaginó a sus operadores, fueran quienes fuesen, abriéndose camino entre complejos algoritmos, poniendo en marcha avanzados programas de desencriptación, intentando averiguar de qué modo podían forzar la barrera interpuesta por Guttman. Si eran lo bastante listos para haberla seguido —a ella o a Lola Hepburn— hasta aquel lugar de Second Life, difícilmente se dejarían detener por una simple barrera.

Volvió a apretar el botón de CHAT y tecleó: «¡Otra vez vosotros! ¿Tanto os gusto, chicos conejo?».

—¡Maggie! ¿Qué haces?

—Les hago saber que lo sabemos.

Utilizó entonces la función de búsqueda de Second Life e introdujo la palabra «Guttman». Quizá había una forma natural de entrar en la isla, algo que habían pasado por alto.

—Voy a buscar una cosa —dijo Uri al tiempo que se dirigía hacia la puerta—. Vuelvo enseguida.

La búsqueda de «Guttman» seguía trabajando y tardó mucho más que antes. No aparecía nada en pantalla.

—Vamos, vamos... —murmuró Maggie.

Entonces, como si el juego obedeciera a sus palabras. Se oyó un «¡Swoosh!» y la imagen de la pantalla desapareció.

De repente, la pantalla se llenó con un paisaje que Maggie no reconoció. Había sido teletransportada a algún lugar de Second Life a pesar de que no había apretado ningún botón. ¿Habría tocado algo sin darse cuenta?

Entonces los vio: no dos cabezas de conejo, sino cuatro, rodeándola. Apretó la flecha de movimiento, se desplazó hacia delante unos pasos y se quedó muy quieta. Luego, volvió a ponerse en marcha y se metió rápidamente por un callejón lateral. Los cuatro hombres-conejo iban tras ella y le ganaban terreno. Se detuvo nuevamente.

Se dio cuenta de que en la vida real jadeaba. Quien fuera que manejara los cabeza de conejo estaba consiguiendo paralizar su avatar. No podría regresar a la isla del lago Lemán. Fuera cual fuese el mensaje que Shimon Guttman había encerrado allí, quedaría fuera de su alcance. Oyó la campanilla que anunciaba la apertura de las puertas del ascensor. Se volvió. No había nadie con ella en la habitación. ¿Adónde había ido Uri? Oyó pasos y, a través de las paredes de cristal, vio que un hombre se acercaba. En la oscuridad le fue imposible distinguir su rostro.

La puerta se abrió, y Maggie vio la figura entera: Uri con un montón de prendas marrones bajo el brazo. Sin dar explicaciones, se desabrochó el pantalón y se quitó la camisa. Los dejó debajo de una de las mesas, fuera de la vista. A continuación se vistió con la ropa que había llevado, un conjunto que parecía de poliéster de un feo color beis. Las perneras del pantalón le quedaban demasiado cortas, y tuvo que tirar de ellas para que le rozaran los zapatos. La transformación no tardó en completarse. Se había puesto el uniforme de botones del hotel.

—¿Qué demonios...?

—Cualquiera que haya trabajado, como he hecho yo, en el turno de noche de un hotel, sabe una cosa: la habitación de la lavandería está en alguna parte. Solo tienes que dar con ella y entrar.

—Pero ¿por qué?

—¿No lo entiendes? Esa gente nos ha estado espiando y siguiendo para que los llevemos hasta la tablilla. Y ahora ya tienen lo que quieren. Saben que la respuesta se encuentra en esa isla y la conseguirán. Ya no nos necesitan, Maggie. Somos un estorbo.

Con el corazón latiéndole con fuerza, Maggie se volvió hacia la pantalla: Lola estaba rodeada por seis hombres-conejo. Le dio al botón VOLAR, para huir, no funcionó. Empezó a apretar todos los botones, al azar, pero no pasó nada. Los avatares de negro se acercaban.

Y ocurrió algo más. El rostro de Lola Hepburn, la coqueta estudiante de California con su cola de caballo, empezó a cambiar: los ojos cayeron como si se derritieran en lágrimas, y luego también la nariz. La cara de la criatura electrónica se deformó hasta convertirse en una masa informe.

Maggie contempló cómo todo el cuerpo de Lola seguía el mismo proceso. Sus pechos se fundieron en un líquido rojo, blanco y azul, como un helado al sol. El torso se desmoronó sobre las piernas hasta que, finalmente, todo el cuerpo acabó convertido en una masa gelatinosa rodeada por los avatares con cara de conejo, que se mantenían a la espera igual que buitres prestos a darse un festín de carne descompuesta. La única oportunidad de Maggie para conocer el secreto de Shimon Guttman había desaparecido.

—¡Maggie! —Era Uri, que la llamaba desde la puerta antes de marcharse—. Dentro de tres minutos baja por la escalera de incendios. La puerta está ahí. —La señaló—. No cojas el ascensor. Baja por la escalera hasta donde puedas. No salgas al vestíbulo, sino una planta más abajo. Ahí está la cocina. Tan rápidamente como puedas, gira a la izquierda al pasar frente al ascensor y dirígete a la zona de las cámaras frigoríficas.

—¿Y cómo diantre se supone que voy a...?

—Guíate por el frío. En la parte de atrás hay una plataforma de carga. Sal por allí. Yo te estaré esperando con un coche.

—¿Y cómo piensas...?

—Hazlo.

Y convertido para todo el mundo en un miembro más del personal del hotel, desapareció.

Maggie recogió las pocas cosas que llevaba. Uri tenía razón. Vigilaban todos sus movimientos, y sus perseguidores iban en serio. Lo había comprobado en carne propia la mañana anterior y había vuelto a verlo hacía escasos segundos, cuando habían entrado en el juego y destruido el avatar que Liz le había prestado. Apagó el programa y se dirigió hacia la salida de incendios.

Cuando entró en la penumbra de la escalera se dio cuenta de que no tenía la menor idea de adónde se dirigía ni qué haría a continuación. Les habían arrebatado su única esperanza y la habían reducido a un montón de píxeles derretidos.

47

Psagot, Cisjordania, viernes, 4.07 h

Su mujer lo oyó antes que él. Siempre había sido hombre de sueño profundo, pero en esos momentos, con quince o veinte kilos de sobrepeso, su sueño, más que profundo, era comatoso. Su esposa lo sacudió con fuerza hasta que por fin se despertó.

—¡Akiva, levanta! ¡Akiva!

Akiva Shapira soltó un gruñido antes de abrir los ojos y mirar el reloj de la mesilla de noche. Ese reloj era una de sus más preciadas posesiones. Se trataba de una reliquia digital y mecánica de los años setenta en cuyo interior seguía alojada la bala que un francotirador palestino le había disparado estando él en su despacho. Típico de un palestino: no acertó, y ni siquiera estropeó el reloj. Era el chiste que solía contar cuando recibía la visita de alguna delegación estadounidense.

Eran más de las cuatro de la madrugada, pero su mujer no se equivocaba. Oyó que se repetía en la puerta el golpe suave de unos nudillos. ¿Quién diablos podía querer algo a esas horas?

Se puso una bata, se ató el cinturón alrededor de la prominente barriga y se dirigió arrastrando los pies hacia la puerta principal de la modesta vivienda que era su hogar desde la fundación de aquel asentamiento. De eso hacía décadas. Le bastó abrirla un poco para ver el rostro de Ra'anan, el ayudante del ministro de Defensa, que había asistido a la reunión de la tarde anterior.

—Pero ¿qué...?

—Lamento llamar a estas horas. ¿Puedo pasar?

Shapira abrió la puerta de par en par y dejó pasar a aquel hombre que, totalmente vestido, parecía un bicho raro en aquella casa prisionera del sueño.

—¿Quieres beber algo? ¿Un poco de agua?

—No, gracias. No puedo quedarme mucho rato. Tenemos muy poco tiempo.

Shapira volvió de la cocina, donde había llenado un vaso, y miró al recién llegado.

—Bien, ¿de qué se trata?

Ra'anan clavó la mirada en el dormitorio.

—¿Podemos hablar con tranquilidad?

—¡Pues claro! Esta es mi casa.

Ra'anan señaló el dormitorio con un gesto de la cabeza.

—¿Y tu mujer? —susurró.

Shapira fue hasta la puerta que separaba la cocina de las habitaciones y la cerró.

—¿Contento?

—Escucha, Akiva. En la última hora he hablado con los otros miembros de nuestro grupo, necesitamos permiso para una acción inmediata que ahora es posible realizar. Si estamos todos de acuerdo, deberíamos ponernos en marcha sin perder ni un segundo.

—Te escucho.

—Es el asunto del que hablamos. La tenemos a la vista. Podemos actuar.

—¿Riesgos?

—Mínimos en cuanto a detención y captura. Como viste, contamos con los mejores hombres.

Shapira recordó la demostración en los viñedos, las sandías

reventadas con una letal precisión por tiradores de élite prácticamente invisibles. Ra'anan tenía razón. Para semejantes profesionales, los riesgos eran insignificantes. No suponían ningún obstáculo.

—De acuerdo —dijo finalmente—. Hazlo.

48

Jerusalén, viernes, 4.21 h

Consiguió salir del hotel más fácilmente de lo que había imaginado. Las instrucciones de Uri habían sido precisas, y la cocina estaba desierta. Encontró la amplia zona de las cámaras frigoríficas guiándose, no por el frío, sino por el sonido de los compresores. Allí, en la parte de atrás, tal como él había prometido, había una gran puerta de emergencia que requirió un fuerte empujón para que se abriera.

De inmediato notó una ráfaga de frío aire nocturno. Se había dejado la chaqueta en la habitación. Se quedó en la plataforma de carga, mirando la zona destinada a que los camiones de reparto maniobraran marcha atrás para entregar sus mercancías. Mientras caminaba arriba y abajo, masajeándose los brazos para entrar en calor, notó un fuerte hedor y se dio cuenta de que estaba junto a tres grandes cilindros de acero llenos a rebosar de basura del hotel.

Dos minutos más tarde vio los faros de un coche que se aproximaba, luego giró en redondo y dio marcha atrás. Era un Mercedes plateado, último modelo, que se acercó a donde ella estaba. Esperó, mientras los vapores de escape ascendían en el frío aire de la noche, y bajo el resplandor de las luces traseras vio unos escalones que descendían de la plataforma. Pensó en bajar y correr hacia el coche, pero ¿y si no era Uri?

Permaneció en las sombras, aguardando, hasta que oyó el eléctrico zumbido de una ventanilla al bajar seguido de un «¡Pst!» que la llamaba. Entonces bajó a toda prisa y se hizo un ovillo en el asiento del pasajero.

—Bonito cacharro. ¿Cómo lo has conseguido?

—He ido al mostrador del conserje, he abierto la caja de llaves del aparcacoches y he cogido la primera que he visto.

—Por eso el uniforme.

—Por eso el uniforme.

Maggie asintió; había algo nuevo en aquel hombre al que solo conocía desde hacía una semana y con el que parecía destinada a pasar todas las horas del día y también de la noche: por primera vez creyó ver en él algo parecido al orgullo. Uri parecía complacido consigo mismo.

—Bueno, señorita Costello, ahora que ya tiene su limusina, ¿adónde quiere ir?

—A cualquier sitio donde haya un ordenador. No hemos conseguido entrar en la isla de tu padre. Me fundieron antes de que lograra entrar. Lo conseguirán antes que nosotros.

—¿Quiénes?

—Los cabeza de conejo, sean quienes sean.

—¿Y no crees que la barrera de seguridad les impedirá el paso, como hizo contigo?

—Uri, esa gente tiene los medios necesarios para espiar nuestras conversaciones, introducirse en nuestros ordenadores y matar a Kishon y a Aweida un segundo después de haber oído sus nombres. La verdad, no creo que tengan muchas dificultades para forzar el sistema de seguridad que tu padre instaló en esa isla.

Maggie se dijo que, después de todo, aquellos hombres habían tenido poder suficiente para convertir su avatar en una masa informe de píxeles. Ella los había conducido hasta la isla, y ellos se encargarían del resto.

—Mira, seguramente tienes razón —dijo Uri finalmente—,

pero aun suponiendo que consigan entrar a la fuerza, tal vez no sean capaces de comprender lo que vean. Acuérdate del mensaje de mi padre en la grabación, decía que era necesario un conocimiento que solo yo poseo. —Calló unos instantes—. ¡Santo Dios, por qué ha tenido que hacerlo todo tan complicado!

—La verdad es que yo lo admiro. Un montón de gente importante está haciendo lo imposible por encontrar su hallazgo y nadie ha conseguido ponerle las manos encima.

—Todavía.

—De acuerdo, pero si quieres saber mi opinión me parece impresionante.

Uri condujo en silencio. Los limpiaparabrisas barrían rítmicamente el cristal sin hacer apenas ruido.

—Bueno, ¿adónde me lleva usted, *monsieur le choffeur*?

—A uno de los pocos sitios de Jerusalén que está abierto toda la noche, y desde luego en el único donde hay un ordenador.

Aparcó el coche al principio de una zona peatonal llena de cafés y comercios cerrados.

—Esta es la calle Ben Yehuda —explicó—. Normalmente está a rebosar de gente, pero Jerusalén no es como Tel Aviv. A esta ciudad le gustan los sueños reparadores.

Uri la guió por la calle principal, pasaron ante un montón de hombres andrajosos que dormían en un portal, y se metió por una calle lateral hecha de la misma piedra gastada que el resto de la ciudad. También allí había indicios de vida anterior: bares y restaurantes que ya habían cerrado sus puertas. Maggie oyó la vibracion de un bar.

—Es Mike's Place —dijo Uri cuando lo oyó—. Le pusieron una bomba, pero a los turistas les sigue gustando.

Continuaron caminando por aquella red de callejuelas donde cada arco o entrada abovedada daba a un comercio o unas oficinas; la vida moderna abriéndose paso en las piedras milenarias.

—Ya hemos llegado: el Someone To Run With.

—¿Se llama así?

—Sí, se ha convertido en una especie de institución en Jerusalén. Todos los colgados y los pasotas acaban aquí. Se llama así por un libro.

—*Someone To Run With*,* ¿eh? Como tú y yo.

Uri sonrió y le abrió la puerta del local. Maggie entró, miró alrededor y al instante tuvo un *flash-back* y se remontó a cuando tenía dieciséis años. No es que a esa edad hubiera ido a lugares como aquel, sino que a la jovencita que era entonces le habría encantado. No había sillas, solo enormes cojines distribuidos en bancos de piedra y junto a las ventanas. El ambiente estaba cargado con los olores del té aromático, el tabaco y otros tipos de hierbas. En un rincón vio a un joven encorvado sobre una guitarra que disimulaba su rostro tras una lacia melena. Frente a él, con otra guitarra, una chica con la cabeza rapada, vestida con una camiseta enorme y pantalones hasta las rodillas que, a pesar de tan heroico esfuerzo, no lograba ocultar su belleza. Maggie examinó el lugar, los vaqueros rotos y los pelos trenzados, y no sintió la diferencia de edad —como le había ocurrido dos días antes en la discoteca en Tel Aviv— sino una punzada de verdadera envidia. Aquellos jóvenes tenían toda la vida por delante.

En ese momento agradeció haberse cambiado de ropa en casa de Orli. Si esos críos la hubieran visto con su atuendo habitual la habrían confundido con alguien de la policía antidroga o algo así. Pero apenas les dedicaron una mirada. Seguramente estaban demasiado colgados.

Uri le señaló un rincón del local, donde había un solitario ordenador que nadie utilizaba. Maggie supuso que sentarse al teclado sería de lo menos enrollado, especialmente a esa hora de la noche. Mientras Uri iba a la barra y pedía un par de cafés a una joven con un *piercing* en la nariz, Maggie encendió el ordenador y entró en Second Life.

* Título en inglés de la novela en hebreo de David Grossman traducida al castellano como *Llévame contigo*, Seix Barral, Barcelona, 2000.

Cuando el sistema le pidió el nombre, tecleó «Lola Hepburn», y al instante apareció un mensaje: «Nombre de usuario o contraseña no válidos. Por favor, inténtelo de nuevo». Obviamente, el avatar creado por Liz había sido eliminado del sistema. Iba a tener que entrar como otra persona, pero ¿quién? No conocía a nadie que tuviera un avatar en Second Life. Pensó en llamar a su hermana a Londres y despertarla.

Entonces oyó de nuevo en su cabeza la voz de Guttman, con la misma claridad que en el despacho de Rosen, doce horas antes: «Y si resulta que dejo esta vida, entonces me verás en la otra vida».

¡Naturalmente! Tenía que entrar en Second Life no como Lola Hepburn, la pechugona y aventurera jovencita creada por su hermana, sino como el mismísimo Shimon Guttman. Así era como debía funcionar el código: la isla de Ginebra solo se abriría para él.

Apretó el botón de búsqueda para entrar en el directorio de nombres. Mientras introducía el nombre y el apellido rogó para que, por una vez, el viejo profesor hubiera puesto las cosas fáciles.

«Nombre de usuario o contraseña no válidos. Por favor, inténtelo de nuevo.»

Intentó distintas variantes: ShimonG, SGuttman y media docena de permutaciones más. Había unos cuantos «Shimon», pero el resto de los nombres no tenían sentido, y, cuando introdujo las contraseñas que había utilizado en el ordenador del profesor, no consiguió nada.

Uri llegó con una taza de café humeante. El mero hecho de aspirar su aroma hizo que Maggie se diera cuenta de lo cansada que estaba. Llevaba varios días aguantando a fuerza de adrenalina, y su cuerpo empezaba a notarlo. Le dolía el cuello por el golpe de Uri, y el brazo se le había hinchado por donde sus agresores la habían agarrado en el mercado.

Uri la observó trabajar.

—¿Por qué no pruebas con el nombre que mi padre utilizaba para enviar correos electrónicos a ese árabe?

Maggie le lanzó una medio sonrisa para darle a entender que no era mala idea. Buscó «Saeb Nastayib» y se llevó una alegría cuando el ordenador le devolvió un único resultado: solo había un avatar con ese nombre. Repitió la misma contraseña —«Vladimir67»— y... ante sus ojos se materializó en pantalla una figura masculina, alta y delgada, como un maniquí desnudo hecho de fría piedra gris que, poco a poco, se fue vistiendo.

Apretó MAPA, introdujo «Ginebra» y clicó en TELETRANSPORTAR. Al cabo de unos segundos, el tiempo que tardó el sistema en cargarse, volvía a sobrevolar las verdes orillas y azules aguas del lago y buscaba de nuevo la isla de Guttman.

La primera inspección la inquietó: ni rastro de la isla. Y había en ello una lógica tenebrosa: si sus perseguidores habían decidido que el avatar de Liz ya no les era de utilidad después de que los llevara hasta su objetivo, también la isla sería prescindible una vez les hubiera revelado sus secretos. ¿Qué mejor forma de asegurarse de que nadie más descubriría el escondite de la tablilla de Abraham que destruir la única pista que llevaba hasta ella?

Así pues, tuvo que volar bajo, planear sobre las azules aguas, orientándose por el ondulante paisaje que, con aquella conexión de menor velocidad, se iba formando poco a poco en la pantalla. Pero al fin una mancha verde apareció en la inmensidad azul del lago, una mancha que acabó revelándose como réplica del Gran Israel que el padre de Uri había creado en el corazón de aquella Suiza virtual.

Maggie, preparándose ya para ser rechazada y ver aparecer el mensaje de error, se acercó. Sin embargo, esta vez no encontró ningún obstáculo. Ni siquiera la barrera roja. Estaba claro que había sido diseñada para que se activara únicamente ante la proximidad de desconocidos. El avatar de Guttman podía pasear por la isla con la misma libertad que ella lo había hecho antes por el barrio chino. El sistema ni siquiera le pidió una contraseña.

—Hemos entrado —dijo, aliviada de que el viejo profesor no hubiera puesto más obstáculos en su camino.

—¿Y ahora qué? —le preguntó Uri, inclinándose hacia la pantalla con la taza entre las manos, disfrutando del calor del contacto.

—Ahora miramos.

No tuvieron que ir muy lejos. En la isla solo había una estructura, un simple cubo de hierro y cristal. En su interior únicamente había una mesa, una silla y un ordenador virtual. Maggie hizo entrar al avatar de Guttman y lo sentó en la silla. En ese instante apareció una ventana de texto:

> Dirígete al oeste, joven, y sigue camino hasta la ciudad modelo, cerca del Mishkan. Allí encontrarás lo que he dejado para ti, en el camino de antiguos barrios.

—Bueno, Uri, dime qué es esto.

Miró a un lado, esperando ver a Uri leyendo aquellas palabras al mismo tiempo que ella. Pero no estaba. Se había desvanecido con la misma rapidez que una de las criaturas anatómicamente imposibles que todavía parpadeaba en la pantalla.

49

Jan Yunis, Gaza, viernes, 2.40 h

No dormía, ni siquiera se había acostado. Como tantas veces en esos días, estaba sentado muy erguido, dando vueltas en su cabeza a las distintas posibilidades. Movimientos, contramovimientos... Su mente no dejaba de trabajar, y menos aún por la noche. Urdía tantos planes que esperaba con impaciencia el momento de la oración del amanecer. Quería que amaneciera para poder salir a la luz del sol y volver al trabajo.

Estaba despierto, de modo que oyó los pasos. Instintivamente quitó el seguro a su pistola y esperó en la oscuridad. Antes de que le llegara el sonido de la voz vio el resplandor de la vela.

—¡Pst! ¡Salim! Soy Marwan.

—Entra, hermano.

El más joven entró de puntillas en el cuarto donde Salim Nazzal se acostaba por la noche. Miró alrededor y contó a los tres niños que dormían profundamente en un único colchón. Bajó la voz un poco más. No tenía idea de en qué casa se encontraba ni qué familia había abierto las puertas a su líder para que pasara la noche.

—Salim, dicen que tienen algo, que han visto algo en Jerusalén.

—¿La tablilla?

—Al hijo del sionista y a la mujer estadounidense.

Nazzal volvió a poner el seguro del arma. Necesitaba tiempo para pensar.

—El equipo que tenemos sobre el terreno quiere saber si debe golpear.

—¡Se suponía que estaban para eso!

—Pero tus órdenes... Recuperar la tablilla era la principal prioridad.

Uno de los chicos se agitó entre sueños. Salim aguardó hasta que estuvo seguro de que se había vuelto a dormir.

—Diles que tienen libertad para actuar —contestó al fin.

—De acuerdo —repuso el otro y dio media vuelta para marcharse.

—¡Marwan, espera! Diles que tienen libertad para actuar pero solo si de ese modo se hacen con la tablilla o averiguan su paradero exacto. No tiene sentido matar a esos dos, el judío y la estadounidense, si no conseguimos la tablilla. ¿Lo has entendido?

—Lo he entendido, Salim.

—Hablo en serio, Marwan.

Y amartilló el arma para que no hubiera duda.

50

Jerusalén, viernes, 5.23 h

Se volvió rápidamente y lo buscó entre el mar de rostros extasiados y las guitarras, pero Uri había desaparecido. Se levantó y fue hacia la entrada. Entonces lo vio, junto a la puerta, con el ceño fruncido y mirando hacia la calle.

—Uri, ¿qué pasa?

—No lo sé, he oído algo. Un coche, quizá. Tenemos que marcharnos.

—Sí, pero primero tienes que resolver...

—Maggie, si nos encuentran, nos matarán.

—Solo dime qué significa el mensaje.

—Por el amor de Dios, Maggie, ¡no tenemos tiempo!

—Uri, no pienso irme de aquí hasta que descifres esas palabras.

Meneando la cabeza, Uri fue hasta el ordenador y se inclinó para leer las líneas que aparecían en la ventana de texto. Repitió el acertijo que su padre había escrito y dijo secamente:

—Bien, ya está. Vamos.

La camarera del *piercing* se acercó y murmuró alguna cosa a Uri en hebreo mientras señalaba la parte de atrás del café y, según Maggie pudo ver, abría mucho sus preciosos ojos marrones para Uri. Aparentemente ajeno a sus encantos, él le dio las gracias, cogió a Maggie por la muñeca y corrieron hacia la oscuridad.

Habían abierto de un empujón la puerta de la salida de incendios, donde una escalerilla los devolvería al nivel de la calle, cuando Maggie cayó en la cuenta de que había dejado encendido el ordenador, con el avatar de Guttman y el mensaje a la vista de cualquiera. Si de verdad los seguían, sus perseguidores solo tendrían que entrar, pedir un café, sentarse tranquilamente ante la pantalla y tomar nota.

Giró sobre sus talones y notó que se le torcía la muñeca en la presa de Uri.

—¡Suéltame, tengo que volver!

—¡Ni hablar!

—Me he dejado el ordenador encendido. ¡Lo verán todo!

—Lástima. Tenemos que irnos —dijo Uri al tiempo que tiraba de ella hacia arriba, decidido a salir a la calle.

—¡Suéltame!

Uri no cedió, y Maggie comprendió que la arrastraría escalera arriba quisiera ella o no. Empezó a tirar en sentido contrario, igual que un crío recalcitrante que se niega a entrar en la guardería el primer día de clase. Pero Uri era más fuerte. Maggie se odió al pensar en lo que iba a hacer y aún más por hacerlo, pero sabía que no tenía elección. Ladeó la cabeza para encontrar el ángulo adecuado en la carne y lo siguiente fue un rápido movimiento: le clavó los dientes con fuerza en la mano.

Uri soltó un grito de dolor que ahogó al instante. Pero la cosa surtió efecto: instintivamente soltó la mano de Maggie, que corrió de vuelta al interior. Sus ojos escudriñaron el local entre el humo y la penumbra en busca del ordenador. Cuando lo vio, se le cayó el alma a los pies: había alguien inclinado sobre la pantalla y manejando el teclado.

Se acercó lentamente, intentando permanecer entre las sombras, hasta que al fin vio de quién se trataba: la camarera del *piercing*. Dejó escapar un suspiro de alivio y caminó con paso decidido hacia el ordenador. Justo cuando la joven se disponía a decir algo sobre lo enrollado que era Second Life, Maggie surgió por detrás y apagó la máquina de golpe.

—¡Eh...!

Pero Maggie ya había desaparecido por la salida trasera y subía por la escalera. Salió a la calle y se quedó quieta un momento, mirando a un lado y a otro hasta que alguien la agarró del brazo y tiró de ella en una dirección y después en otra hasta que bajaron una cuesta de adoquines y salieron a una calle donde los esperaba el Mercedes plateado que habían dejado aparcado. Subieron.

—¡Te juro que si no te matan ellos, seré yo quien lo haga!

—Lo siento, Uri, pero no podía dejar el ordenador encendido a la vista de todos.

—¿Estaban allí?

—No que yo viera.

Uri meneó la cabeza incrédulo y furioso por haber ido a parar junto a esa loca.

—Lo siento, de verdad que lo siento —dijo Maggie.

—Seguro que no.

—¿Adónde vamos?

—No lo sé. Lejos de ellos, lejos de Jerusalén. Volveremos cuando sea seguro.

Maggie miró por la ventanilla los primeros rayos de una luz azul y brumosa que asomaba en el horizonte. Jerusalén apenas empezaba a despertar y todo lo que había visto hasta ese momento era a un extraño mendigo.

—¿Qué me dices del mensaje de tu padre?

—Se me ha olvidado.

—Vamos, Uri. Decía: «Dirígete al oeste, joven, y sigue camino hasta la ciudad modelo, cerca del Mishkan», sea lo que sea eso, «allí encontrarás lo que he dejado para ti, en el camino de antiguos barrios». ¿Qué crees que significa?

Uri apartó los ojos de la carretera y los clavó en Maggie.

—¿Tienes idea de lo mucho que odio a mi padre en estos momentos? Toda esa mierda de juego por la que me está haciendo pasar... ¡Como si no fuera suficiente que por culpa de esta locura hayan matado a mi madre...!

—Lo sé, Uri...

—No sabes nada, Maggie, ¡nada! Por culpa de mi padre, han matado a mi madre y yo estoy huyendo para salvar la vida, y ¿para qué?, ¿por qué? ¡Por una maldita reliquia bíblica que demuestra que él y su panda de pirados nacionalistas tenían razón desde el principio! Mi padre no logró que me uniera a su causa en vida, pero está consiguiendo que, una vez muerto, trabaje para él como un maldito discípulo.

—¿Es ahí donde escondió la tablilla? ¿Con los pirados nacionalistas? ¿En Cisjordania?

—No. La escondió en un lugar mucho más evidente.

—¿Has averiguado dónde?

—A ver Maggie, ¿de qué va todo este asunto? Solo puede tratarse de un sitio.

—¡El Monte del Templo! —exclamó Maggie, sonriendo ante tanta astucia. La enterró allí, claro ¿en qué otro sitio si no? ¿Adónde pertenecen los documentos de una casa sino a la casa misma?

—Eso es el Mishkan, el Templo, el palacio. Se refiere a toda la zona. Solo que no la ha dejado en el Monte del Templo. Los judíos apenas se acercan a ese lugar, lo consideran demasiado sagrado. La ha escondido debajo.

—¿Debajo?

—Hace unos años, mi padre y un grupo de arqueólogos excavaron los túneles que corren a lo largo del Muro de las Lamentaciones. No la parte famosa del muro, donde van todos a rezar y a dejar esos ñoños mensajes a Dios entre las piedras, sino toda la parte del muro que quedaba enterrada bajo el resto de la ciudad, bajo el sector musulmán, para ser exacto. La gente se puso furiosa.

—¿Te refieres a los palestinos?

—Pues claro. ¿Qué esperaba mi padre? Los árabes dijeron que los judíos estaban intentando minar los cimientos de la Cúpula de la Roca, ya sabes, la gran mezquita con la bóveda de oro.

—Ya sé cuál es, Uri. Gracias.

—Allí es donde creen que Mahoma ascendió a los cielos. Y ahí estaban los judíos excavando túneles... Y entonces, mi padre y sus amigos aún complicaron más las cosas. Decidieron que no bastaba que los turistas pudieran entrar en los túneles; no, los turistas tenían que salir por el otro extremo en lugar de dar la vuelta por donde habían entrado. De modo que construyeron una salida. Que da directamente al sector musulmán.

—Una provocación.

—Exacto.

—O sea, que cuando dice «en el camino de antiguos barrios» se está refiriendo a los túneles, y cuando dice «ve al oeste» se está refiriendo al Muro de las Lamentaciones. Muy astuto. Obviamente, la «ciudad modelo» es Jerusalén, el lugar más sagrado de la tierra. Pero ¿qué...?

—¡Oh, mierda!

Maggie vio que Uri miraba por el retrovisor como hipnotizado. Echó un vistazo por encima del hombro y vio que un coche los seguía con las luces largas encendidas. En esos momentos habían salido de la ciudad y descendían por lo que parecía una carretera de montaña serpenteante. A ambos lados había abruptas pendientes de roca salpicadas aquí y allá por chatarra oxidada —restos de vehículos militares, le había explicado su chófer marine el día que la había llevado en coche—, reliquias de la guerra de 1948 que había inaugurado el nacimiento del Estado de Israel.

—Se están acercando, Uri.

—Lo sé.

—¿Qué demonios vamos a hacer?

—Ni idea. Déjame pensar.

El reflejo del retrovisor lo deslumbraba, parecía llenar el interior del Mercedes como el barrido de un reflector.

Uri aceleró, pero el coche los alcanzó sin esfuerzo. Aunque Maggie se hizo sombra con la mano, la luz de los faros era demasiado intensa para que pudiera ver quién iba en el coche o de qué tipo de vehículo se trataba.

—¿No podemos desviarnos?

—No, a menos que queramos lanzarnos barranco abajo.

—¡Mierda, Uri! ¡Tenemos que hacer algo!

—Lo sé. Lo sé. —Uri calló, pero volvió a hablar al cabo de unos segundos—: Después de la próxima curva hay un mirador. Pararé ahí. Cuando lo haga, abre tu puerta inmediatamente y salta. Quédate agachada. Y hazlo justo en el momento en que el coche gire. No esperes a que se pare por completo. Luego, corre hasta el borde. Antes del precipicio hay como un escalón. ¿Vale?

—Sí, pero ¿y tú?

—No te preocupes por mí. Cuando hayas salido, yo estaré justo detrás de ti. Agáchate mucho, no te olvides.

—No lo olvidaré.

—Muy bien, ahí está.

Uri empezó a frenar, y Maggie se desabrochó el cinturón de seguridad. Sonó una campanilla de alarma. Esperó el momento preciso.

Uri miró por el retrovisor, entonces se metió en el espacio del mirador y gritó:

—¡Ahora! ¡Y agáchate!

Maggie tiró de la manija, empujó la puerta, saltó, chocó contra en el suelo, que se movía, y corrió agachada hacia el borde de la superficie pavimentada. Entonces, en la fracción de segundo que tuvo para decidir, se vio enfrentada a una pregunta crucial; debía confiar en Uri o no. En la penumbra del amanecer, sus instintos le decían que el precipicio se abría ante ella y que seguir corriendo suponía una muerte segura. Pero Uri le había asegurado que la vista era engañosa y que había un escalón antes del abismo. ¿Debía creerlo? Habían pasado juntos prácticamente las últimas cuarenta y ocho horas. Ella había descubierto a su madre muerta, le había contado su historia en África, y apenas hacía unas horas que habían hecho el amor tierna y apasionadamente.

Y aun así, ¿quién era él? Quién era ese veterano de los servicios de inteligencia que la había dejado inconsciente de un solo golpe, que había robado un coche y que había hecho Dios sabe qué otras cosas en su vida. ¿Cómo podía confiar en un hombre así?

Todos esos pensamientos pasaron por su mente durante el largo segundo que vaciló en el borde del barranco, hasta que se decidió a saltar. Y cuando llegó la caída —mínima, menos de un metro—, fue como saltar el último peldaño de una escalera en la oscuridad. Corrió, tropezando, hasta quedar fuera de la vista de la carretera.

Cuando el sonido de su respiración se calmó, miró alrededor y vio que estaba completamente sola. Un segundo más tarde, oyó un disparo por encima de su cabeza. Provenía de la carretera, y supo, con una certeza escalofriante, que Uri había sido alcanzado.

51

Jerusalén, viernes, 6.15 h

Permaneció muy quieta, temerosa incluso del sonido de su respiración. Tenía los músculos rígidos y le temblaba el rostro. Notó que las lágrimas le corrían por la mejillas, pero su instinto de conservación tomó el control y la obligó a no hacer ningún movimiento para que nadie oyera ni el crujido de una piedra bajo sus pies.

Pasaron segundos que se alargaron en minutos; tenía los ojos cerrados para concentrarse en lo que oía. En los instantes inmediatos al disparo, mientras repasaba la situación de memoria, había oído un golpe sordo y el ruido de pasos; luego, al cabo de unos minutos, el sonido de una puerta al cerrarse y de un coche que se alejaba a toda velocidad.

Entonces había rezado, y seguía rezando en ese momento, para oír algo más, el sonido de sus pasos acercándose, quizá,o de su voz llamándola desde la carretera. La voz de su cabeza se dirigía a Dios, al Padre en quien decía no creer ya, el Dios al que había abandonado en el colegio de monjas. A él le suplicó: «Por favor, por favor, me hagas lo que me hagas a mí, no dejes que él muera. Por favor, Dios, déjalo vivir».

¿Cómo lo había permitido? ¿Cómo había aceptado que ella saldría la primera? ¿Cómo podía haber sido tan egoísta y estúpida? Naturalmente, no había ningún plan. Uri simplemente había querido salvarle la vida, que saliera del coche y escapara. Sus perseguidores apuntarían sus armas contra él mientras ella se arrastraba y salvaba el pellejo. Se imaginó su cuerpo, inmóvil y ensangrentado en el asfalto, y toda ella se estremeció. Sabía que debía permanecer en silencio, pero no pudo: lloraba por el hombre al que había estrechado entre sus brazos pocas horas antes, lleno de vida. Lo había abrazado y acababa de perderlo.

A pesar de todo, no se movió. Su instinto de supervivencia la empujaba a permanecer allí, en aquel saliente, fuera de la vista de la carretera. Le daba miedo que hubiera trampa: ¿y si salía de su escondite y se encontraba con los hombres que habían abatido a Uri esperándola? Tal vez el ruido del coche alejándose era fruto de su imaginación. Estaba tan cansada que la cabeza le daba vueltas. Así pues, se quedó donde estaba, con el rostro bañado por las lágrimas que no era capaz de contener.

Por fin, con una mueca de dolor por cualquier ruido que pudiera hacer, dio un paso. Y después otro. Y otro, hasta que tuvo una vista limitada de la carretera. No vio nada raro.

Caminó un poco más hasta llegar al borde del saliente. A sus pies se extendía la parda ladera rocosa de la colina. Si había alguien en la carretera, sin duda podría verla. De todas maneras, ella no vio nada hasta que pasó un coche blanco. Se agachó, y el vehículo siguió adelante.

Silencio. Al cabo de un rato, volvió a asomarse y a mirar alrededor. En la carretera no había nadie, y tampoco en el mirador; ningún coche, ni siquiera el Mercedes en el que habían llegado. Pero, por encima de todo, no había ni rastro de Uri.

Maggie no sabía cómo sentirse. Suspiró con alivio al comprobar que no había ningún cadáver. ¿Cabía la posibilidad de que Uri hubiera logrado escapar, de que el sonido que había oído fuera Uri encontrando abrigo y seguridad?

Sabía que eso no tenía sentido. Él habría vuelto a buscarla. Sabía qué era lo más probable, y su mente le brindó las imágenes: hombres enmascarados recogiendo el cuerpo sin vida de Uri, el uno por los brazos, el otro por los tobillos, metiéndolo en el maletero del Mercedes y alejándose.

Trepó al mirador y examinó el terreno. Distinguió huellas de neumáticos, pero no le sirvieron de gran cosa. No era detective; no sabía qué estaba buscando.

Maggie dio la espalda a la carretera y se dio cuenta entonces de lo bonita que era la vista. El cielo era de un color azul pálido, y el sol brillaba ya con fuerza suficiente para iluminar el arenoso y quebradizo paisaje: colinas escalonadas en terrazas salpicadas de solitarios olivos. Aquellos árboles robustos, discretos, en cierto modo pertinaces, le hicieron pensar en hombres bajitos y curtidos, duros e impacientes.

Algo en aquel paisaje fortaleció su determinación: encontraría aquella condenada tablilla aunque fuera lo último que hiciera en este mundo. Lo haría por Uri, y también por su padre y su madre. Fueran quienes fuesen los que le habían hecho aquello, a él y a su familia, no se saldrían con la suya. Ella lo impediría: encontraría lo que ellos no querían que encontrara y, de paso, los delataría públicamente. Sí, había que salvar el proceso de paz, y sí, necesitaba limpiar su buen nombre, pero en esos momentos aquellos objetivos pasaron a un segundo plano. Lo haría por Uri.

Entonces lo oyó. Débilmente al principio. Como la primera vez, le impactó la belleza de la melodía, una hipnótica serie de notas. Sonaba un poco más fuerte y se dio cuenta de que no se trataba de una grabación ni de la radio de un coche, sino de voces humanas cantando y cuyo sonido era arrastrado por la brisa. Caminó hasta el borde del saliente y vio que el precipicio era menos abrupto de lo que había creído; formaba una pendiente regular. Tendría que dar un salto de menos de un metro y, a partir de ahí, descender lentamente por la ladera.

Saltó, dando gracias a Orli por llevar esas botas en lugar de los zapatos que había dejado en el apartamento de la ex novia de Uri. Aun así, no iba equipada para aquello. Mientras avanzaba hacia las voces, patinó con el pie derecho y se torció el tobillo. Un poco más abajo, se arañó el brazo con unos cardos mientras braceaba en el aire para no perder el equilibrio.

A pesar de todo, no tardó en descender desde la carretera hasta la llanura que se extendía ante ella. Y vio de dónde procedían los cánticos, que en ese momento se habían convertido en unos coros mucho más toscos, una especie de himno futbolístico cantado por una multitud que se balanceaba al unísono.

Hinei ma'tov u'ma'naim, shevet achim gam yachad...

Eran los de Brazos alrededor de Jerusalén, que seguían con su protesta. Nunca en su vida Maggie se había alegrado tanto de toparse con una manifestación, nunca había sentido tanto agradecimiento por la tenacidad de los manifestantes al mantener sus reivindicaciones las veinticuatro horas del día, tal como habían prometido. Incluso a esa hora, justo cuando acababa de amanecer, ya había un grupo de activistas cogidos de la mano al pie de la colina. Maggie no tenía ni idea de por qué habían elegido aquel lugar como límite de Jerusalén, pero se alegraba de que lo hubieran hecho.

—¿Es usted periodista? —le preguntó una mujer que llevaba unas gafas grandes y tendía los brazos, por un lado, a una quinceañera que seguramente era su hija, y por el otro a un hombre de la edad de Maggie con aspecto de rabino.

—Oh, no. Estoy de visita —contestó, casi sin pensar y exagerando el acento irlandés.

—¿Cómo, una turista? —Sonó como si hubiera dicho «turrista».

—No exactamente, señora. Más bien soy peregrina. —Era una mala imitación de las monjas de su infancia, pero confió en que funcionaría.

—¿Va a Belén? —preguntó la mujer con incredulidad—. ¿Pretende ir caminando hasta Belén?

—¡Oh, no, Dios me libre!

El rabino había dejado de cantar y se unió a la conversación.

—¿Necesita llegar a Belén? —preguntó, situándose como si se dispusiera a indicarle la dirección.

—No. La verdad es que me dirijo a Jerusalén y me temo que me han hecho una jugarreta.

—¿Una jugarreta?

—Sí, un taxista. Dijo que me llevaría, pero se detuvo en un mirador de la carretera —señaló el lugar desde donde había descendido— para que contemplara la vista. Entonces, nada más bajarme del taxi, se largó con mi abrigo y lo demás.

—¿Ese taxista era judío?

Maggie no supo qué contestar. ¿Cuál era la respuesta adecuada? ¿Sería un insulto acusar a un judío de semejante perfidia? ¿Considerarían una enorme traición haber cogido un taxista palestino?

—Pues no se lo pregunté. Creo que he pecado de ingenua. No sé, creí que estando en Tierra Santa...

—Dígame, señorita —el rabino se abrió paso en el círculo—, ¿adónde necesita ir?

—Por favor, no quisiera importunar a un hombre de Dios como usted.

—No me importuna, de verdad. Tenemos un chófer. —Y antes de que Maggie pudiera decir algo más, sacó un *walkie-talkie* y dijo—: *Avram... Bo rega.* —Luego se volvió hacia Maggie e hizo un gesto de asentimiento, como si dijera «No se preocupe, está todo controlado».

Al cabo de un momento llegó un coche, un robusto todoterreno cubierto de barro. Maggie lo contempló y llegó a la conclusión de que aquellos manifestantes estaban muy bien organizados. No le sorprendía que tuvieran a mano unos cuantos vehículos como aquellos patrullando los frentes de Brazos alrededor de Jerusalén y de todas las manifestaciones en contra de Yariv. Si lo que había oído era cierto, buena parte de los fondos de los que disponían les habían llegado de Estados Unidos a través de los cristianos evangélicos. Una vez más, se dio cuenta de que, aunque la situación se tranquilizase y las partes volvieran a sentarse a la mesa de negociaciones, los partidarios de la paz todavía tendrían que superar gravísimos escollos.

Maggie dio las gracias al rabino y subió al coche. Un hombre corpulento y moreno, de brazos fuertes y bronceados, iba sentado al volante. La miró y alzó una ceja a modo de pregunta.

—¿Podría llevarme a la Ciudad Vieja, por favor?

En cuestión de minutos volvían a estar en la carretera, recorriendo en sentido inverso el trayecto que había hecho al amanecer con Uri, subiendo por la montaña hacia el centro de la ciudad. Notó que se le tapaban los oídos.

En ese momento el tráfico era más denso, aunque no tanto como en hora punta.

—El sabbat, el sabbat —dijo el chófer señalando el exterior por la ventanilla.

La ciudad se estaba vaciando para el sabbat, que empezaría con la oscuridad de la noche.

Cuando el coche subió por la calle Hativat Yerushalayim, no tardó en ver el largo y macizo muro que establecía los lindes de la Ciudad Vieja. Pero apenas lo veía; tenía la mirada perdida en la distancia, pensando en lo que podría haberle pasado a Uri. ¿Habría recibido un balazo solo para que ella pudiera escapar? El peso que sentía en el pecho y el pánico, casi pudieron con ella: otro error, otra traición. Furiosa, intentó canalizar sus emociones y convertirlas en férrea determinación: encontraría a la gente que había disparado contra Uri, y lo haría hallando la tablilla. Intuyó que se estaba acercando. El testamento de Abraham no podía hallarse muy lejos.

52

Jerusalén, viernes, 7.50 h

El coche cruzó la Puerta de Jaffa y se detuvo casi inmediatamente en una pequeña plaza adoquinada donde había un montón de tiendas de recuerdos para turistas y un par de hoteles baratos. A partir de ahí tendría que seguir a pie. Maggie dio las gracias al conductor, se apeó y contempló el lugar. Ante ella tenía el Centro Sueco de Estudios Cristianos. Cerca se hallaba el Centro de Información Cristiano, y junto a este, el Albergue de la Iglesia de Cristo. Un lejano recuerdo de un pase de diapositivas, durante las clases de geografía con la hermana Frances, afloró en su memoria. Maggie comprendió que había oído hablar tiempo atrás de aquellos lugares. Eran misiones destinadas a convertir a los judíos.

Un poco más allá, todo recto, había lo que parecía una comisaría de policía, con un mástil de comunicaciones de donde sobresalían antenas de todo tipo. Empezó a caminar hacia allí. Denunciaría la desaparición de Uri, les hablaría del tiroteo, y ellos enviarían una patrulla para buscarlo y devolvérselo.

Pero entonces se detuvo en seco. Si lo hacía, tendría que explicar lo del coche robado, por qué los perseguían en plena noche, qué hacía Uri vestido de botones de hotel... Nadie creería una palabra de todo aquello. La policía llamaría inmediatamente al consulado para comprobar su identidad, y le bastó imaginar el resultado de dicha llamada cuando explicaran a Davis, Miller y Sánchez que había pasado la noche con Uri Guttman.

Se quedó inmóvil. Si Uri seguía con vida, necesitaba su ayuda. Pero no había nadie a quien ella pudiera acudir; nadie creería o comprendería lo que ellos habían descubierto. Su única esperanza era la tablilla. Si conseguía encontrarla, hallaría también todas las respuestas: quién estaba detrás de los asesinatos y quién había capturado a Uri. Si la encontrara, tendría con qué negociar. Solo le quedaría decidir la mejor forma de utilizarla.

Miró alrededor e intentó orientarse. Jerusalén le había parecido un lugar muy agobiante desde que había llegado, pero allí, en plena Ciudad Vieja, esa sensación se incrementaba, como si el fervor de la ciudad, su febril historia, quedara amplificado por aquellos muros ancestrales. No le extrañó que hubiera gente que hablara de Jerusalén como de una especie de trastorno mental.

Se acercó a un individuo vestido con sandalias y calcetines que llevaba una enorme cámara al cuello y le preguntó por dónde se iba al Muro de las Lamentaciones. El hombre le señaló un arco situado justo enfrente de la Puerta de Jaffa. Ese, recordó entonces Maggie, era el camino que llevaba al *suq*.

Bajar por la empinada callejuela con los adoquines desgastados por millones de pies a lo largo de los siglos fue como lanzarse pendiente abajo por una montaña. El mercado le pareció distinto del que había visto veinticuatro horas antes. Todavía era pronto, y todos los puestos y comercios estaban cerrados o tenían las persianas bajadas. En lugar de una multitud de turistas y de gente comprando, solo vio a un muchacho que empujaba un carro y que, de vez en cuando, saltaba encima del neumático que llevaba arrastrando por el suelo atado a una cadena y que le servía de freno improvisado.

Se fijó en los nombres de los comercios, visibles gracias a que no había gente, y le fue fácil imaginarse al viejo Guttman husmeando por allí, entrando en Sadi Barakat & Sons, Marchantes Legalmente Autorizados, o en el Oriental Museum, de nombre ostentoso, siempre a la caza de alguna pieza rara y antigua. Cómo debía de haberse estremecido en la tienda de Aweida aquel día...

Pasó ante un hombre que lucía barba y llevaba un vestido negro. ¿Un rabino o un monje ortodoxo griego? No lo sabía, y en aquella ciudad ambas cosas eran posibles. Acercándose desde otra dirección vio a un grupo de niños árabes de unos ocho años y a una anciana que caminaba mientras leía un libro de oraciones, como si no pudiera dejar de orar al divino ni un solo minuto.

Al fin, vio un sencillo indicador en inglés escrito a mano: HACIA EL MURO DE LAS LAMENTACIONES, una flecha señalaba a la derecha. Lo siguió y bajó por otro tramo de escalones hasta que vio otra señal, esta debidamente pintada y llena de agujeros de bala: ESTÁ ENTRANDO EN LA PLAZA DEL MURO DE LAS LAMENTACIONES.

SE RUEGA A LOS VISITANTES CON MARCAPASOS QUE INFORMEN AL PERSONAL DE SEGURIDAD.

Como en los aeropuertos, había que pasar bajo un detector de metales atendido por unos cuantos agentes israelíes. Antes de dejarla pasar, una mujer policía la cacheó mientras charlaba y bromeaba con sus colegas.

Ante ella se extendía una plaza adoquinada y en pendiente que ya estaba llena de gente. Al fondo se veían las enormes y macizas piedras del Muro de las Lamentaciones. Parecía pertenecer a otro mundo. Sus proporciones no eran humanas: cada bloque tenía casi la altura de una persona, y las plantas que crecían entre sus grietas eran árboles pequeños y formaba parte de un templo que había sido erigido allí dos mil quinientos años antes.

Había gente deambulando por todas partes. Hombres barbudos caminando como si perdieran el tren, otros que sujetaban en la mano su kipá, y unos pocos que sonreían, como si recaudaran dinero para obras de caridad y esperaran que alguien se detuviera a charlar con ellos. Maggie evitó mirarlos directamente pero escuchó cómo respondía un adolescente estadounidense.

—Eh..., Aaron.

—Hola, Aaron. Yo me llamo Levi. ¿Tienes algún sitio donde pasar *shabbes* esta noche?

—Eh..., no sé, puede ser.

—¿Quieres pasar *shabbes* con una familia y tomar sopa de pollo como si estuvieras en casa? Tal vez *daven* un poco en el *Kotel*...

La última palabra la pronunciaban como «hotel» con la hache aspirada. El chófer también la había empleado: *Kotel*, el Muro.

Entonces vio con claridad las hileras de sillas de plástico blancas distribuidas frente al Muro. No estaban ordenadas, sino que parecía como si acogieran a una docena de reuniones distintas a la vez. Era una escena de caos espiritual; le recordaba más a una estación de tren que a cualquiera de los santuarios en los que había estado en su vida.

En cierto sector del muro sobresalía una partición que dividía a la multitud. No era gran cosa, se parecía a cualquiera de los tabiques divisorios que su padre podría haber instalado en el jardín. Pero en el lado izquierdo, mirando las piedras gigantes, la multitud era mucho más numerosa. Maggie se acercó para ver qué significaba esa división.

Claro, hombres a la izquierda, mujeres a la derecha. Había un aviso dirigido a las mujeres: ESTÁ ENTRANDO EN UNA ZONA SAGRADA. LAS MUJERES DEBER VESTIR CON ADECUADO RECATO.

Pero fue en los hombres en quienes se fijó. Muchos iban envueltos en grandes chales blancos y negros y permanecían de cara al Muro. Algunos se cubrían la cabeza con el chal, como las batas con capucha de los boxeadores, preparados para la pelea; otros llevaban el chal encima de los hombros. Todos se balanceaban adelante y atrás o hacia los lados con los ojos cerrados. Maggie intentó acercarse.

—¿Es usted judía? —le preguntó una sonriente mujer con pinta de matrona y acento europeo.

—No. He venido para unirme a los rezos de esta buena gente —contestó, imitando el tono que recordaba haber oído en el colegio a la hermana Olivia.

La mujer le señaló el lugar reservado para las mujeres y se marchó.

Maggie se preguntó cuánto tiempo podría permanecer allí antes de que la echaran. Tenía que encontrar el sitio. Vio a un policía armado, se acercó y le preguntó dónde estaban los túneles del Muro de las Lamentaciones. Él le señaló un pequeño arco de entrada, que parecía de construcción reciente, en la pared que discurría perpendicular al *Kotel*. Fuera había un grupo de unas treinta personas, hombres y mujeres, equipados con botellines de agua y cámaras de vídeo. «Perfecto», se dijo Maggie.

Jugueteando con el móvil para disimular, se unió al grupo.

—¡Muy bien! ¡Si son tan amables de prestar atención...! —dijo el guía, un joven estadounidense de veintitantos años, con barba y ojos chispeantes. Batió palmas unas cuantas veces y esperó a que la gente se callara—. Estupendo, gracias. Me llamo Josh y voy a ser su guía durante su visita a los túneles del Muro de las Lamentaciones. Si quieren seguirme por aquí, empezaremos ya.

Los guió hasta una cámara subterránea, una especie de bodega cuya forma quedaba determinada por la bóveda del techo. Las piedras eran más grises y frías que las que Maggie había visto por toda la ciudad, y había un zumbido constante de ventiladores que intentaban eliminar el olor a moho.

—Muy bien. ¿Estamos todos? —La voz del guía resonó en los muros—. Vale. Nos hallamos en una sala que el explorador británico Charles Warren bautizó como el Establo de las Mulas, seguramente porque ese era el uso que se le daba antiguamente o porque lo parece.

Se oyeron risas de los que no estaban tomando fotografías con sus cámaras y móviles. Maggie empezó a escudriñar las paredes en busca de cualquier clase de abertura, un lugar donde Shimon Guttman hubiera podido ocultar su preciado tesoro.

—Esto me da la oportunidad de explicar algo del sitio donde nos encontramos —prosiguió el guía—. Ahora estamos muy cerca de la zona conocida como Monte del Templo. Como saben, se trata de un lugar muy especial. Nuestra tradición sostiene que aquí yacía la Piedra Fundacional, a partir de la cual fue creado el mundo hace cinco mil setecientos años. También es conocido como monte Moria, el lugar donde Ha'Chem, el Todopoderoso, ordenó a Abraham que sacrificara a su hijo Isaac. También es aquí donde Jacob descansó la cabeza y soñó con los ángeles volando entre la tierra y el cielo, y donde predijo que se construiría la Casa se Dios.

»Efectivamente, el Templo fue levantado aquí muchos años después, y lo que antes contemplaban, el *Kotel*, era el muro de contención oeste del templo. ¿De qué templo? Bien, hubo dos. El Primer Templo fue erigido hace casi tres mil años, mientras que el Segundo Templo fue levantado por Ezra unos quinientos años más tarde. Cuando el Segundo Templo fue destruido por los romanos en el año setenta, lo único que quedó en pie fue el Muro de las Lamentaciones.

Maggie permaneció al fondo, examinando todas las grietas de las paredes de piedra gris. «Allí encontrarás lo que he dejado para ti, en el camino de antiguos barrios», había dicho Guttman. ¿Se referiría a algo de aquella sala?

—... mayoría de la gente no se da cuenta de que el enorme muro que acabamos de ver, donde todos acuden a rezar, no es el Muro de las Lamentaciones completo. El original continuaba en dirección norte y tenía cuatro veces la longitud del actual. El problema es que, con el transcurso de los años, la gente ha ido construyendo contra y sobre él, levantando casa sobre casa, cimientos y estructuras de soporte hasta que no ha quedado gran cosa del muro a la vista.

»La buena noticia es que hemos podido excavar un túnel a lo largo de toda la longitud del muro. Ahora es posible ver los distintos niveles históricos y contemplar la belleza del muro en sí, un tesoro que ha permanecido oculto a los ojos del pueblo judío durante al menos dos mil años.

Mientras los hombres de pantalón corto y las mujeres con suéteres se cogían de la mano y exclamaban «¡Oooh!» y «¡Aaah!», Maggie escudriñaba el lugar como si sus ojos fueran el haz de una linterna. ¿Estaría la tablilla de Abraham escondida en alguna parte de aquel lugar? Examinó el suelo preguntándose si habría alguna trampilla, quizá unos escalones que condujeran a un sótano. Sí, pero ¿dónde?

—De acuerdo —dijo el guía—. Vamos a seguir esta pequeña luz que ven aquí y a meternos por el Pasaje Secreto.

Un chico ululó como un fantasma y su hermana canturreó la melodía de *En los límites de la realidad*.

El grupo avanzó en fila india por un largo corredor de techo bajo y abovedado. Allí no llegaba la luz del sol, la única claridad provenía del anaranjado resplandor de las luces eléctricas empotradas cada cierta distancia a nivel del suelo. Maggie se estremeció con un escalofrío que era resultado de la conmoción, el cansancio y el frío.

El guía volvió a hablar, y su voz se alzó sobre el ruido de pasos. El eco obligó a Maggie a poner toda su atención para oír lo que decía el guía desde su retrasada posición.

—La leyenda dice que el rey David utilizaba este pasadizo

para desplazarse sin ser visto desde su palacio, situado al oeste de aquí, hasta el Monte del Templo.

Maggie miró a lo alto y a las paredes. No parecía probable que Guttman hubiera dejado nada allí. ¿Cómo habría podido ocultarlo detrás de una de aquellas piedras? Empezó a preocuparse. Si Guttman había aflojado alguna de aquellas antiguas piedras y ocultado la tablilla detrás, ¿cómo iba a encontrarla? ¿Por dónde empezar?

El guía respondió a una pregunta.

—Por eso me gusta tanto estar aquí, porque puedo tocar las mismas piedras y respirar el mismo aire que nuestros antepasados tocaron y respiraron. A medida que cavamos más profundamente, nos acercamos a las raíces mismas de la vida de los judíos. —Sus ojos eran dos puntos chispeantes—. Aquí podemos tocar nuestras almas. —Hizo una pausa y sonrió ampliamente—. Muy bien, sigamos.

Maggie empezaba a ponerse nerviosa. La luz era demasiado débil para buscar adecuadamente y, si seguía al grupo, las paradas que realizaban eran muy breves. Se acordó de Uri maldiciendo a su padre y sus complicadas adivinanzas. Que los hubiera conducido hasta allí estaba muy bien, pero solo si tenían oportunidad de encontrar la tablilla.

De repente notó algo. Levantó los ojos y vio que un hombre que la estaba mirando apartaba la vista. ¿Acaso había murmurado algo? Se sentía tan cansada que no le habría sorprendido si, en su desesperación, hubiera empezado a pensar en voz alta. Notó que se ponía colorada.

El guía condujo al grupo alrededor de un panel de cristal empotrado en el suelo que permitía ver que estaban pasando por un puente con el agujero de un pozo justo debajo.

—Esto solo tiene mil trescientos años de antigüedad —explicó, sonriente—. No es el puente original, sino que fue añadido posteriormente por los musulmanes.

Siguieron hasta que llegaron a otra sala abovedada. El olor a moho era más intenso. Según indicó el guía, estaban atravesando una serie de cisternas cuyos arcos soportaban las casas de encima.

—¿Ven los agujeros del techo? —Todo el mundo miró hacia arriba—. Dejaban caer un cubo a través de ellos y lo subían lleno de agua.

Maggie apenas escuchaba, tenía la atención puesta en dos incongruentes rótulos iluminados que mostraban una lista de nombres de donantes y colaboradores. Recorrió los extranjeros, los Schottenstein y los Zuckerman que habían hecho posibles aquellas excavaciones. Repasó los nombres en busca de un Guttman, de un Ehud Ramon, de un Vladimir o de un Jabotinski, cualquier cosa que pudiera brindarle alguna pista. Aquel lugar era tan grande..., un laberinto de túneles, ¿cómo iba a encontrar algo allí? De repente comprendió perfectamente la exasperación de Uri hacia su padre. ¿Por qué no había sido más explícito?

El guía les indicó que lo siguieran y vieran lo que presentó como el Arco Wilson. Señaló una pequeña abertura a través de la cual pudieron atisbar de nuevo las macizas piedras del Muro de las Lamentaciones, idénticas a las que habían visto en el exterior. Sin embargo, la mayor parte de la vista quedaba tapada por la zona de rezos destinada a las mujeres, llena incluso a esa hora.

Maggie decidió que ya tenía suficiente. Seguir una visita turística no la conduciría hasta la tablilla. Necesitaba llevar a cabo una búsqueda de verdad, y eso significaba a solas. Se fue distanciando del grupo tan discreta y silenciosamente como pudo y se dirigió a la primera salida que encontró.

Se trataba de un tramo de escalera metálica recién instalada que había visto al entrar. Bajó por allí de puntillas para no hacer ruido con los tacones de las botas y evitar que la oyeran. Cuando llegó al fondo, vio un nítido rectángulo que parecía haber sido excavado limpiamente en el suelo. Una especie de piscina para el baño.

Dirígete al oeste, joven, y sigue camino hasta la ciudad modelo, cerca del Mishkan. Allí encontrarás lo que he dejado para ti, en el camino de antiguos barrios.

No había nada en ese lugar que lo relacionara con la pista que Guttman les había dado. Siguió adelante y entró en un espacio más amplio donde había un grupo de operarios trabajando. Se fijó en que eran todos árabes y se acordó de una nota que había leído en el informe previo que comentaba con ironía que los asentamientos judíos de Cisjordania y la barrera de seguridad que tanto odiaban los árabes habían sido construidos precisamente por manos árabes.

Ante ella había una sección recién puesta al descubierto del Muro de las Lamentaciones. Leyó rápidamente el rótulo explicativo: cinco toneladas cada uno, finamente tallado, bordes rematados, uno de ellos más largo que un autobús, quinientas setenta toneladas de peso, más que un Boeing 747 con equipajes y pasaje. «¡Mierda!» ¿Cuándo encontraría algo que tuviera sentido?

Buscó una abertura. Solo había una, de modo que se metió por ella y se encontró en un estrecho camino en uno de cuyos lados había un enorme arco que había sido rellenado y taponado con material de derribo. Junto a él había un rótulo donde se leía Warren's Gate.*

Dio gracias a Dios. Después de todo, Guttman no los había engañado. ¿Acaso una de sus pistas no mencionaba «el camino de antiguos barrios»? Tanto ella como Uri habían interpretado que hablaba del entramado de los antiguos túneles, pero Guttman había sido aún más astuto. Se refería a aquel lugar en concreto. Y allí estaba ella.

Miró arriba, abajo y a los lados, confiada en que el escon-

* El autor hace aquí un juego de palabras intraducible con el apellido Warren, que da nombre al arco mencionado, y la palabra «*warren*», que significa «barrio» o «entramado de calles» y que aparece antes en las explicaciones de Shimon Guttman. *(N. del T.)*

dite de la tablilla se le haría evidente en cualquier momento. Sin embargo, lo único que veía era una pared de piedra y ladrillo, y cada pieza parecía maciza y bien sujeta. Empezó a dar golpes y a empujar aquí y allá con la esperanza de descubrir algún ladrillo suelto que pudiera retirar con facilidad. Ninguno cedió.

Con la confianza por los suelos, Maggie se dejó caer de rodillas. Decidió que trabajaría metódicamente, empezando desde abajo. Buscó, escarbó y arañó hasta pelarse las yemas de los dedos y fue subiendo de hilera de ladrillos en hilera. Nada.

Se levantó y contempló el muro de enfrente. Quizá el escondite estuviera allí. Lo recorrió de arriba abajo con la mirada, se preguntaba dónde diantre lo habría escondido Guttman.

Entonces vio al hombre.

El mismo hombre del grupo de turistas con quien había cruzado una mirada, solo que en ese momento estaba solo, en el otro extremo de aquel estrecho camino. Maggie no se sintió avergonzada, simplemente lo reconoció.

Era un rostro que había visto anteriormente, pero ¿dónde? Su mente estaba tan embotada por el cansancio que situar un recuerdo le producía la sensación de estar vadeando aguas profundas. Era reciente, eso sí lo sabía, de los últimos días. ¿Lo había visto en el hotel, en el consulado? No. Se acordó de repente. No fue en ninguno de esos sitios.

Fue en la discoteca de Tel Aviv donde ella y Uri localizaron al hijo de Baruch Kishon. Maggie lo vio en la entrada, al poco de llegar. Incluso estuvo a punto de sonreírle con simpatía porque le pareció otro treintañero fuera de lugar en un local rebosante de flexibles y guapos adolescentes. La había seguido entonces y la estaba siguiendo en ese momento.

No cabía duda de sus intenciones: fuera lo que fuese lo que ella descubriera, él querría arrebatárselo para entregarlo a Dios sabía quién, seguramente a los mismos hombres que habían matado a la madre de Uri, a Kishon, a Aweida y puede que incluso a Uri. Los hombres que sin duda harían lo mismo con ella, en ese preciso lugar e instante, en esas catacumbas de secretos milenarios.

53

Jerusalén, viernes, 8.21 h

Sus piernas tomaron la decisión antes que ella. Dio media vuelta y corrió: se lanzó a través de un estrechamiento del camino donde una docena de mujeres, de pie, sostenían cada una su libro de oraciones. Llevaban la cabeza cubierta con sombrero o mantilla de croché, y su rostro era un modelo de concentración. Mientras se abría paso entre ellas, Maggie vio que todas permanecían muy cerca de una pared de donde goteaba agua y que rozaban el líquido con los labios. Otras dos mujeres, seguramente turistas, se mantenían a cierta distancia. Maggie oyó lo que decían:

—La Piedra Fundacional está al otro lado del muro. ¿Has oído lo que han dicho? Esas gotas de agua son las lágrimas de Dios.

Maggie las apartó de un empujón y miró por encima del hombro: otro hombre, con una cámara al cuello, se había unido a su perseguidor. Se estaban acercando. Avivó el paso.

El camino se convirtió en un túnel largo, bajo y estrecho, y Maggie se lanzó a toda velocidad por él; corría medio agachada. Miró por encima del hombro y vio que sus perseguidores, a pesar de ir muy encorvados, ganaban terreno. Presa del pánico, miró a un lado y a otro y se arañó la frente con una viga metálica que sobresalía del techo. Soltó un grito de dolor pero no dejó de correr. De repente, la pared de la izquierda se abrió a una cavidad donde había una anciana vestida de negro que sostenía un libro de plegarias en las manos. Maggie sintió que la cabeza le daba vueltas.

El suelo bajo sus pies cambió de repente y se convirtió en una lámina de cristal a través de la cual se podía ver lo que parecía haber sido una cisterna. Los dos hombres la seguían a unos diez metros de distancia.

Bruscamente, el túnel finalizó y desembocó en otra cisterna. Maggie pudo por fin erguirse. Estaba desesperada por encontrar una salida a aquel camino señalado, por burlar a sus perseguidores. Pero no encontró ninguna. No le quedaba más alternativa que mantener la ventaja hasta que pudiera salir al exterior. La pregunta era cuánto tardaría en conseguirlo.

Jadeaba cuando llegó a lo que parecía la esquina de un largo mercado romano enterrado. Ante ella había dos pilares coronados por un pórtico. A los lados se veían un par de losas de piedra, una encima de la otra, como si los trabajadores de dos milenios antes hubieran dejado sus herramientas y abandonado el trabajo. Oyó pasos a su espalda. Buscó salidas, pero solo vio una.

El camino se estrechó de nuevo, dio un giro de noventa grados y se alejó del Muro de las Lamentaciones, que hasta ese momento Maggie había tenido todo el rato a su derecha. Ya no había piedras regularmente talladas; parecía haber entrado en una especie de garganta subterránea, un cañón de paredes verticales y altas como catedrales que la rodeaban por los dos lados. Estaban húmedas y presentaban franjas estratificadas de colores, como el interior de un pastel.

—¡Alto! —gritó uno de sus perseguidores.

Maggie miró nuevamente por encima del hombro y le pareció que el segundo hombre, el de la cámara al cuello, sacaba un arma y la apuntaba. Dio un grito y se agachó, pero el hombre no tenía el punto de mira despejado porque el camino entre las piedras serpenteaba demasiado.

Por fin, llegó a un tramo con una estrecha escalera de hierro. Estuvo a punto de tropezar en los peldaños y luchó por no perder el equilibrio mientras subía a toda prisa con un estruendo metálico. Cuando llegó a lo alto, tuvo que girar y meterse de lado por la estrecha abertura. Tras ella, oyó que una mujer gritaba. Alguien había visto la pistola.

Entonces, el espacio se abrió de nuevo y se encontró en lo que parecía una bóveda romana. Cuando sus ojos se adaptaron a la luz, vio que se trataba de otra piscina, llena en ese caso de agua estancada. Permaneció inmóvil un segundo, mientras sus pulmones intentaban extraer el oxígeno de aquel aire húmedo y maloliente. Consideró la posibilidad de lanzarse al agua. Era buena nadadora y quizá pudiera contener la respiración el rato suficiente para...

Pero entonces oyó pasos a escasos metros, y el instinto le dijo que se apartara de la piscina y corriera a través de la única abertura visible. Cuando lo hubo hecho, respiró con alivio porque vio la luz del día. Corrió por un camino que subía, saltó un torniquete y salió al exterior.

Mientras respiraba con grandes bocanadas y parpadeaba ante la repentina claridad, vio que había salido a una calle estrecha llena de gente. Ante ella había un rótulo en el que se leía: SANTUARIOS DE LA FLAGELACIÓN Y LA CONDENACIÓN. Del santuario salió un monje vestido con un hábito marrón ceñido en la cintura con una cuerda. Se encontraba en la vía Dolorosa, el camino que Cristo había recorrido hasta el Calvario.

De haber tenido tiempo, Maggie habría podido hallar cierto consuelo en la familiaridad de la escena, pero no podía permitirse ese lujo. Esperándola en la salida había un par de individuos enmascarados que dieron un paso al frente y la agarraron tranquilamente y sin esfuerzo.

54

Jerusalén, viernes, 8.32 h

Unas manos enguantadas la sujetaron por las muñecas con tanta fuerza que era como si estuvieran hechas de metal en vez de carne y hueso. Dio un respingo, pero no emitió ningún sonido porque otras manos le habían metido algo parecido a un pañuelo enrollado en la boca. Nadie dijo una palabra.

Luego la arrastraron hacia atrás, fuera de la calle, de regreso a los túneles y lejos de la vista de la gente.

—¿Qué hacen? ¿Quiénes son? —intentó preguntar a través de la mordaza. Y sabiendo que sus palabras eran inútiles, añadió—: ¿Qué le han hecho a Uri?

Intentó mover los brazos para defenderse, pero se los habían atado con una brida de nailon, de esas tan resistentes que necesitas unas tijeras para cortarlas. Intentó gritar, pero solo consiguió que el pañuelo de la boca le provocara una arcada. Jadeó con fuerza, trató de llenarse los pulmones respirando por la nariz, y notó los febriles latidos de su corazón, causados no solo por la persecución, sino también por el miedo a perder la vida.

Los dos hombres que tenía ante ella se acercaron un poco más, de modo que pudo ver lo que no quedaba oculto por los pasamontañas. Los ojos del tipo de su izquierda eran oscuros e inexpresivos, como un estanque helado en invierno; parecía que le aburría la visión de una mujer jadeante rodeada de matones. Maggie miró entonces a su compañero con la esperanza de hallar una chispa de humanidad, pero lo que vio le heló la sangre: los ojos del otro hombre delataban sin duda emoción, y esa emoción era placer.

Fue él quien se le acercó con otro trozo de tela negra entre las manos. Y antes de que le cubriera los ojos con ella y se acercara mucho para atársela en la nuca, algo quedó claro en la mente de Maggie: era el mismo hombre que la había asaltado en el callejón. Entonces, mientras le vendaba los ojos y la sumía en la oscuridad, comprendió que lo mismo podía estar muerta.

Notó que la empujaban por detrás y tropezó, pero alguien la sujetó del brazo para evitar que cayera. Empezó a caminar a trompicones, como si estuviera bebida.

Al cabo de unos minutos —tal vez muchos, tal vez pocos—, andando de aquella manera, detectó un cambio en las condiciones acústicas; ya no percibía el eco de los muros de piedra. La fría humedad del aire disminuyó, así como el olor a moho. ¿Se estaba engañando o creía percibir a través de la venda de los ojos un cambio en la luminosidad?

Se detuvieron y oyó otras voces a cierta distancia. Se imaginó el mundo fuera de los túneles y se preguntó si volvería a verlo alguna vez.

Oyó que sus captores conversaban entre susurros y aguzó el oído por saber en qué lengua hablaban, pero estaban demasiado lejos. Entonces volvieron a empujarla y ella volvió a tropezar en la irregular superficie. Sin embargo, estaba segura de que algo había cambiado: se oían sonidos de la calle, gente, coches, pasos. El tono de la oscuridad que la rodeaba varió, como si hubieran disparado fuegos artificiales en plena noche. Y la prueba concluyente: notó calor en la piel, el calor del sol.

Carecía de sentido, pero aun así se sintió aliviada. No iban a matarla dentro de aquellos túneles, no se pudriría en el fondo de una cisterna rodeada por el eco de los interminables cánticos y rezos de las mujeres.

Sin embargo, solo estuvo fuera unos segundos. La misma mano de hierro que la había sujetado por las muñecas la cogió por la nuca y la empujó hacia abajo, con fuerza, como si pretendiera doblarla por la cintura. Se resistió, mantuvo la espalda firme y se negó a ceder. Percibió la frustración de la mano cuando la empujó con más fuerza. Al final, el hombre de la mano de hierro u otro, una voz masculina, masculló una sola palabra a su espalda.

—Coche.

¡Así que era eso! Pretendían meterla a la fuerza en el asiento trasero de un vehículo. Satisfecha con su pequeña demostración de resistencia, se dejó hacer. No había sido gran cosa, pero creía haber logrado algo. Había obligado a aquellos individuos a que rompieran el silencio que habían mantenido desde que la acorralaron a la salida de los túneles. No querían hablar, pero lo habían hecho. Sí, solo una palabra, pero era un comienzo. De algún modo, había sido como una pequeña negociación. Ellos habían tenido que ceder para conseguir su colaboración. Seguía atada y amordazada, pero, en términos de negociación, llegó a la conclusión de que había ganado el primer round.

Dentro del coche debía de haber al menos cinco personas. Encajonada en el asiento trasero, Magie tenía un hombre a cada lado. En las rodillas notaba cierta presión del asiento delantero. Seguían sin decir nada entre ellos, pero en los breves segundos que había tardado en subir al coche había captado un retazo de conversación. Tanto podía ser de la gente de la calle como de los enmascarados que la habían perseguido por los túneles. Fuera como fuese, no tenía duda acerca del idioma. Era árabe.

Fueron en coche durante lo que le parecieron diez minutos, pero podría haber sido la mitad o el doble de ese tiempo. Además de que no podía mirar el reloj, su sentido del tiempo se había alterado.

Le asqueó estar tan cerca de aquellos tipos, incluyendo —estaba segura— a su agresor del callejón del mercado. Encajada en el asiento, sus piernas estaban aprisionadas entre las de ellos, sus rodillas estaban condenadas a rozarse. Quizá contra las de él. Deseó poder apartarlos de un empujón, pero tenía las manos atadas. Se le puso la carne de gallina.

Al fin, notó que el vehículo aminoraba la marcha y pasaba por encima de una banda rugosa, como si entraran en un aparcamiento. Oyó que el conductor bajaba la ventanilla y que, instantes después, volvía a subirla: quizá para mostrar papeles en algún control de identificación. ¿Acaso se había equivocado con el árabe? ¿Se trataba de un equipo israelí que la llevaba a una de sus sedes en Cisjordania? ¿Se disponían a hacerle allí lo que no se habían atrevido a hacer en territorio propiamente israelí?

Los sonidos cambiaron de nuevo. El coche había bajado por una rampa y parecía hallarse en el interior de un edificio. Quizá un aparcamiento subterráneo. Una imagen surgió en su mente y la asustó: vio dos cuerpos tirados en la penumbra de un garaje, apenas visibles bajo el amarillento resplandor de unos fluorescentes. Los dos cuerpos, ambos muertos, eran los de Uri y ella.

El automóvil se detuvo y el motor se apagó. Oyó que abrían las puertas traseras y notó la mano de hierro en su espalda, empujándola y obligándola a salir. No se resistió: deseaba salir de aquel estrecho y sofocante espacio.

Si se trataba de un aparcamiento, no estuvieron allí mucho rato. Imaginó que habían aparcado cerca de una puerta porque la hicieron pasar a empujones y subir unos cuantos peldaños; un hombre la llevaba cogida por el brazo derecho y la guiaba. Unos pasos después, oyó que cerraban una puerta a su espalda.

—Okey.

La sorprendió tanto oír aquella palabra que se olvidó de prestar atención a la voz que había hablado. Era de hombre, pero no sabía más. ¿Qué acento tenía? Lo imaginó israelí y, al repetir la palabra mentalmente, le pareció que podía serlo. Pero luego hizo lo mismo imaginando que fueran palestinos y también encajaba. Podía haber sido cualquiera, de cualquier parte y de cualquier lengua.

Unos segundos más tarde comprendió lo que aquella palabra significaba: era una orden para proseguir. Notó varias manos en el cuerpo. Algunas por las piernas, otras moviéndose, casi como una caricia, por la espalda. Se sentía confundida. Gritó sin querer, pero solo oyó el apagado sonido que salía de la mordaza. Le entraron ganas de vomitar.

Las manos se movían metódicamente, palpándole las piernas y los brazos de arriba abajo, igual que en los controles de seguridad de los aeropuertos. «Claro —se dijo—, están buscando la tablilla.» Notó que le metían las manos en los bolsillos del pantalón y le quitaban el móvil y la pequeña cartera que llevaba. Eso quería decir que verían su documento de identidad. La única ocasión en que había sentido tanto miedo como entonces fue en un control de carretera en el Congo. En aquella época lo que más temía era que descubrieran su identidad. Si hubieran sabido que era una diplomática, se habría convertido en algo demasiado valioso para soltarla. Sin embargo, en esos momentos no tenía motivos para temer algo así: aquella gente sabía perfectamente quién era.

Se produjo una pausa. Imaginó que estarían consultando algo entre ellos, en silencio. Quizá habían llegado a la conclusión de que no llevaba nada encima y tenían que decidir si la soltaban o no. Quizá toda aquella pesadilla estuviera a punto de...

Las manos volvieron, pero esa vez no palparon, sino que fueron directamente a su objetivo. Empezaron con las botas; se las quitaron rápidamente. Enseguida las notó en la hebilla del cinturón; se lo desabrocharon y fueron por el botón y la cremallera del pantalón, que le arrancaron de un tirón. Gritó, pero solo le salió un ahogado y gutural alarido.

Entretanto, otro par de manos le intentaba quitar el top, por la cabeza. Sus manos, atadas, lo impidieron. Hubo una pausa mientras le cortaban la brida de nailon. Sus brazos no quedaron libres, se los mantenían firmemente en alto mientras otras manos le quitaban la camiseta.

La dejaron solo con la ropa interior.

Le habría gustado permanecer erguida, abrumar a aquellos individuos con la fuerza de su furia, pero lo que deseaba era encogerse, hacerse muy pequeña y desaparecer. Casi desnuda y con los ojos vendados. Nunca en su vida se había sentido más indefensa.

Entonces las manos volvieron a empezar, la tocaron por todas partes, examinaron las axilas, recorrieron el cabello. Otra pausa. Nada todavía.

La misma voz de antes volvió a hablar.

—Okey.

El sujetador fue lo primero que le quitaron. No se lo arrancaron, sino que lo desabrocharon lentamente; como en la mala parodia de un amante que le revolvió las tripas. Oyó que lo desgarraban como si esperaran encontrar algo escondido en un compartimiento secreto.

A continuación pasaron a la última prenda que la cubría, unas bragas que ni siquiera eran suyas, sino un préstamo de Orli, como todo lo demás.

Dos manos de hombre se las bajaron y la dejaron completamente expuesta. Intentó cubrirse pero le sujetaban las manos con tanta fuerza que no tuvo más remedio que permanecer desnuda y a la vista de todos.

Reprimió su deseo de echarse a llorar. No podía concederles semejante victoria. Negarles las lágrimas era su única resistencia, pero contenerlas no fue fácil. Entonces notó una mano en la espalda que la empujaba.

El mismo movimiento que cuando la habían metido en el coche: la mano intentaba que se doblara por la cintura. ¿De eso se trataba? ¿Así iba a terminar?

El sentimiento de humillación fue sustituido por un torrente de rabia. Intentó lanzar golpes; sus brazos poseían una fuerza que nunca antes había sentido, y notó que al tipo que le sujetaba las muñecas le costó que no se soltara.

Al mismo tiempo sus piernas intentaron lanzar patadas. Consiguió mover un poco la derecha pero un par de manos se la inmovilizaron de inmediato. Se preguntó por qué no le ataban los tobillos.

No tardó en comprenderlo. Cuando la tuvieron inmovilizada, con un hombre sujetando cada una de sus extremidades, notó que alguien le separaba un poco los pies. Eso facilitaría la siguiente maniobra.

Dos manos se posaron en el interior de sus muslos, justo debajo de las nalgas, y con un movimiento decidido le separaron las piernas. Luego las mismas manos le separaron las nalgas.

Fue incapaz de articular sonido alguno. La vergüenza y el horror eran demasiado grandes. Se limitó a temblar mientras le abrían el ano y le introducían un objeto. No supo si se trataba de un dedo o de un instrumento médico. Lo único que notó fue un espasmo de dolor en las entrañas.

Vio la escena como si tuviera una experiencia extracorpórea. Se la imaginó sin dificultad: su cuerpo desnudo ofrecido a los ojos de aquel grupo de hombres enmascarados, su trasero al aire y abierto para su inspección. Se estremeció con un involuntario espasmo de protesta, pero apenas pudo moverse.

Le retiraron el objeto sin miramientos, y gritó en la mordaza. Aun así, el dolor llegó acompañado de cierta sensación de alivio. Aquello tenía que haber acabado.

Notó que las manos la obligaban a darse la vuelta para quedar frente a sus torturadores. La empujaron hacia atrás y quedó tumbada de espaldas encima de alguna superficie, quizá una mesa. Volvieron a separarle las piernas. A través de la venda de los ojos percibió la luz de una linterna. Entonces notó que unos dedos husmeaban en el interior de su vagina. Su alarido de espanto sonó grotescamente deformado por la mordaza. Deseó que las lágrimas acudieran a sus ojos, pero estos permanecieron secos, incapaces de registrar tanto horror.

Oyó que se abría una puerta y que alguien entraba en la habitación.

—Ya basta —dijo una voz a escasos metros de distancia.

Entre el aturdimiento, los sonidos que se agolpaban en su mente y los desenfrenados latidos de su corazón fue incapaz de identificar la voz. Ni siquiera supo decir si pertenecía al mismo hombre de antes. Hasta que habló de nuevo.

—Vístanla.

Entonces la reconoció. Conocía perfectamente esa voz porque conocía a ese hombre.

55

Jerusalén, viernes, 9.21 h

Esta es una parte del edificio que no suelen mostrar a las visitas, Maggie. Es una lástima. Quizá deberían.

Mientras aquel hombre hablaba, Maggie notó que varias manos la vestían rápidamente, le pasaron la camiseta por la cabeza y le metieron las piernas en las perneras del pantalón. Trabajaban a toda velocidad, como especialistas del teatro haciendo un rápido cambio de vestuario antes de la siguiente escena. La cara fue lo último; primero le quitaron la mordaza —le provocó una arcada— y después la venda de los ojos. A continuación la empujaron hacia abajo y la sentaron en una dura silla de madera.

Cuando los ojos de Maggie se adaptaron a la luz, los enmascarados ya se habían ido. Era una habitación fría e impersonal, con las paredes de un blanco sucio, desnudas y sin ventanas. Ante ella tenía una mesa, seguramente la misma sobre la que acababan de tenderla. Y al otro lado, sentado en una silla como la de ella, estaba él.

—Debo disculparme por lo que acaba de ocurrir, Maggie. De verdad. Desnudarla y registrar sus cavidades corporales... Horrible. ¿Sabe cómo llaman a eso en las cárceles?, «un taladro». ¿Qué le parece? En fin, como ya le he dicho, lo siento. No le deseo eso ni a mi peor enemigo.

En ese momento, en que podía verlo, la decepcionó su propia reacción. Pensó lanzarse sobre él y apretarle el cuello hasta arrancarle el último aliento. Contaba con que anhelaría que de sus propios poros brotara ácido hasta que lo disolvieran a él en la nada. Pero esos sentimientos se resistían a manifestarse, anulados por su absoluta incredulidad, su completa perplejidad al ver a ese hombre en ese lugar, ahogados bajo su confusión, que era total.

—Pero ¿qué demonios está haciendo? —fue lo único que consiguió articular.

—No tan deprisa, Maggie. Primero tengo que saber dónde se encuentra esa tablilla.

—Pero ¿usted...? ¿Por qué...?

—La cuestión es: si no la lleva encima, si no la ha ocultado en alguna cavidad de su cuerpo, y me consta que no lo ha hecho, ¿dónde coño está? —preguntó alzando la voz progresivamente, como ella le había visto hacerlo en tantas ocasiones.

—No lo sé.

—Vamos, Maggie. Sé que lo tiene todo resuelto. ¿De verdad espera que crea que no lo sabe?

—¿Y usted espera que le dirija la palabra después de lo que sus matones me han hecho? ¡No pienso hablar con usted en lo que me queda de vida, hijo de puta! —Y para sorpresa de él pero también de ella, le escupió a la cara.

—Me gusta eso, Maggie. Y usted lo sabe. Una chica con carácter que, además, está estupenda desnuda. Eso es lo que yo llamo una combinación irresistible.

Maggie se quedó sin palabras. Todo su cuerpo se estremecía aún por la humillación sufrida en aquel cuartucho, y su mente estaba atravesando las primeras convulsiones del *shock*. Ante ella tenía a un hombre en quien había confiado, alguien de quien había pensado que deseaba las mismas cosas que ella.

—¿Significa esto que usted está detrás de este asunto? ¿De todos esos asesinatos?

—Por favor, Maggie, ya sabe que tenemos por norma no hablar nunca de los detalles de las operaciones de inteligencia.

Y sonrió. La sonrisa cómplice de un político cínico a otro. La sonrisa que Bruce Miller, principal asesor del presidente de Estados Unidos, había prodigado mil veces anteriormente.

56

Jerusalén, viernes, 9.34 h

Ha hecho que me siguieran. —A Maggie la decepcionó de nuevo la templanza de su pregunta.

—La hemos seguido a todas partes. Usted lo sabía.

—Pero ¿quiénes? ¿Para quién demonios trabaja? —Y, como si por fin la sangre hubiera llegado a su cerebro, añadió—: ¡Es usted un traidor, eso es lo que es! ¡Ha traicionado a su país! ¡Ha traicionado incluso a su maldito presidente!

—Oiga, Maggie, ¿no podemos saltarnos todo ese rollo irlandés de la indignidad y el honor? Usted, Bono, ese otro gilipollas de... ¿cómo se llama? ¿Bob Geldof? Todos esos bienintencionados defensores de las causas perdidas con esa manera de hablar que pretende que nos sintamos culpables. Esta vez no va a funcionar. —Estaba recostado en su silla, columpiándose sobre las patas traseras mientras masticaba un chicle de nicotina con la energía de siempre—. Esto no es una negociación con unos cuantos devoradores de plátanos en África. Usted tiene algo que yo necesito y no le quedan cartas que jugar. Ni una. Así que, dígame: ¿dónde está la jodida tablilla?

«Negociación.» La simple mención de la palabra fue suficiente para hacerla reaccionar. Siempre había tenido facilidad para lo que los loqueros llamaban «compartimentalización», aislar un determinado capítulo de su vida para poder dedicarse plenamente a la tarea que la aguardaba y en ese momento se obligó a olvidarse de la tortura sufrida e incluso de su odio hacia el monstruo que se sentaba frente a ella para hacer su trabajo. Para negociar.

—No le diré una palabra hasta que me cuente qué demonios está pasando aquí.

—Mire, Maggie, no quiero repetirme, pero en estos momentos no está en condiciones de negociar. Puedo obligarla a que me cuente todo lo que sabe, y lo haré si no me deja más remedio.

—¿De verdad? El asesor de mayor confianza del presidente dirigiendo personalmente una agresión contra una ciudadana europea, miembro de su misión diplomática, y en pleno período preelectoral... En las encuestas quedará estupendo.

—Nadie creerá una palabra de lo que diga. Una zorra acabada que no sabe tener las piernas cerradas, primero se folla a los africanos y después a un israelí. ¿Cómo cree que quedará eso en la primera plana del *Washington Post*?

Involuntariamente, Maggie cerró los ojos. Se estaba preparando, como cuando un animal tensa el pellejo ante un ataque inminente. Sabía que Miller tenía razón, que su patinazo en África unido a su relación con Uri podía acabar con ella por completo, que en una batalla de credibilidad, que era a lo que se resumían todos los escándalos políticos, no tenía la más mínima posibilidad contra Bruce Miller.

—Sí, claro. Y a las madres de Estados Unidos les encantará tener un presidente cuyo principal asesor se queda tranquilamente sentado mientras una banda de matones enmascarados le mete una sonda en el culo a una de sus colaboradoras. Mire, Miller, está usted hundido en la mierda, así que, ¿por qué no habla conmigo y luego, tal vez, yo hable con usted?

Miller la miró a los ojos; una sonrisa asomaba a sus labios. Maggie intuyó al jugador de póquer dispuesto a jugar su mano.

—Como le he dicho, tiene usted carácter, Costello. En otra

vida imagino que usted y yo podríamos funcionar. Ya sabe a qué me refiero.

Maggie mantuvo invariable su expresión. Cuando estaba a punto de producirse un cambio en tu oponente, no debías hacer nada que pudiera distraerlo. No había que romper el hechizo.

—No es tan complicado, la verdad —dijo Miller al fin.

Maggie deseó poder suspirar de alivio —el asesor se disponía a hablar—, pero su rostro permaneció impasible.

—Mire, Maggie, necesitamos este acuerdo de paz. Y estábamos jodidamente cerca. Entonces, la semana pasada, nos enteramos de que había por ahí una tablilla que podía ser el testamento de Abraham...

—¿Cómo?

—¿Cómo qué?

—¿Cómo se enteraron?

—Por el papá de su amiguito, el viejo Guttman. Llamó a Baruch Kishon, el periodista israelí, y se lo dijo. No le contó la historia completa, pero sí lo suficiente. Mencionó a Aweida, el marchante de antigüedades, y a su amigo Nur. Afortunadamente, la Agencia de Seguridad Nacional estaba escuchando.

—Qué suerte, ¿verdad?

—No, no fue cuestión de suerte. Hacía años que escuchábamos a Kishon.

—¿A Kishon? ¿Por qué narices le pusieron micrófonos a Kishon?

—¿No ha leído los expedientes? Kishon fue el tipo que hace unos años levantó la noticia de la conexión con Tel Aviv.

Maggie maldijo a Uri por no habérselo dicho. Seguro que lo sabía. Aquel asunto había constituido el mayor rifirrafe diplomático entre Estados Unidos e Israel: tres agentes de la CIA habían hecho de agentes dobles y pasado información a los israelíes. Desde entonces, el gobierno sionista no había dejado de solicitar que los pusieran en libertad, pero ni el más proisraelí de los presidentes estadounidenses había accedido.

—Kishon seguía hablando con ellos en la cárcel, haciendo campaña a favor de su puesta en libertad. Por eso hacía años que lo espiábamos.

—Y cuando se enteraron de lo que Guttman le había contado decidieron matarlo.

—No empiece otra vez con sus jodidos sermones, jovencita. Nos dimos cuenta en el acto de lo que estaba en juego. Los árabes y los israelíes estaban a punto de firmar, y eso significaba meter mano a Jerusalén y partir esa jodida ciudad en dos. Y de repente aparecía el mismísimo Dios, o su fiel representante, diciendo que no, que Jerusalén pertenecía a los judíos. Eso habría significado el fin del acuerdo.

Maggie tuvo que hacer un esfuerzo para no perder la calma. Ese hombre había visto el texto y sabía lo que decía. No podía permitirle que descubriera que ella no.

—Ya. Y usted tuvo miedo de que los israelíes se levantaran de la mesa de negociaciones porque Abraham les había legado el Monte del Templo, ¿no es eso?

—O porque se lo había legado a los musulmanes. En el fondo es lo mismo. En ambos casos significaba el fin del proceso de paz. Teníamos que asegurarnos de que ninguno de los dos bandos consiguiera la tablilla.

Aquello le dio un respiro: Miller sabía tanto como ella acerca del contenido de la tablilla. Decidió seguir con su ofensiva.

—O sea que en este tiempo usted siempre ha estado detrás de todo esto. Liquidó a Kishon, a Ahmed Nur, a Afif Aweida, a Guttman, a su viuda..., a cualquiera que pudiera conocer el contenido de la tablilla y hablar. —Evitó mencionar a Uri porque decirlo podía convertirlo en realidad.

—No se precipite, Costello. A Guttman se lo cargaron los del servicio secreto israelí cuando creyeron que iba a disparar contra el primer ministro Yariv. ¿Qué otra cosa podían hacer?

—Y lo del kibutz del norte, el asalto y el incendio, ¿también fue cosa suya?

—Guttman fue uno de los principales arqueólogos de aquellas excavaciones. Pensamos que podía haberla escondido allí.

Maggie permaneció callada. Se contempló las muñecas, que mostraban las profundas marcas rojas de las bridas, y meneó la cabeza.

—¿A qué viene eso? —preguntó Miller, irritado. Maggie no respondió, y él acabó dando un puñetazo en la mesa y gritó—: ¿Se puede saber por qué cojones menea la cabeza?

Ella lo miró, satisfecha de haberlo picado.

—Porque me cuesta creer que sea tan absoluta y condenadamente imbécil.

—¿Cómo se atreve...?

—¿Hizo todo eso porque temía que si ese testamento llegaba a hacerse público acabara con el proceso de paz? —Había una risa triste en su voz—. Todos esos asesinatos... ¿los cometió para evitar el fracaso de las negociaciones? ¿No se le ocurrió pensar ni por un segundo que todas esas muertes, en el momento más delicado de las negociaciones, podrían mandar el proceso de paz a la mierda? Cuesta creerlo. ¿Qué les pasa a los estadounidenses? Como lo de Irak: lo ven como una amenaza, así que lo invaden ¡y crean una amenaza mil veces peor! Y ahora acaban de cometer el mismo error.

—No tiene derecho a sermonearme...

—Tengo todo el derecho. Desde que he llegado no he dejado de dar vueltas por el país intentando llegar al fondo de lo que estaba pasando, averiguar el origen de la violencia que amenazaba al proceso de paz. ¿Y por qué? Porque creía que era la mejor forma de sacarlo adelante, porque creo en ese proceso. Y ahora descubro que la fuente de todos los problemas y de la violencia que lo ha echado todo por tierra no era Hamas ni Yihad ni los colonos judíos ni el Mossad. ¡Era usted!

Miller había recobrado la compostura.

—Siempre he sabido que es usted una ingenua, Maggie. Forma parte de su encanto. Pero esto es demasiado. ¿No cree que todos esos que ha mencionado empezarían a hacer lo mismo tan pronto como conocieran el contenido del testamento? Por supuesto que lo harían. Durante toda la semana se han producido un montón de asesinatos que no tienen nada que ver con nosotros: Qalqiliya, Gaza, el autobús escolar de Netanya. Aunque no hubiéramos hecho nada, habrían ocurrido igualmente. Y lo mismo vale para Hizbullah o para los putos iraníes. Ese es el mundo real, querida niña. Cuando uno se enfrenta a una enfermedad que está a punto de extenderse, lo que tiene que hacer es liquidar al primer animal que se contagia; de lo contrario, acabará con todo el rebaño. —Era el lenguaje propio del chico del campo recién llegado a la ciudad que Miller utilizaba con tanto éxito en los debates televisados de Washington. Siempre intimidaba a los periodistas, hacía que se sintieran blandengues urbanitas.

—Así que se trata de eso. Torpedea un poco el proceso de paz antes de que los fanáticos se lo carguen del todo.

—En este juego las buenas decisiones no existen, Maggie. A estas alturas ya debería saberlo.

—Y supongo que estaba funcionando. Hasta que llegué yo y metí la nariz.

—Oh, no se preocupe por eso.

—¿Ah, no? Usted ya había hecho limpieza, había eliminado a cualquiera que supiera algo sobre esa tablilla. El secreto de Abraham seguiría siendo un secreto. Pero entonces intervine yo, cómo no, obsesionada día y noche con descubrir lo que usted había decidido que era mejor ocultar. Menuda idiota he sido...

—En cuanto a eso, puede estar tranquila, Maggie.

—¿Y por qué?

—Porque ha hecho exactamente lo que nosotros queríamos que hiciera. Desde el principio.

57

Jerusalén, viernes, 9.41 h

Maggie clavó los ojos en el suelo. Necesitaba mantenerse serena, y esa era la manera como lo conseguiría. Si hubiera alzado la vista, si hubiera mirado a Miller, habría perdido la cabeza.

Entre ambos se había producido un cambio, y los dos lo sabían. En esos momentos necesitaba algo de él tanto como él de ella. Se hallaba en una posición de debilidad. De haberse tratado de unas negociaciones sobre fronteras, recursos hídricos o incluso del régimen de visitas de los hijos de los Hampton, Maggie habría sabido disimular la situación y ocultar su necesidad, pero hasta el negociador más hábil se convertía en un inútil cuando negociaba para sí. Sus colegas contaban a menudo la anécdota del mediador de Naciones Unidas que, a pesar de haber ganado el premio Nobel por su trabajo, había fracasado a la hora de negociar un aumento salarial.

—¿Qué quiere decir con eso de que he hecho exactamente lo que ustedes querían que hiciera?

Miller sonrió. Sabía tan bien como ella el error que Maggie acababa de cometer al revelarle su debilidad.

—Vamos, Maggie, no le demos más vueltas. Tenemos trabajo que hacer. Lo crea o no, tenemos un proceso de paz que salvar.

—Como si eso le importara.

—¿Me toma el pelo? —La sonrisa desapareció—. ¿Qué cree que estamos haciendo aquí? Toda esta operación ha sido para salvar el proceso de paz. Sabíamos perfectamente que estaría más muerto que un pavo en el día de Acción de Gracias desde el momento en que esa tablilla saliera a la luz. —Miró a Maggie con disgusto—. No lo entiende, ¿verdad? Ni usted ni ninguno de los pretenciosos progres de la costa Este o de Europa, gilipollas de sus amigos europeos. —Se apoyó en la mesa con los ojos llameantes—. A usted le encanta la parte agradable, las conversaciones, las reuniones, los planes, los contraplanes, los mapas de ruta, las resoluciones de Naciones Unidas, las ceremonias, los apretones de manos en la Casa Blanca. Todo eso le encanta, pero ¿nunca se ha parado durante un maldito segundo y se ha preguntado cómo todo eso es posible? ¿Nunca se ha preguntado qué arrastra a un hijo de perra como Slobodan Milosevic a sentarse en Dayton para firmar uno de sus jodidos tratados de paz?

»Pues yo se lo diré: los malvados cabrones como yo y mis amigos enmascarados de ahí fuera. Nosotros. Milosevic no firmó porque usted le hiciera una seductora caída de ojos. Sus amigos del IRA no estamparon su firma en la línea de puntos porque usted o alguien como usted meneara el culo ante sus narices. No, lo hicieron porque alguien como yo los había amenazado con lanzar sobre su cabeza unos cuantos megatones de dinamita en caso de que se resistieran. Y no fue solo amenaza. A veces lo hicimos.

»Eso sí, dejamos que las personas como usted se lleven el mérito, los premios y las entrevistas; y, desde luego, dejamos que el *New York Times* se la chupe todo lo que quiera. Me da igual. Yo puedo hacer el papel de malo. No me importa. Pero no se engañe, encanto, no habría procesos de paz que negociar si no hubiera tipos como yo preparados para hacer la guerra.

Maggie dejó escapar un profundo suspiro.

—¿Y eso es lo que está haciendo aquí? ¿Organizar un poco de guerra para que nosotros podamos firmar la paz?

—Exacto, eso es lo que estamos haciendo. Y parece que funciona. Los dos bandos siguen las negociaciones...

—Solo técnicamente.

—Tienen abierto un canal secundario, y siguen negociando, créame. Además, técnicamente es mejor que nada. Y nada de nada es lo que tendríamos ahora si esa jodida tablilla hubiera salido a la luz. Estoy orgulloso de lo que hemos hecho.

—¿Lo sabía todo el mundo aparte de mí?

Miller bajó la voz mientras se examinaba las uñas.

—Al revés. En esta operación había que saber. Solo yo y un pequeño equipo reclutado para el trabajo. Ex fuerzas especiales.

—¿Los que me asaltaron en la calle del mercado? ¿Ellos cometieron los asesinatos?

—Los detalles operacionales se los dejo a ellos y a su comandante.

—¿Y todos los demás, el vicesecretario y Sánchez, estaban fuera?

—Todos. Salvo usted.

—¿De qué demonios está hablando?

—Debería sentirse orgullosa.

—¿Orgullosa?

—De lo que ha hecho. Le ha faltado muy poco para llevarnos hasta la tablilla, justo como esperábamos.

—No lo entiendo.

—Vamos, vamos, esto no es un episodio de *La casa de la pradera.* Usted ya sabe cómo funciona. ¿Por qué cree que enviamos a Bonham a buscarla?

—Para que yo cerrara las negociaciones. Las dos partes estaban a punto de llegar a un acuerdo, y ustedes querían que yo cerrara el trato. —Le temblaba la voz.

—Claro, y qué más.

—¡Eso fue lo que Bonham me dijo!

—Pues claro que le dijo eso. —Miller la miró fijamente—. ¡Por favor, Maggie! ¿Acaso no sabe que el departamento de Estado está lleno de gente como usted, con talento, hábiles diplomáticos, especialistas en Oriente Próximo, capaces de llevar a cabo esa tarea? No me diga que no se preguntó por qué, entre toda la gente que tenemos, la buscamos a usted... Necesitábamos su... ¿cómo decirlo delicadamente?, su experiencia en determinados ámbitos.

Maggie palideció.

—¿Qué está usted diciendo?

—Necesitábamos a alguien capaz de acercarse al hijo de Guttman. Si alguien sabía dónde había escondido la tablilla el cabrón de su padre, ese era él.

—¿Me han hecho venir para..., para...? —No fue capaz de pronunciar las palabras.

—Admítalo, Maggie: tiene usted el currículo adecuado. Consiguió intimar con aquel africano chiflado, y pensamos que, contando con el contexto adecuado, haría lo mismo aquí. Y lo hizo. Ya se lo he dicho: debería sentirse orgullosa.

Fue un momento de perplejidad seguido de un extraño sentimiento que Maggie no había conocido hasta ese momento, como si la aplastaran por dentro. Así que había sido por eso y por nada más, desde el principio. Volvió a oír la voz de Judd Bonham reclutándola para aquella empresa, borrando los pecados mediante el arrepentimiento. Esas habían sido sus palabras. Incluso había hablado de redención. «Es su oportunidad.» Le había hablado con tanta suavidad, con una voz a la vez dulce y razonable. Y sin embargo le había dicho todo lo contrario de la verdad. No había querido que fuera a Israel a reparar el error cometido en África, sino a repetirlo. Miller y Dios sabía quién más la habían utilizado no por sus virtudes —toda esa estupidez de la indispensable Maggie Costello, la magnífica negociadora— sino por sus defectos. Tantos halagos... ¡Y se los había creído todos!

No era más que un cebo sexual, la forma más baja de espionaje. La habían enviado para que se ganara el afecto y la confianza de Uri Guttman. El hecho de que lo hubiera conseguido solo aumentó sus náuseas. ¿En qué la convertía aquello? Ni más ni menos que en una puta del gobierno estadounidense.

El instinto hizo que Maggie se levantara como un resorte de la silla donde había permanecido sentada. Abofeteó a Miller con fuerza en plena cara. Este, sorprendido y dolorido, se llevó la mano a la mejilla. Luego, con una medio sonrisa cargada de lascivia, le devolvió la bofetada. Mientras Maggie se tambaleaba, apretó un botón bajo la mesa y dos enmascarados entraron de inmediato en el cuarto.

—Muy bien, Maggie. Esto ya ha durado bastante. No es que no me esté divirtiendo, pero es hora de que me diga dónde está la tablilla.

—No lo sé —contestó, arrastrando las palabras debido al golpe en la cara.

—Maggie, esa respuesta está a años luz de ser la correcta. Me parece que ya sabe que tengo aquí a unos muchachos que están encantados de haberla conocido. Les gustaría mucho intimar un poco más con usted.

—Así que ahora pretende implicar a la Casa Blanca en una violación en grupo...

—La Casa Blanca nunca se implicaría en algo así. Se limitaría a emitir una nota de condolencias lamentando la muerte de una colaboradora, brutalmente violada y asesinada por terroristas. Estados Unidos no descansará hasta llevar a sus verdugos ante la justicia.

Maggie se dio cuenta de que temblaba de rabia, miedo y una terrible tristeza.

—¿Tengo ya toda su atención, señorita Costello?

58

Jerusalén, viernes, 9.52 h

Fue como si estuviera apurando el depósito de emergencia. Notó que echaba mano de sus últimas reservas de contención y autocontrol y de esa misteriosa droga interior que era capaz de producir cuando las circunstancias realmente lo exigían y que, mediante un acto de voluntad suprema, le permitía anular el dolor.

Se oyó hablar en el tono calmado y tranquilo que utilizaba ante una crisis.

—No sé más de lo que saben ustedes. Han visto todo lo que he visto. El mensaje de Shimon Guttman nos llevó a ustedes y a mí a los túneles del Muro de las Lamentaciones.

—¿Se refiere al mensaje que halló en el juego de ordenador?

—Sí. Guttman no fue más concreto. Si lo hubiera sido, ustedes lo sabrían.

Miller hizo un leve gesto con la cabeza. Fue apenas un asentimiento, pero fue suficiente. Los dos encapuchados se acercaron y la cogieron, cada uno de un brazo. La levantaron de la silla y, sincronizando sus movimientos, le retorcieron los brazos hasta aplastárselos en la espalda. Escupió un alarido de dolor mezclado con gotas de saliva y solo consiguió que los dos hombres tiraran aún con más fuerza de sus muñecas, hacia arriba. El dolor era tan intenso que casi pudo verlo ante sus ojos convertido en estrellas rojas. Estaba segura de que estaban a punto de dislocarle los hombros.

Y entonces todo cesó, y la dejaron caer de nuevo en la silla, desmadejada como una marioneta sin hilos.

Miller volvió a hablar en el mismo tono, como si solo se hubiera interrumpido para tomar un sorbo de agua y reanudara la conversación donde la habían dejado.

—¿Y no vio nada cuando estuvo allí esta mañana?

Maggie tardó un momento en abrir los ojos. Las estrellas rojas seguían allí, lo mismo que el dolor, que remitía lentamente. Todavía notaba su recuerdo recorriéndole el sistema nervioso. Cuando por fin consiguió abrir la boca, lo que le salió fue un graznido.

—Ya sabe que no. Usted hizo que me registraran.

Miller se inclinó sobre la mesa.

—Y no solo eso. También he hecho que examinasen toda la zona a la luz de potentes focos mientras usted estaba aquí y no hemos encontrado nada, lo cual significa que...

—Que el viejo no jugó limpio. Dijo que la tablilla estaría allí, pero no estaba.

—O eso o Uri la engañó y la envió a buscar fantasmas mientras él se apoderaba de su legado.

—Puede ser. —A pesar de la bruma del dolor y la rabia, Maggie lo consideró. Al fin había comprendido que cualquier traición era posible. Uri podría haber fingido el tiroteo en la carretera y, a continuación, haber regresado a la ciudad para recoger la tablilla él solo. Quizá había comprendido antes que ella lo que era Maggie. Había servido en los servicios de inteligencia israelíes; ella le había visto robar un uniforme y un coche. Cabía la posibilidad de que todo aquello solo hubieran sido los preliminares para abandonarla en la carretera. Quizá había comprendido desde el principio que Maggie era un cebo sexual que le convenía evitar. La única que no se había dado cuenta era ella.

Miller la observó unos segundos, y su boca se torció en un gesto de pesar.

—Solo para estar seguros, creo que debería dejar que estos chicos intenten ayudarla a recordar si había algo más.

Hizo un leve gesto y, al instante, los dos matones la levantaron de la silla. Solo que esa vez no la pusieron de pie, sino que la arrojaron al suelo. El tipo de su derecha hincó la rodilla en el suelo, junto a ella y le rodeó el cuello con el brazo. Ya había empezado a apretar cuando Maggie logró articular unas palabras que le salieron con solo pensarlas.

—Tal vez no haya nada que saber. —Apenas podía oír su propia voz.

—¿Cómo ha dicho?

Intentó repetirlo, pero no tenía aire. La presión en la tráquea era excesiva. La estaban estrangulando.

Miller hizo un gesto y la presión cesó. Aun así, el brazo se mantuvo alrededor del cuello de Maggie.

—Repítalo.

—He dicho que tal vez no haya nada que saber.

—¿A qué se refiere?

—A que quizá no hemos encontrado el sitio donde Guttman escondió la tablilla por la sencilla razón de que no la escondió.

—Explíquese.

Maggie intentó incorporarse, pero le fallaron las fuerzas. Se quedó tirada en el suelo, hablando entre jadeos.

—Los mensajes que dejó Guttman, el DVD y el de Second Life, los preparó todos el sábado. Lo mismo que la llamada a Kishon. —Carraspeó—. Pero ¿y si resulta que al final no tuvo tiempo de hacer lo que debía? Había planeado ocultar la tablilla en los túneles y lo habría hecho, pero los acontecimientos dictaron otra cosa: lo mataron. Seguramente tenía pensado llevar a cabo su plan después de la manifestación, pero no lo consiguió.

Miller escuchaba con atención.

—Entonces, ¿dónde está la tablilla ahora?

—Esa es la cuestión: no lo sé. Y si yo no lo sé, yo que he visto todos los mensajes y he oído a su hijo explicarme sus recuerdos de la infancia, nadie lo sabe. Y nadie lo sabrá.

—La tablilla se habrá perdido.

—Sí.

Miller asintió lentamente, no a Maggie, sino para sí, como si estuviera sopesando los pro y los contra y por fin se hubiera convencido. Se levantó de la silla y empezó a caminar alrededor de Maggie, que seguía hecha un ovillo en el suelo. Al fin, dictó su veredicto.

59

Jerusalén, viernes, 10.14 h

Un conductor la llevó en coche hasta el hotel, pero ella no quiso entrar inmediatamente: había visto tan poco la luz del sol, que le apetecía disfrutar un momento de sus rayos. Se quedó en la acera y miró alrededor.

En la entrada había mucho movimiento. Los taxis aguardaban con el motor en marcha mientras los huéspedes entraban y salían cargados con maletas. Sobre todo salían. Maggie supuso que eran turistas que abandonaban Jerusalén después de los conflictos de los últimos días. «Si supieran...», se dijo.

Oyó bramar unos megáfonos. Al volverse, vio una furgoneta blanca, cubierta de pegatinas de color naranja y carteles, que avanzaba lentamente por la calle Rey David. En su interior alguien gritaba consignas denunciando la inminente entrega del patrimonio israelí por parte de Yaakov Yariv. Poco después, siguió a la furgoneta un coche de cuyos altavoces salía una música europop. A juzgar por su aspecto, pertenecía al bando pacifista y seguramente criticaba a Yariv por haberse retirado de la mesa de negociaciones.

Miró más allá de los semáforos, colina arriba. El consulado estaba allí, donde había empezado todo, pensó. Recordó que cuando llegó del aeropuerto se sentó en el jardín, y que los monjes del lugar le habían llamado la atención. De eso hacía solo cinco días, pero tenía la impresión de que habían sido cinco años. Ella y Jim Davis habían hablado de «cerrar el trato». Sonrió con amargura.

Echó a caminar hacia la izquierda, en dirección contraria al hotel. Le dolía todo el cuerpo, en especial, los brazos y el cuello. Imaginó los moretones que debían de haberle salido hasta en los lugares que no quedaban a la vista de cualquiera. Lo que más le apetecía era sumergirse en un baño caliente y en un profundo sueño. Pero todavía no estaba preparada para eso: su mente no estaba dispuesta a dejarla descansar.

Llegó a un parque prácticamente desierto y muy descuidado. El césped estaba seco y pelado en los bordes; las columnas que soportaban el cenador que había en medio estaban despintadas y oxidadas. Maggie se fijó en que los adoquines del suelo y los bancos estaban hechos de la misma piedra dorada que el resto de la ciudad. Era bonita, pero estaba segura de que la gente que vivía allí estaba cansada de verla. Era como vivir en una ciudad donde hubiera una fábrica de chocolate: a los turistas les encantaría el olor, pero los que vivían allí estarían hartos de él.

Se sentó en un banco y su mirada se perdió en la distancia. Cuando Miller le había dicho que podía marcharse, que había llegado a la conclusión de que ella ya no podía revelarles nada más, había experimentado alivio, pero no placer. No era solo el dolor que seguía latiéndole en los músculos y las articulaciones ni la humillación de haber sido expuesta a los ojos de todos, incluso sus partes más íntimas, como una especie de animal para la disección. Ni siquiera que Miller le hubiera revelado la verdadera naturaleza de su misión en Jerusalén. No, lo que Maggie sentía era algo que creía que escaparía a la percepción de la mayoría de la gente. Tal vez solo otro mediador fuera capaz de comprenderlo: era la corrosiva ansiedad que se apoderaba de uno cuando el otro bando cedía con demasiada facilidad.

Miller se había retirado demasiado pronto, y Maggie no sabía por qué.

Repasó las palabras de Miller una y otra vez, incluida la afirmación final que había hecho antes de salir de la sala del interrogatorio. La había avisado de que, si intentaba divulgar lo ocurrido, él personalmente se encargaría de que el *Washington Post* fuera informado de que, a resultas de una segunda aventura sexual durante una misión, la señorita Costello había sufrido un colapso nervioso en Jerusalén que la había trastornado psicológicamente. Tras un primer tropiezo de idéntica naturaleza que la había apartado de la profesión diplomática, las autoridades le habían brindado una segunda oportunidad, pero ella no parecía capaz de evitar las relaciones sexuales con aquellos con los que debía negociar. Eso era lo que dirían fuentes anónimas de la administración. Y si intentaba plantar cara, ellos disponían de las cintas y las grabaciones donde aparecía con Uri, a altas horas de la noche, bebiendo, besándose...

Se estremeció y se contempló los pies, calzados con unas botas que apenas reconocía. Durante todo el tiempo que se había dedicado a aquella profesión había hecho lo imposible por impedir que interfiriera su condición de mujer. Ciertamente, sabía que era un factor que influía en las negociaciones, a veces en contra y a veces a favor, pero se trataba de un elemento más, como sus raíces irlandesas o su relativa juventud. Ella era algo más que eso, pero Miller había logrado que sintiera otra cosa, y eso le había repugnado. No la veía como una negociadora experta, una hábil conocedora de la dinámica humana y una buena analista de las relaciones internacionales, sino como una puta. A eso se reducía todo. Para él, el tropiezo de África era el punto más importante de su currículo; eso, sus tetas y su culo. No estaba allí por sus conocimientos ni por su intelecto, tampoco por los años que llevaba sentándose a las mesas de paz, sino para que se la follaran. De repente, el manoseo del mercado le pareció lo menos importante de todo aquello. Comprendió que en realidad la habían estado violando desde el momento en que había aceptado el billete y tomado un taxi camino del aeropuerto Dulles.

Después de su sermón de advertencia, Miller la había sorprendido. Su expresión, sus presuntuosos ademanes con la mandíbula dieron paso a otra cosa que Maggie no había visto anteriormente: ladeó la cabeza, y le pareció que sus ojos radiaban calidez y compasión. La miró un rato de esa manera y luego dijo: «A veces tenemos que hacer cosas horribles, horribles de verdad. Pero las hacemos por una buena causa».

Lo que más le molestaba en esos momentos, sentada en aquel parque desolado, era que casi había estado de acuerdo con él. No se consideraba una de esas ingenuas pacifistas que pensaban que todo poder era inherentemente perverso y que en este mundo bastaba con ser amables los unos con los otros para que todo fuera sobre ruedas. Al contrario, sabía cómo funcionaban las cosas y, más concretamente, entendía lo crucial que era mantener aquella tablilla lejos del alcance de las partes enfrentadas. Miller tenía razón al hacer todo lo posible para encontrarla antes que ellas. El presidente deseaba un segundo mandato, y eso quería decir que necesitaba aquel acuerdo de paz entre palestinos e israelíes. ¿A quién le importaba que sus motivos fueran poco limpios? Al menos así aquellos pueblos, que llevaban unidos en un abrazo de muerte tanto tiempo que ya no sabían vivir el uno sin el otro, alcanzarían la paz que tanto necesitaban.

Ella habría firmado gustosamente aquello. Llevaba el tiempo suficiente en la profesión para saber que los acuerdos de paz no se rubricaban por un súbito arranque de generosidad ni porque un clérigo cualquiera lograra convencer a los líderes para que hicieran lo correcto, y aún menos porque una apasionada joven morena de Dublín les dijera que debían dejar de matarse. Si firmaban era porque sus intereses —o mejor dicho, los intereses de las grandes potencias— cambiaban. De repente, los peces gordos dejaban de sacar provecho de una guerra y esta concluía.

Por tanto, era muy consciente de cuál era la situación. Si Miller o Bonham —y le dolía pensar que los demás también debían de estar involucrados— hubieran jugado limpio desde el principio, si le hubieran expuesto el problema y la razón por la que necesitaban su ayuda, ella habría estado de acuerdo. Habría encontrado su propia manera de hacerlo. Pero no, no habían confiado en ella lo bastante para contarle lo que sabían. La habían tratado simplemente como una herramienta que había que utilizar, una pieza del tablero cuya única misión consistía en dejarse follar.

Empezaba a hacer frío, o al menos ella se estaba enfriando. Cosa del cansancio. Volvería al hotel, no hablaría con nadie y, después de haber dormido, se dirigiría al aeropuerto. ¿Adónde iría? No tenía ni idea.

Entró en el amplio vestíbulo del Citadel y caminó cabizbaja, decidida a no establecer contacto visual con nadie. Sabía que era absurdo, pero tenía la sensación de que todo el mundo estaba al corriente de lo que le había ocurrido en las últimas horas y no podía soportar que la miraran.

—¡Señorita Costello! ¡Señorita Costello, por favor!

Era la recepcionista. Su cola de caballo oscilaba a un lado y a otro mientras daba saltitos agitando un papel en la mano y llamándola a gritos por el vestíbulo.

—¡Por favor, señorita Costello!

Aunque solo fuera para que se callara, Maggie atravesó la superficie de reluciente mármol confiando en que nadie hubiera reparado en la escena.

—¡Ah, señorita Costello! Dijo que era muy urgente. Acaba de marcharse, ¡no se ha cruzado con él por los pelos!

—Un momento, vaya más despacio, ¿de qué me está hablando?

—Vino un hombre. Le dije que podía dejarle un mensaje

de voz, pero no quiso. Me dio esto para que yo se lo entregara.
Le tendió una nota arrancada de un taco de papel del hotel.

> Reúnete conmigo en un viejo momento. Sé lo que tenemos que hacer. Vladimir junior.

60

Jerusalén, viernes, dos horas antes

La palpitación era menor, se había reducido a un rítmico dolor. Se preguntó si lo habrían golpeado, una patada en el muslo quizá, mientras lo metían en el Mercedes. O tal vez después. Sin embargo, lo habría notado.

Hacía solo media hora que había recobrado el conocimiento. O puede que hiciera una hora. Había tardado un rato en comprender que no contemplaba una habitación a oscuras, sino que le habían vendado los ojos. Luego, se acordó de la bala y se preguntó si no estaría experimentando la conciencia de los muertos.

Las sensaciones fueron volviendo a él, lentamente, en pasos sucesivos. Después de los ojos, fueron los brazos los que le dijeron que estaban inmovilizados. Intentó recordar si también lo habían alcanzado allí y se preguntó si estaría paralizado. En todo caso, no se dejó arrastrar por el pánico, sino que notó que su corazón descendía el ritmo y presión que desplegaba in extremis. Era como si su cuerpo cayera en un estado de congelación de emergencia sabiendo que se hallaba en plena batalla por sobrevivir. Y si sabía todo aquello era porque ya lo había experimentado en una ocasión.

Entonces, la herida fue psicológica. Iba en un tanque por la frontera libanesa cuando el vehículo recibió el impacto de una bomba de Hizbullah. El conductor y el artillero murieron en el acto. Como comandante, tendría que haber sido el más vulnerable: iba asomado por la escotilla. Pero eso fue lo que le salvó. Metió la cabeza en el interior del tanque, vio a sus camaradas caídos e inertes y supo al instante que se hallaba sentado en una trampa mortal. En ese momento, cuando su corazón tendría que haberse puesto a latir desenfrenadamente a causa del miedo, todo su organismo entró en un estado aún más espantoso: aquello era mucho más que simple terror. Era una calma lenta y quieta; el preludio de la muerte.

Y eso era lo que sentía de nuevo en aquellos momentos. Recordó fríamente lo que había pasado en la carretera de Jerusalén. No había durado más de treinta segundos. Vio el coche detrás; estaba claro que los seguía. Aminoró la marcha y en el mirador de la carretera giró en un ángulo que permitiera a Maggie salir sin que la vieran. En ese instante, en esa fracción de segundo, tomó aquella decisión: que le ocurriera lo que le ocurriese, ella tenía que vivir.

Cuando Maggie estuvo fuera y a salvo, intentó hacer girar el coche y repetir la maniobra de manera que también él pudiera salir sin que lo localizaran, pero le fue imposible girar y, para entonces, sus perseguidores ya le habían dado caza. Apenas había dado un paso fuera del coche cuando una bala lo alcanzó en el muslo. Cayó al suelo sin la espectacularidad que se veía en las películas, sino más bien como una marioneta a la que cortaran los hilos.

Le llegó una nueva señal, esa vez de las muñecas. Sus conexiones neurológicas, normalmente tan rápidas como la velocidad de la luz, parecían haber vuelto a la Edad de Piedra, a juzgar por lo que tardaban los mensajes en llegar a su cerebro. Aun así, sus muñecas le decían que podía notar algo, una abrasión que no era simple dolor sino algo externo. Una ligadura. Entonces comprendió que estaba atado de pies y manos. La ceguera y la inmovilidad no eran propias de la desconexión sensorial que precedía a la muerte, sino algo menos definitivo. Le habían disparado y lo habían metido en el coche no como un cadáver sino como un prisionero. El corazón empezó a latirle más deprisa.

Forcejeó, intentando mover las muñecas, y no tardó en darse cuenta de que no solo las tenía atadas una con otra sino también a la silla en la que estaba sentado. Intentó inspeccionar la herida, pero no podía tocarla y, en aquella oscuridad, ni siquiera estaba seguro de cuál de sus piernas había recibido el impacto.

¿Quién lo había capturado? Vio la imagen de unos hombres vestidos de negro y encapuchados, pero podía tratarse de una mala pasada de su memoria. Intentó recordar lo que había oído cuando lo metieron en el coche. El nombre Daud surgió entre la bruma. Había oído que pronunciaban ese nombre en un par de ocasiones, como preguntando, pero creyó que se trataba de un delirio porque en su mente aquel nombre árabe había sido pronunciado con acento claramente estadounidense.

Sus pensamientos fluyeron con mayor libertad. Se preguntó qué habría hecho Maggie y supuso que de algún modo habría logrado regresar a Jerusalén y a los túneles. Pero ¿por dónde habría empezado? Las pistas de su padre —¿realmente las había dejado dentro de un juego de ordenador o se trataba del producto de su imaginación?— solo los dirigían a las catacumbas subterráneas del Muro de las Lamentaciones, que cubrían una distancia considerable. Uri lo sabía porque, a pesar de que había hecho caso omiso de las numerosas peticiones de su padre para que volviera y lo acompañara a visitarlas, no había podido evitar leer sobre ellas y saber que se tardaba una hora larga en recorrerlas.

En aquella oscuridad, Uri tuvo por fin una oportunidad que no se le había presentado desde hacía seis días, cuando recibió la llamada telefónica. Lo cierto era que la había evitado. Sin embargo, en esos momentos no tenía otra alternativa que pensar en su padre. Su progenitor había logrado sorprenderlo en la muerte mucho más que en vida. Hasta aquella semana, Uri lo tenía por una persona previsible en el sentido en que lo son todos los ideólogos. Conocía todos sus puntos de vista, que eran inflexibles y por tanto, para Uri, irremediablemente aburridos. A menudo se había preguntado —siempre para sus adentros, nunca en voz alta— si esa era la razón por la que rechazaba las tendencias políticas de su padre: más por una cuestión estética que por razones morales. ¿Acaso había acabado siendo de izquierdas para no ser un plasta como su padre?

Sin embargo, en los últimos días, Shimon Guttman le había demostrado lo equivocado que estaba. No solo había albergado numerosos secretos, incluyendo el que le había proporcionado la mayor emoción de su carrera, sino que estos le habían costado la vida.

De todos ellos, el que más lo había sorprendido seguía siendo el primero, del que se había enterado por cortesía de Maggie Costello: su padre había intercambiado conocimientos profesionales e información con el enemigo, con un palestino, y que incluso había llegado a darle un nombre en clave: Ehud Ramon. Tal vez su padre había sido un capullo, pero no era estúpido.

Oyó que se abría el pestillo de una puerta y el sonido de pasos acercándose. Sabía lo que se avecinaba y se sentía extrañamente preparado: haría lo que había leído que habían hecho los que habían logrado sobrevivir a las más variadas formas de brutalidad: permanecer en el interior de su mente.

Oyó una voz con acento estadounidense, la que le parecía haber oído en el coche.

—Bien, empecemos a trabajar.

Lo siguiente que notó fue que le retiraban el vendaje de la pierna. Quizá se hallara en un hospital y estuvieran a punto de curarlo. Quizá esos individuos no fueran verdugos sino médicos.

Se disponía a hablar, a pedirles ayuda, cuando notó que unos dedos le recorrían la parte exterior de le herida. Contuvo la respiración ante los pinchazos. Y entonces, momentos después, sintió un dolor que lo hizo aullar como nunca antes había aullado.

—Es curioso lo que puede hacer un simple dedo, ¿verdad? —El dolor cesó durante unos segundos—. No es más que eso, un simple dedo. Lo único que tengo que hacer es meterlo ahí, en el agujero que tiene en la pierna y...

Uri soltó un brutal alarido. Se había prometido soportar el tormento, no permitir que lo vieran sufrir, pero era incapaz de contener el dolor. Tenía la herida abierta y en carne viva, con todas las terminaciones nerviosas al aire.

—¡Apartaos, cabrones! ¡Apartaos de mí!

En ese momento, el rojo que había visto se convirtió en blanco. El dolor dio un salto en intensidad y desapareció, como si se hubiera salido de la escala. Aquella nada solo duró unos segundos, hasta que oyó una voz que parecía hablar desde muy lejos.

—La verdad, si sigo apretando, creo que llegaré a tocar el hueso.

—¿Qué queréis? No sé nada.

De nuevo el blanco, la nada, durante unos segundos. Cuando pasó, Uri comprendió lo que ocurría: el dolor era tan fulminante que caía inconsciente.

Cuando el dedo volvió a introducirse en su herida, rezó para que se desmayara. Esperó, sumido en el atroz dolor, a que llegara el alivio de la nada, pero se oyó gritar de nuevo cuando dos dedos se abrieron paso, ensanchando la abertura, hurgando con ansia.

—Dinos lo que sabes.

—Ya sabéis todo lo que sé.

Entonces oyó el alarido como si fuera el de otra persona. Y de repente una voz le habló desde algún rincón de su cerebro: «Ahora —le dijo—, esta es tu oportunidad. Oblígate a hacerlo. Despréndete del dolor. Mantente en el interior de tu cabeza.»

Intentó recordar sus pensamientos antes de que llegaran aquellos individuos: había estado pensando en el ingenioso nombre en clave ideado por su padre. Ehud Ramon. «Aférrate a él —se dijo—, aférrate a él.» Y repitió una y otra vez ese nombre en su cabeza mientras dejaba que su cuerpo se estremeciera con el sufrimiento. «Ehud Ramon. Ehud Ramon. Ehud Ramon. Ehud Ramon...»

Entonces surgió un recuerdo que había permanecido enterrado durante décadas, el recuerdo de un cuento a la hora de dormir que le encantaba cuando era un crío; el cuento que le pedía a su padre que le leyera un día y otro acerca de un niño muy travieso. Durante un breve segundo que interrumpió los colores rojos y blancos de su dolor, Uri volvió a ver la ilustración de la cubierta y el título: *Mi hermano Ehud*. ¿No era eso lo que su padre había dicho en la grabación de vídeo? «Lo he dejado en lugar seguro, un lugar que solo tú y mi hermano conocéis.»

«¡Claro!», se dijo Uri obligándose a seguir con aquella línea de pensamiento y no caer en el infierno que vivía más abajo. Su padre no se había referido a un hermano real, sino al hermano ficticio del cuento que sabía que su hijo recordaría. Y ese nombre estaba ahí para conducirlo a otra creación ficticia: al mítico Ehud Ramon.

Los hurgamientos aumentaron. Estaban utilizando algún tipo de instrumento. Las preguntas siguieron llegándole como un torrente: «¿Dónde está la tablilla? ¿Dónde?». Pero Uri se mantuvo en el interior de su mente. «¡Qué floritura retórica tan típica de un Guttman!», pensó. El profesor acababa de ver las antiguas palabras, esculpidas a mano, de Abraham hablando de sus dos hijos: Isaac, el padre de los judíos, e Ismael, el padre de los musulmanes. Dos hermanos, uno judío, el otro árabe. «Mi hermano...», había dicho Guttman. De haber podido, Uri habría sonreído. Su padre, el ardiente nacionalista, estaba utilizando el cliché más tópico y cursi de los pacifistas de la izquierda que decía que árabes y judíos eran hermanos.

Y en ese momento, con el cuerpo destrozado y los sentidos abrumados por la más insoportable de las torturas, sintió una punzada de admiración por su viejo. Sin duda era un brillante ejercicio de criptografía. ¿Acaso había criptógrafo en el mundo capaz de comprender que cuando un fanático halcón sionista hablaba de su «hermano» se estaba refiriendo ni más ni menos que a un ferviente nacionalista palestino llamado Ahmed Nur?

61

Jerusalén, viernes, 11.50 h

Maggie contempló el mensaje mientras su expresión se convertía lentamente en una sonrisa. Solo conocía a un Vladimir, y ese era Vladimir Jabotinski, mentor y seudónimo de Shimon Guttman. Vladimir junior solo podía ser una persona. Mientras el alivio se apoderaba de ella como un súbito agotamiento, comprendió lo que Uri pretendía decirle: que estaba vivo. De alguna manera había conseguido salir con vida del tiroteo de la carretera y superar las atrocidades que los matones de Miller le hubieran infligido. Y en esos momentos se encontraba en «un viejo momento». No pudo evitar sonreír al leerlo. Él sabía que ella lo recordaría porque habían hablado de ello: «Reúnete conmigo en el café que solía ser el Momento».

Lo vio inmediatamente, nada más abrir la puerta, en el mismo asiento donde lo había encontrado dos días antes. La diferencia era que en ese momento la miraba abiertamente.

—No sé si lo sabes, pero para mis segundas citas me gusta cambiar de lugar —dijo Maggie.

Uri intentó sonreír, pero solo le salió una mueca. Ella se

sentó junto a él y le plantó un gran beso en los labios. Sin duda había experimentado un gran alivio al recibir su nota, pero no era nada comparado con lo que sentía en esos momentos. Se acercó para abrazarlo, pero él se apartó con un gemido de dolor.

Se señaló la pierna y le explicó que bajo los vaqueros llevaba un fuerte vendaje sobre una herida de bala. Mientras le relataba el tiroteo y el interrogatorio, en su rostro se reflejaban sus padecimientos. Le contó que sus torturadores, en mitad de la faena, habían recibido una llamada telefónica que les hizo dejar lo que estaban haciendo. Luego lo vistieron con ropa limpia, lo llevaron en coche al centro de la ciudad y lo dejaron a diez minutos de allí. Lo soltaron con un aviso: «Ya has visto lo que les pasó a tus padres. Si no mantienes la boca cerrada te ocurrirá lo mismo». No le quitaron la venda de los ojos en ningún momento.

—Uri, ¿te dijeron quiénes eran?

—No hacía ninguna falta.

—¿Lo dedujiste?

—Lo supe antes incluso de que hablaran en inglés. Entre ellos hablaban en árabe, a su líder lo llamaban Daud y todo ese rollo; su acento no era malo pero se parecía al mío. —Intentó sonreír—. Su árabe era el de un oficial de inteligencia, ya sabes, árabe que aprendes en clase. El mío suena igual. Al principio me pregunté si serían israelíes, de modo que les hablé en hebreo. —Meneó la cabeza—. No tenían ni idea, de modo que llegué a la conclusión lógica. Luego, mientras me torturaban, ni se molestaron en disimular. Eso fue lo que más me asustó.

Maggie arqueó las cejas en una pregunta silenciosa.

—Si no les preocupa que sepas quiénes son, solo significa una cosa: te matarán y así su secreto quedará a salvo.

Cuando Maggie le contó lo que le había pasado a ella lo hizo procurando no entrar en los detalles físicos. Los ojos de Uri se clavaron en los de ella con una gravedad que no había visto hasta ese momento. En su rostro se reflejaba indignación y determinación, pero sobre todo tristeza. Al fin, preguntó:

—¿Estás bien?

Maggie intentó hablar, decirle que estaba bien, pero las palabras se le atascaron en la garganta. De repente los ojos le escocían. Hasta ese momento no había llorado, hasta que Uri le hizo esa pregunta. Él le cogió la mano, como si de ese modo compensara las palabras que ella prefería callar. No se la soltó.

Cuando Maggie le habló de Miller con un hilo de voz, el rostro de Uri apenas reflejó sorpresa.

—¿Te das cuenta de que esto implica a las esferas más altas? —dijo ella.

—Pues claro. Las Fuerzas Especiales no se despliegan porque así lo decidan.

Entonces Maggie volvió a notar la misma sensación de inquietud que había sentido cuando Miller la dejó marchar. Se metió la mano en el bolsillo y sacó el papel del hotel con el mensaje de Uri, le dio la vuelta y escribió: «Cuando te soltaron, ¿a qué hora sonó el teléfono?».

Uri la miró, perplejo. Luego, como respuesta escribió lo que creyó era la hora más aproximada. Maggie miró el reloj de la cafetería. Resultaba difícil ser preciso, pero si Uri no se equivocaba, lo habían soltado poco después que a ella. Sin duda había sido una llamada de Miller: «La hemos soltado. Suéltenlo a él».

Maggie cogió el papel.

—Bueno, Uri, creo que necesito comer algo. ¿Qué tienen aquí? Me apetece algo caliente.

Mientras hablaba, escribió rápidamente: «Nos han soltado para poder seguirnos. Quieren que los llevemos a la tablilla».

—Bueno —contestó Uri leyendo el mensaje—. Los huevos no están mal, y el café tampoco. Lo sirven en unas tazas enormes, casi como cuencos.

Siguieron así, hablando de nimiedades y charlando sobre la situación, pero sin mencionar una palabra de sus planes inmediatos. Al menos, en voz alta.

En la calle se veía menos tráfico. Uri le explicó que se acercaba la hora del sabbat y que Jerusalén se estaba volviendo cada día más ortodoxa, lo cual significaba que estaba mal visto conducir desde el viernes por la tarde hasta el anochecer del sábado. Otra de las tantas razones por las que podías volverte loco en esa ciudad.

Uri paró un taxi y se dirigió en hebreo al taxista, que enseguida subió el volumen de la radio.

—Bueno, Vladimir junior, ahora ¿qué? —dijo Maggie; gesticuló exageradamente antes de repetir su mensaje—: «Sé lo que tenemos que hacer».

Uri le contó la idea que se le había ocurrido precisamente cuando el dolor había sido más insoportable. Lo habían torturado para sonsacarle una información que no tenía; sin embargo, cuando lo soltaron sabía algo que antes ignoraba. Su padre había hablado de «mi hermano». ¿A qué otro podía referirse?

Había vuelto al café en el que había internet, se registró una vez más con los datos de su padre y localizó el correo electrónico que el hijo de Ahmed Nur había enviado. «¿Quién es usted y por qué pretende contactar con mi padre?» Con las prisas, ni Maggie ni él habían hecho nada con él y habían dado por hecho que el hijo de Nur sabía acerca de su padre tan poco como Uri del suyo.

Uri respondió y al poco obtuvo respuesta. Fue prudente y no dijo gran cosa, solo que tenía información sobre la muerte de Nur y que estaba dispuesto a compartirla. Los dos hijos huérfanos, uno judío y el otro palestino, convinieron en reunirse en el hotel American Colony, situado justo en el lado este, y por lo tanto árabe, de la invisible frontera que dividía Jerusalén. Llegarían allí en cinco minutos.

Maggie asintió: había estado en ese hotel una vez, hacía diez años, en su anterior visita a la ciudad. Era una leyenda, y el lugar de refugio de periodistas de paso, diplomáticos, aspirantes a pacifistas, espías y samaritanos de toda laya, que solían sentarse en su sombreado patio para chismorrear durante horas alrededor de un té con menta. Por la noche, llegaban los corresponsales de prensa con los zapatos llenos del polvo de Gaza. Tras todo un día viendo pobreza y violencia, regresar al Colony era como entrar en un santuario de paz y seguridad.

Y eso mismo les pareció aquella mañana, cuando pagaron al taxista y entraron. El fresco suelo de piedra del vestíbulo, los viejos cuadros y retratos de las paredes, las reverencias de bienvenida del personal... El nombre de Colony le iba a la perfección: aquel establecimiento estaba sacado directamente de los años veinte. A la mente de Maggie acudió un recuerdo de la vez que había dormido allí, la habitación y los cuadros que había encima del escritorio, en especial una fotografía en blanco y negro del general Allenby entrando en la ciudad en 1917. Sin duda, el Israel moderno se extendía al otro lado de las ventanas, pero allí uno podía encontrar la Palestina de antaño.

Uri no se entretuvo. Atravesó el vestíbulo y bajó por una escalera cojeando notablemente. Había quedado con Nur en verse en uno de los pocos sitios del Colony que los huéspedes rara vez frecuentaban; sabía que los seguían y que aquella difícilmente podía ser una precaución eficaz. Si había alguien allí aparte de Nur, sería la demostración de lo cerca que los seguían.

La piscina, en efecto, se hallaba desierta. Había unas pocas tumbonas vacías alrededor. En Jerusalén la gente no tomaba el sol ni siquiera cuando hacía buen tiempo. No era ese tipo de ciudad. Solo había una persona.

Cuando vio que Uri se acercaba seguido de cerca por Maggie, se levantó. Al principio, con el sol de cara, Maggie apenas distinguió su silueta, pero al acercarse vio que era alto y llevaba el pelo muy corto, casi al cero. Cuando sus ojos se ajustaron a la luz, vio que tenía unos treinta años y penetrantes ojos verdes. Vestía vaqueros y una camiseta holgada.

Uri le tendió la mano, y el palestino se la estrechó con ademán vacilante. Maggie se acordó del famoso apretón de manos entre Rabin y Arafat en la Casa Blanca en 1993, y lo incómodo que parecía Rabin. Los medios de comunicación le habían dado mucho eco, pero al colectivo de los mediadores le había parecido de lo más normal: se pasaban todo el tiempo viendo esa clase de estreñido lenguaje corporal.

—Me doy cuenta ahora —empezó Uri— de que no sé cómo te llamas.

—Mustafa. ¿Y tú?

—Yo me llamo Uri.

Maggie se dio cuenta de la tensión que subyacía tras el saludo. Falta de costumbre. Sabía que palestinos e israelíes vivían unos junto a otros, pero eso no significaba que se hablaran.

Ambos hicieron un gesto que invitaba al otro a continuar. Uri entonces se acordó y sacó una radio portátil de la bolsa que llevaba al hombro. Sintonizó una emisora, subió el volumen y pronunció con los labios una sola palabra: «Micrófonos». A continuación, presentó a Maggie y fue al grano.

—Mustafa, te agradezco que hayas accedido a venir. Sé que no habrá sido fácil.

—Tengo suerte de contar con un permiso de residencia en Jerusalén. De otro modo me habría sido imposible llegar desde Ramallah.

—Mira, como sabes, nuestros padres se conocían. —Uri le explicó cómo habían descubierto el anagrama y los correos electrónicos codificados. Luego, respirando hondo, como si se armara de valor, le contó lo demás: la tablilla, el mensaje grabado de su padre, los túneles y por qué sabía que estaban cerca pero no lo suficiente.

—¿Y tú crees que mi padre sabía dónde está escondida la tablilla?

—Creo que es posible. Después de que mataran a mi padre, asesinaron al tuyo. Alguien creyó que sabía algo.

Mustafa Nur, que miraba fijamente a Uri, se volvió hacia Maggie como si buscara su confirmación. Ella asintió.

—No sé. La verdad es que yo siempre me he mantenido alejado de la política —contestó mirándose las manos—. Eso era asunto de mi padre.

—Sé a qué te refieres —dijo Uri.

—Repasamos su agenda y los mensajes electrónicos y no vimos nada de lo que dices. Su teléfono estaba bloqueado, de modo que no pudimos entrar, pero su ayudante repasó su ordenador a fondo.

—¿Habló contigo en los últimos días? ¿Recuerdas si te mencionó algo sobre un descubrimiento?

—No. La verdad es que no hablábamos mucho sobre su trabajo.

Uri meneó la cabeza y suspiró. Maggie se dio cuenta de que estaba a punto de renunciar: aquella había sido su última buena idea.

«Lo he dejado en un lugar seguro, un lugar que solo tú y mi hermano conocéis.»

Un engranaje empezó a girar lentamente en el cerebro de Maggie. Reflexionó sobre cómo habían funcionado hasta ese momento los mensajes de Guttman, apremiando a Uri para que recordara cosas que ya sabía. «¿Qué hicimos durante ese viaje, Uri? Confío en que lo recuerdes.» Entonces se le ocurrió que quizá el viejo profesor hubiera hecho lo mismo con su «hermano», Ahmed Nur. No había pasado información nueva a su colega palestino. Nur solo tenía que recordar algo que ya sabía.

—Dime una cosa, Mustafa —dijo Maggie al tiempo que ponía, suave pero firmemente, una mano en el brazo a Uri para que le concediera un momento—, ¿para ti fue de verdad una sorpresa que tu padre conociera y se relacionara con un israelí?

—Sí —contestó él mirando a Maggie con sus penetrantes ojos verdes. Ella, decepcionada, estaba pensando en una nueva pregunta cuando Mustafa añadió—: Sí, pero no.

—¿No?

—Bueno, lo fue cuando te lo oí decir por primera vez —dijo señalando a Uri—. Pero luego, a medida que le daba vueltas al asunto, más sentido le veía. Me refiero a que mi padre sabía un montón acerca de Israel. Era un experto en las lenguas de esta región, incluyendo la escritura en la que están grabadas ese tipo de tablillas. Y por descontado sabía hebreo. Mi padre sabía muchas cosas sobre cómo funciona este país.

—Sí. «Conoce a tu enemigo» —terció Uri.

Maggie le dio un pisotón para que se callara y siguió mirando a Mustafa sin dejar de asentir, con la esperanza de que él olvidara el comentario de Uri.

—O sea, que era un verdadero experto —dijo—. Sigue, sigue.

—Bueno, parece lógico que no adquiriera todos esos conocimientos solamente en los libros. Me doy cuenta de que debía de pasar aquí más tiempo del que decía y que seguramente contaba con alguien que lo acompañaba.

—¿Y alguna vez mencionó...?

—Es como cuando fue a visitar los túneles que hay bajo Haram al-Sharif. Son pocos los palestinos que lo han hecho, pero me consta que él sí; aunque nunca lo hizo público. Mi padre estaba en profundo desacuerdo en esa cuestión. Según él, se trataba de un intento de los sionistas para socavar el barrio musulmán.

—Pero aun así fue.

—Sentía curiosidad.

—Era arqueólogo —dijo Maggie con una sonrisa de comprensión.

—Siempre. Y quería ver.

Maggie imaginó a aquellos dos hombres, ideológicamente en polos opuestos —un sionista convencido y un ultranacionalista palestino— paseando junto a un grupo de turistas por los mismos túneles que ella había visto aquella mañana. ¿Era posible? ¿Cabía realmente la posibilidad de que Shimon Guttman hubiera hecho de guía para Ahmed Nur y le hubiera mostrado los lugares más recónditos del Muro de las Lamentaciones? No era de extrañar que Guttman hubiera querido hablar con Nur acerca de la tablilla. En aquel dividido territorio, tal vez eran las dos únicas personas capaces de leer lo que había grabado en ella y comprender su verdadero significado.

Dejó que el silencio se prolongara un poco más.

—Mustafa, sé que no resulta fácil, pero de verdad necesitamos que pienses. ¿Hay algo más, quizá un lugar, que tu padre pudiera conocer, o algo que tuviera en común con Shimon Guttman?

—La verdad es que no se me ocurre nada.

Maggie captó la mirada de resignación de Uri. «Esto no está funcionando.» Estaba a punto de abandonar.

—De acuerdo —dijo Maggie—. Intentémoslo de otra manera. Te leemos el mensaje exacto que Guttman dejó, y a ver si te sugiere algo. ¿Te parece?

Mustafa asintió.

Maggie se lo repitió, palabra por palabra, de memoria: «Dirígete al oeste, joven, y sigue camino hasta la ciudad modelo, cerca del Mishkan. Allí encontrarás lo que he dejado para ti, en el camino de antiguos barrios».

Mustafa le pidió que lo repitiera más despacio y cerró los ojos mientras escuchaba de nuevo. Al fin habló.

—Creo que tiene que referirse a Haram al-Sharif, adonde tú fuiste, Maggie. Los «barrios» son los túneles, y «la ciudad modelo» es como nos referimos a Jerusalén, tanto judíos como musulmanes.

—Sí, pero ¿dónde? —Uri no podía contener su frustración.

—Cuando dice «dirígete al oeste», ¿no podría referirse al camino que hay que seguir por los túneles?

—Solo hay un camino, el que he seguido esta mañana —le contestó Maggie, exasperada.

—Lo siento.

—No —repuso ella, recobrando la compostura—. Tú no tienes la culpa. Es solo que pensábamos que quizá tú sabías algo.

Empezaron a caminar de vuelta al interior del hotel. Maggie y Uri permanecieron con la cabeza gacha hasta que llegaron al aparcamiento, por temor a que alguien los reconociera. Una vez fuera, bajo la marquesina de la entrada, Maggie se dio cuenta de que no había dado el pésame a Mustafa. Le preguntó sobre su difunto padre, cuántos hijos y nietos había dejado y cosas parecidas.

—¿Y seguía trabajando?

—Sí —contestó Mustafa, y le habló acerca de las excavaciones de Beitin—. Pero ese no era el sueño de su vida. Su verdadero sueño ya no podrá verlo hecho realidad —dijo con lágrimas en los ojos.

—¿Y cuál era, Mustafa? —preguntó Maggie ladeando la cabeza, consciente de que era un gesto que demostraba interés y atención.

—Mi padre aspiraba a fundar un Museo Palestino, un bonito edificio lleno de objetos de arte y esculturas, y de todas las piezas arqueológicas que él había descubierto. Un lugar que reuniera la historia de Palestina.

Uri lo miró, repentinamente alerta.

—Como el Museo de Israel.

—Sí. De hecho, recuerdo que hablaba a menudo de ese lugar. Decía que algún día tendríamos algo parecido, algo que mostraría al mundo lo que era esta tierra, para que todos pudieran verlo con sus propios ojos.

—¿Decía eso? —preguntó Uri con los ojos muy abiertos.

—Sí. —Mustafa sonreía—. Me decía: «Algún día, Mustafa, construiremos lo mismo que tienen ellos para mostrar la historia de nuestro Jerusalén, no algo abstracto, sino algo que se pueda tocar».

—Seguro que mi padre se lo enseñó —comentó Uri en voz baja.

—¿Cómo? —preguntó Maggie.

Él le lanzó una rápida mirada.

—Te lo explicaré por el camino. Mustafa, ¿puedes acompañarnos?

Al cabo de un minuto, los tres iban en un taxi y atravesaban la ciudad en dirección oeste. La sonrisa no había desaparecido del rostro de Uri, que meneaba la cabeza y murmuraba «Claro» para sus adentros, una y otra vez.

Cuando Maggie le preguntó adónde diablos se dirigían, él los miró con una gran sonrisa.

—Gracias a nuestros dos padres, creo que nuestra búsqueda está a punto de terminar.

62

Jerusalén, viernes, 13.11 h

Uri estuvo de buen humor durante todo el trayecto. Sentado delante, junto al taxista, y bajo un retumbante ritmo tecno-beat, se deleitó explicando las pistas dejadas por su padre.

—¿Lo veis? Lo leí demasiado rápido. Di por hecho que «Dirígete al oeste, joven» tenía que referirse al Muro de las Lamentaciones. Eso era obvio, pero ¿a santo de qué mi padre se iba a tomar tantas molestias para comunicarme una obviedad? Lo que él quería decir era que fuera a la parte oeste de la ciudad, al lugar que su «hermano», tu padre, Mustafa, conocía. La clave estaba en la palabra «Mishkan». Puede hacer referencia al Templo, pero también a este lugar —dijo señalando por la ventana el edificio del Parlamento—: la Knesset.

—¿Y qué nos dices del resto, aquello de «el camino de los antiguos barrios»?

—No te preocupes, Maggie, lo comprenderéis cuando lleguemos. Estoy seguro.

Se volvió hacia el conductor y le pidió prestado el móvil. Había hecho lo mismo nada más alejarse del Colony, y entonces, igual que en ese momento, habló en hebreo a toda velocidad y luego colgó con una sonrisa. Maggie se preguntó si habría llamado a Orli. Al fin y al cabo, quizá no fuera tan ex como Uri decía.

Se disponía a preguntárselo cuando el rostro de Uri se ensombreció, empezó a tamborilear con los dedos en el salpicadero y rogó al chófer que se diera tanta prisa como pudiera. Cuando ella le preguntó qué ocurría, él le contestó con una sola palabra:

—Sabbat.

El taxi se detuvo en un aparcamiento que estaba preocupantemente vacío. Uri se apeó a toda prisa del taxi y corrió hacia las taquillas tan rápido como su cojera se lo permitió. Todas las ventanillas se hallaban cerradas. Cuando Maggie y Mustafa se reunieron con él, Uri hablaba, gesticulando frenéticamente, con el vigilante de seguridad de la entrada. Tal como había temido, el Museo de Israel había cerrado por el sabbat.

Tras mucho rogar y suplicar, el guardia le entregó a regañadientes un teléfono con la conexión abierta. El tono de Uri cambió al instante, se hizo cálido y simpático. Maggie no tenía ni idea de lo que decía, pero estaba segura de que hablaba con una mujer.

Ciertamente, minutos más tarde, una atractiva joven que llevaba un *walkie-talkie* en la mano y un imperdible con su nombre prendido en su americana azul apareció en la puerta. Mientras se acercaba, Uri se volvió hacia Maggie y Mustafa y les susurró:

—Somos un equipo de televisión de la BBC, ¿de acuerdo? Maggie, tú eres la reportera.

En el rostro de la atractiva joven se leía una expresión de perplejidad que no era hostil, y Maggie no tuvo más remedio que admirar cómo Uri la conquistaba. La chica de la cola de caballo recibió el tratamiento completo: mirada a los ojos, asentimiento con la cabeza y el despreocupado contacto de la mano de Uri en su brazo. Aquel despliegue de encantos no ofendió a Maggie pero desarmó por completo a la joven de la cola de caballo, a juzgar por la repentina apertura de los candados y las puertas.

Cuando entraron, ante la mirada atónita del vigilante, y la mujer señaló su reloj como si les advirtiera «Solo cinco minutos», Maggie lanzó una mirada atónita a Uri.

—Es la encargada de relaciones con la prensa —explicó él—. Le he dicho que nos conocimos hace unos años y que lamentaba muchísimo que se hubiera olvidado de mí.

—¿Y es verdad que la conociste hace unos años?

—No tengo ni idea.

Uri había representado el papel de productor de televisión y de alguna manera había conseguido convencer a la joven de que él, Maggie y Mustafa formaban parte de un equipo de documentalistas que tenía previsto regresar a Londres esa misma noche y que necesitaba desesperadamente filmar unas últimas tomas. Uri había explicado que se trataba de un plano con zoom desde larga distancia, razón por la que no llevaban cámara. Había señalado los árboles que había más allá de En Kerem, desde donde el camarógrafo tomaría un plano de Maggie, después lo abriría y mostraría todo el formidable panorama. El hombre ya estaba en su puesto; la encargada de relaciones públicas podía llamarlo si quería. En cualquier caso, no les llevaría más de cinco minutos y después se marcharían.

—¿Y se ha tragado todo ese rollo?

—Creo que le ha gustado que todavía me acordara de ella.

Caminaban por lo que parecía un campus universitario o un jardín privado. Se veían setos pulcramente podados y regados por conductos de plástico negro debidamente disimulados. Por todas partes había alegres esculturas de arte moderno, incluyendo una gran columna de acero, pintada de color rojo, que resultó ser un silbato gigante. En el camino principal, había indicaciones que señalaban a los visitantes cómo llegar a las distintas galerías, la cafetería o la tienda de recuerdos del museo. Maggie no tardó en comprender por qué Nur, harto del polvo y la mugre de Ramallah, había soñado con un lugar como aquel para Palestina.

Pasaron ante una gran estructura blanca erigida en medio de un estanque de aguas muy poco profundas. El edificio tenía una forma extraordinaria, como un seno sensualmente moldeado cuyo pezón apuntaba al cielo. Al acercarse, Maggie vio que su superficie estaba compuesta por miles de delgados ladrillos blancos.

—El Templo del Libro —dijo Uri sin dejar de caminar a paso vivo—. En él se guardan los Manuscritos del mar Muerto. Ya sabéis que los encontraron en... ¿cómo se dice en inglés? En una urna, ¿no? Pues esa es la forma que tiene.

—O sea que no es una teta —comentó Maggie sin dirigirse a nadie en particular, pero Mustafa, que caminaba junto a ella, sonrió.

—Es aquí —dijo Uri.

Los había llevado a una zona elevada, de modo que se encontraban en una especie de plataforma de piedra desde donde se tenía una vista completa de la ciudad de Jerusalén. A su derecha, Maggie vio los edificios gubernamentales que Uri le había mostrado por el camino, incluso una pista de atletismo. Enfrente y en la distancia se veía realmente una zona arbolada donde casi esperó ver al camarógrafo aguardando la señal.

Pero Uri no contemplaba nada de aquello, sino que, como un pasajero que observara el mar desde un barco, señalaba hacia abajo mientras se apoyaba en la balaustrada de la plataforma de observación.

Y entonces Maggie lo vio. Extendiéndose a sus pies había una ciudad en miniatura, con sus muros, sus calles y sus casas. Todo estaba perfectamente representado, hasta los rojos tejados y las hileras de columnas talladas a mano, los diminutos árboles y los minúsculos ladrillos que formaban las paredes de los muros. Había patios, torres, incluso un coliseo. Estaba confundida. ¿Acaso era una reproducción en miniatura de la antigua

Roma? ¿Y qué era aquella estructura que destacaba entre todas, de mármol macizo y tres veces más alta que las demás, flanqueada por cuatro columnas corintias coronadas de oro que sostenían un techo que centelleaba con preciosos metales?

Entonces lo comprendió. Era una reproducción a escala del Jerusalén de la antigüedad, y aquella estructura era el Templo, cuya sobrecogedora vastedad le resultaba en ese momento mucho más apreciable que todas las veces que lo había visto antes. Ese era el aspecto que tenía la ciudad dos mil años antes, cuando el Templo de los judíos seguía en pie. Naturalmente, resultaba desconcertante porque el hito más sobresaliente del Monte del Templo, la Cúpula de la Roca, todavía no había sido erigido y no se construiría hasta doce siglos después. Aun así, qué imponente debía de resultar para la gente que vivía allí hacía dos mil años... Qué impresión recorrer hacia arriba con la mirada un edificio tan alto, con sus muros y sus columnas extendiéndose a lo largo y a lo ancho y reduciendo el resto de la ciudad a poco más que un área suburbana.

«Dirígete al oeste, joven y sigue camino hasta la ciudad modelo...»

A Maggie le entraron ganas de reír ante la simplicidad del mensaje. Si sabías dónde mirar, había que reconocer que Guttman había sido al mismo tiempo ingenioso y obvio. Y Maggie se daba cuenta en ese momento de que también había sido minucioso. Si su «hermano» Ahmed Nur hubiera estado vivo, seguramente habría ido hasta allí directamente. Pero incluso desaparecido existía un camino alternativo para llegar hasta allí a través de Second Life. Había protegido su tesoro de todas las maneras posibles.

Uri había bajado por la escalera y se hallaba al mismo nivel que la maqueta. Mientras Maggie lo observaba moverse, buscando, tomó conciencia de la escala de la maqueta: la mayoría de la ciudad le llegaba a la altura de la rodilla.

—Muy bien, Maggie. —El tono de su voz había cambiado—. Te necesitaremos aquí para la toma. Musta... Esto..., Mark, si bajas aquí decidiremos el mejor ángulo.

Aparte de por el perímetro de roca que formaba un pequeño foso alrededor de la maqueta, esta solo estaba protegida por una barandilla baja. Moviéndose con cuidado, ambos podían salvarse sin dificultad.

—Ve hacia allí. —Uri señaló uno de los muros exteriores del amplio patio del Templo, tras el cual se alzaba la parte trasera del edificio.

Maggie comprendió lo que estaba haciendo: era el Muro de las Lamentaciones, y ella se estaba dirigiendo hacia el mismo sitio por donde había caminado bajo tierra aquella mañana. Habían estado buscando en el Templo del mundo real. En esos momentos se disponían a hacerlo en una maqueta a escala.

—Y toma esto. —Uri le tendió el móvil que había pedido prestado al taxista y que no le había devuelto—. Lo he probado y tiene el altavoz conectado. Déjalo así y tendremos una línea abierta. —Entonces añadió con voz firme—: Si pasa lo que sea, haz exactamente lo que yo te diga, ¿de acuerdo? —Cuando Maggie le preguntó a qué se refería, él meneó la cabeza y contestó—: Ahora no hay tiempo. En cuanto te vean y se den cuenta de lo que estás haciendo, nos echarán.

Maggie pasó por encima de la barandilla y salvó el foso tan rápidamente como pudo. Se sentía como un Gulliver con botas, como Alicia moviendo sus pies enormes entre casas enanas y paredes de juguete. El espacio que había entre ellas apenas le permitía mantenerse en pie. Se movió deprisa y de puntillas y notó el crujido de lo que temió era el pórtico de entrada de una gran mansión.

Miró hacia atrás y vio que Uri le señalaba un lugar concreto del muro. Se trataba de una escalinata, adosada en un costado, que subía hasta una pequeña abertura. Se hallaba directamente en línea con el centro del Templo y, por tanto, con el Monte del Templo. Era, por supuesto, Warren's Gate, la Puerta Warren, donde ella había estado aquella mañana, cerca de donde había visto orar a la mujer que tocaba la humedad de la pared, las lágrimas de Dios. Justo detrás se hallaba la Piedra Fundacional, el lugar donde Abraham había estado a punto de sacrificar a su hijo. «Allí encontrarás lo que he dejado para ti, en el camino de antiguos barrios.»

Se hallaba justo encima de la pequeña escalinata, lo bastante cerca para examinar cada peldaño individualmente tallado. Desde lejos resultaba imposible de ver porque el muro dejaba la escalinata en la sombra. Se agachó para observar la parte alta, la zona plana que conducía a la puerta. La tocó, pero solo notó polvo. Se dijo que los maquetistas habían sido fieles incluso en eso: el mismo polvo de la Ciudad Vieja que ella había pisado por la mañana.

Agachada, fue apartando el polvo con los dedos hasta que notó algo: un espacio, una pequeña abertura entre la pared lateral de la escalinata y su rellano superior. Metió las uñas, apartando la suciedad. La abertura se prolongaba alrededor.

Tiró con fuerza. Algo cedió y un pequeño rectángulo de arcilla cayó en su mano. Supo que por fin la había encontrado.

De repente oyó unos gritos de mujer seguidos del ruido estrepitoso de unos pasos; parecía una estampida. Apenas se había incorporado cuando oyó una única palabra gritada a pleno pulmón:

—¡QUIETA!

Inmóviles alrededor de la ciudad en miniatura, rodeándola por todos lados, había media docena de individuos vestidos de negro y con el rostro oculto bajo un pasamontañas. Y cada uno de ellos tenía en la mano un arma automática con la que la apuntaban a la cabeza.

63

Jerusalén, viernes, 13.32 h

Sus ojos buscaron a Uri, pero no vieron rastro de él ni de Mustafa. Permaneció totalmente inmóvil.

—¡Levante las manos! ¡Levante las manos ya!

Maggie hizo lo que le decían. En una mano sostenía el móvil; en la otra, la tablilla. El corazón le latía con fuerza por la emoción que todavía le corría por las venas al saber que había encontrado al fin la tablilla y también por el pánico que sentía.

Entonces oyó una voz conocida.

—Gracias, Maggie. Esta vez se ha superado a sí misma.

Había sido el último en llegar y en esos momentos bajaba los peldaños de la plataforma de piedra para unirse a sus hombres junto a la ciudad en miniatura.

—Le estoy muy agradecido. Su país le está muy agradecido.

Maggie, inmóvil como una estatua, tuvo que girar los ojos a la izquierda para verlo: Bruce Miller.

—Bueno —prosiguió—, ¿por qué no hacemos esto con calma y tranquilamente? Usted se queda donde está y uno de mis chicos se le acercará y la librará de la carga de esa tablilla. Intente cualquier estupidez y le volaremos los sesos.

Maggie apenas podía pensar entre el martilleo de su propia sangre. Estaba realmente acorralada. ¿Qué otra opción le quedaba sino rendirse ante Miller? Después de todo por lo que ella y Uri habían pasado, tenía que hacer frente a la realidad. Aquel hombre y su pelotón de verdugos habían ganado.

Fue entonces cuando oyó otra voz más cercana que la de Miller pero mucho menos clara. Tardó unos segundos en comprender de dónde provenía.

«Maggie, soy Uri.» El altavoz del teléfono que tenía en la mano. «Escucha atentamente. Dile a Miller que una cámara lo está grabando en directo y que las imágenes se están descargando en internet.»

Maggie volvió a mirar alrededor; ni rastro de Uri. Seguramente había visto llegar a los hombres y había huido colina abajo, tal vez se había refugiado entre los árboles. ¿Y qué era toda esa locura de las cámaras e internet? Utilizar ese truco para persuadir a la relaciones públicas de un museo era una cosa, pero intentarlo con los secuaces del asesor del presidente de Estados Unidos era un disparate.

Entonces recordó el momento vivido en la carretera, cuando había tenido que decidir en un instante si podía confiar en Uri o no. Había confiado en él... y no se había equivocado.

—Ahora sea buena chica y entréguenos la tablilla. De lo contrario, mis chicos querrán terminar lo que empezaron con usted. No crea que no se divirtieron examinando por dentro y por fuera ese cuerpecito suyo, pero debo decirle que les pareció un poco frustrante tener que limitarse a usar las manos y todo eso. ¿Qué le parece si la próxima vez se turnan para tirársela por delante y por detrás y después se inventan unos cuantos métodos para desembarazarse de su amiguito? ¿Qué tal suena eso?

La voz de Uri sonó de nuevo: «Dile que llame al consulado, que entren en la web www.uriguttman.com y digan lo que ven».

Maggie vaciló mientras en su mente tomaba forma un plan. Aquel era un lugar público, a la vista de todos. Miller no se atrevería a llevársela por la fuerza. No allí y no si podía evitarlo. Esa era la razón de que todavía no se hubiera lanzado contra ella.

—Esa forma de hablar no me parece propia de Bruce Miller, el ayudante del presidente de Estados Unidos...

—Señorita, si no le importa, mi cargo es el de asesor político del presidente. Y ahora deme la tablilla.

Maggie sonrió: para alguien de Washington nada era más importante que su cargo.

La voz de Uri sonó de nuevo: «Maggie, ¿qué estás haciendo? ¡Dile lo de la cámara! ¡Dile que llame al consulado!»

«Todavía no», se dijo ella.

—¿Se refiere a esto? —Alzó la tablilla tan alto como pudo—. ¿Hasta qué punto es importante este objeto para que tenga a seis hombres apuntándome con sus armas, a mí, a Maggie Costello, la negociadora enviada por el departamento de Estado estadounidense, una mujer indefensa?

—Ya hemos hablado de eso, Maggie.

—No es más que un pedazo de arcilla, señor Miller; apenas un poco más grande que una tarjeta de crédito. ¿Qué puede tener que lo haga tan importante?

«¡Dile lo que te he dicho!», gritó Uri por el móvil.

—¿Se está marcando un farol, Costello? ¿Está intentando ganar tiempo porque la han engañado y lo que tiene en la mano no es más que una tablilla falsa? Porque, si lo es, no tiene usted nada, ningún poder para negociar, cero.

—No, Miller. Lo que tengo aquí es auténtico, créame. Es la última voluntad de Abraham, el gran patriarca. Es esto lo que estaba buscando, ¿verdad?

«¡Maggie!» Uri parecía desesperado, pero ella todavía no había terminado.

—Y este es el motivo de la muerte de Rachel Guttman, de Baruch Kishon. Y de Afif Aweida y Dios sabe quién más. Ordenó a sus hombres que los mataran solo por esta tablilla, ¿no es así?

—Vamos, Maggie, ya sabe por qué tuvimos que eliminar a esa gente. Si no conseguimos poner esa tablilla a buen recaudo, muchas personas más morirán. Miles, tal vez incluso millones.

—¿O sea que no se avergüenza de haber asesinado a toda esa gente aun sabiendo que eran inocentes? ¿No le avergüenza haberme agredido y haber torturado a Uri Guttman? Contésteme sinceramente, Miller. Míreme a los ojos y contésteme.

—¿Avergonzarme? Me siento orgulloso.

—Muy bien. Le entregaré la tablilla —dijo haciendo un esfuerzo para que su tono mostrara firmeza. Había oído lo que deseaba oír, pero las armas seguían apuntándole a la cabeza—. Sin embargo, hay algo que debe saber, señor Miller: acaba de hacer la que será sin duda su aparición estelar en la televisión. En estos momentos una cámara le está grabando y descargando esta conversación en internet. Llame al consulado y pídales que entren en la web www.uriguttman.com. Dígales que le describan lo que ven. Adelante. Si estoy mintiendo lo averiguará enseguida y podrá hacer lo que le dé la gana conmigo.

Vio que Miller cogía el móvil y hablaba por él.

«Dile que salude a la cámara con la mano», le dijo Uri, y ella notó confianza en su voz.

—Vamos, señor Bruce Miller, asesor político del presidente de Estados Unidos de América, ¡salude, por favor! —exclamó Maggie.

La confirmación le llegó de boca del propio Miller y en forma de dos palabras apenas mascculladas pero de significado inequívoco.

—¡Puta mierda!

Solo Dios sabía cómo lo había logrado, pero Uri no se había marcado un farol. Realmente tenía una cámara enfocando a Miller mientras él se identificaba y lo confesaba todo.

—Es usted muy lista, señorita Costello. Tengo que reconocerlo, pero, con el mayor de los respetos, ¿a quién puede interesarle una web desconocida? Nadie la estaba mirando, y ahora esas imágenes se han esfumado en el éter electrónico.

—No del todo. Lo estamos grabando en directo. La gente podrá verlo una y otra vez. —Era la voz de Uri, ya no salía del móvil. Se abría paso entre los árboles sosteniendo una pequeña videocámara ante uno de sus ojos. Mustafa caminaba junto a él. Maggie no pudo sino sonreír ante aquel descaro—. En estos momentos, el editor de noticias de Channel 2 está viendo estas imágenes. ¿Y a quién acabas de llamar, Mustafa?

—A al-Jazira, en Ramallah.

—Todos están presenciando esta escenita —prosiguió Uri—. Y antes de que se le ocurra alguna idea, señor Miller, sepa que esta que llevo es solo una segunda cámara que filma lo que llamamos el rollo B. La cámara principal se encuentra escondida por allí detrás, debidamente oculta a la vista. Puede acribillarme aquí mismo, pero sepa que mi colega lo filmará a todo color.

Maggie vio que Miller palidecía. Intentó una de sus fanfarronas sonrisas que tanto había prodigado ante las cámaras, pero le salió torcida. Al fin consiguió articular unas palabras:

—¿Quién se va a creer esta fanfarronada?

—Es verdad —reconoció Maggie—. Nadie se la habría creído hasta que usted mismo nos ha confirmado de viva voz todos los detalles, y por eso le estamos eternamente agradecidos. ¿Sabe? Cuando esta filmación llegue a YouTube, a la ABC, a la CNN y a todas las demás, dudo mucho que sea usted capaz de convencer a nadie de que no es lo que parece.

Sonó un móvil. El de Miller. Respondió, y su rostro pasó de pálido a transparente. Se dio la vuelta, de espaldas a la cámara de Uri, pero su voz siguió siendo audible.

—Sí, señor presidente. Le oigo con claridad, señor. Lo entiendo, usted además me ve. Estoy de acuerdo, señor, la tecnología es algo increíble. —No dijo más durante un rato. Luego volvió a hablar—: Sí, prepararé la carta de dimisión inmediatamente, señor. Y sí, dejaré bien claro en ella que esta ha sido una operación al margen del gobierno de Estados Unidos, una operación debida a mi exclusiva iniciativa. Adiós, señor presidente.

Sin añadir palabra, Miller hizo una señal a los hombres enmascarados que, sin dejar de apuntar con sus armas, volvieron sobre sus pasos, alejándose de la ciudad en miniatura y formando un círculo que protegía la retirada de Miller. Al cabo de unos segundos, todos habían desaparecido.

Uri bajó la cámara y se acercó a Maggie. Mientras se abrazaban, señaló en dirección a los árboles.

—Ahí está la persona a la que llamé desde el taxi. Es un viejo amigo, un camarógrafo que vive en En Karem. Le pedí que se situara donde nadie lo viera y utilizara el mayor teleobjetivo que tuviera. Ah, y también que llevara un transmisor de microondas para captar el sonido de tu móvil. Yo diría que ha sido mi mejor trabajo.

Maggie deshizo bruscamente el abrazo.

—¿Sigue funcionando?

Uri asintió.

El objeto que tenía en la mano fue lo que la hizo reaccionar. Lo sintió como una granada recién cebada y a punto de explotar. Mucha gente había muerto por él; Uri y ella habían sido perseguidos, tiroteados y torturados por su culpa. Nadie que conociera sus secretos estaba a salvo.

—Enfócame con la cámara —le pidió a Uri—. ¡Ya!

Él se llevó el visor al ojo, afianzó los pies en el suelo, y le hizo una señal con el pulgar para indicarle que estaba preparado:

—Me llamo Maggie Costello y estoy en Jerusalén como enviada del gobierno de Estados Unidos para mediar en las negociaciones del tratado de paz. Esto —alzó la tablilla como Shimon Guttman en la grabación que había dejado—, esta tablilla tiene casi cuatro mil años de antigüedad. A lo largo de la última semana, Bruce Miller y un equipo estadounidense de operaciones encubiertas han espiado, robado y asesinado a diestro y siniestro por todo el país en el intento de hacerse con ella. Ya han oído al señor Miller confesarlo todo hace un momento. Su intención era que la existencia de esta tablilla y sobre todo su contenido siguieran siendo un secreto. He aquí la razón.

Por fin pudo mirar con detenimiento el objeto que había

sacado de su escondite en la Puerta Warren en miniatura y que no había dejado de aferrar desde entonces. Y al verlo de cerca por primera vez casi se sintió decepcionada. Era tan pequeño..., los caracteres grabados en él eran tan diminutos... En conjunto no era mayor, pero sí más delgado, que un paquete de cigarrillos. Y aun así, su gobierno —y varios grupos de fanáticos, tanto israelíes como palestinos— había estado dispuesto a matar por él. Las palabras esculpidas en él miles de años antes podían desencadenar la guerra de todas las guerras, un conflicto que sería imposible confinar entre los dos bandos contendientes. ¿Qué pasaría si resultaba que Abraham había legado el monte Moria a Ismael y los israelíes se negaban a entregarlo? Pues que los musulmanes de todo el mundo gritarían que estaban siendo desposeídos de su legítima herencia, y el resultante choque de civilizaciones se convertiría en una trágica realidad. ¿Y si Abraham lo había entregado a los judíos? ¿Lo cederían los musulmanes y abandonarían el lugar desde donde Mahoma había ascendido a los cielos? Dijera lo que dijese aquella tablilla, solo podía significar victoria para unos y desastre para otros.

Le dio la vuelta y buscó un trozo de cinta adhesiva que había visto al sacarla de su escondite. En ese momento había supuesto que era parte de la fijación que Guttman había ideado para mantenerla oculta, pero cuando se la acercó a los ojos vio que no era cinta adhesiva, sino una pequeña funda de plástico transparente, una versión pequeña de las fundas que se utilizan para proteger las tarjetas de crédito. La despegó con cuidado. Luego sacó de su interior tres pequeños papeles pulcramente doblados. El primero estaba escrito en hebreo; el segundo, en árabe; y el tercero, en inglés.

Leyó rápidamente el párrafo en inglés y después volvió a hacerlo en voz alta, mirando a la cámara.

—Esto es una tablilla dictada a un escriba por Abraham, poco antes de su muerte, en Hebrón. Lo recogido en ella está en caracteres cuneiformes, la antigua escritura babilónica. La traducción dice lo siguiente: «Yo, Abraham, hijo de Terach, ante los jueces doy testimonio de lo siguiente. La tierra adonde llevé a mi hijo para sacrificarlo al Altísimo, el monte Moria, esa tierra se ha convertido en fuente de discordia entre mis dos hijos, de cuyos nombres dejo constancia: Isaac e Ismael. Así pues, ante los jueces declaro que el monte sea legado como sigue...».

Calló en el instante en que sonó el disparo. Cuando cayó al suelo, su mano seguía sujetando fuertemente la tablilla, como si aferrándose a ella se aferrara a la vida.

64

Jerusalén, viernes, 13.44 h

La cámara se le cayó de las manos con un golpe sordo. Uri corrió hacia Maggie y se agachó junto a ella para ver dónde la habían herido. Apenas lo había hecho cuando una segunda bala pasó silbando junto a su oído. Entonces, también él se echó al suelo, sobre Maggie, intentando proteger su cuerpo de los disparos.

Miró alrededor y vio a Mustafa tumbado boca abajo. Con un leve movimiento de los dedos, el palestino indicó que mirara hacia lo alto. Allí, justo encima de ellos, apoyados en la barandilla del mirador de la ciudad en miniatura, asomaban los cañones de varias armas que disparaban hacia los árboles del otro lado. ¿Eran los hombres de Miller, que se habían reagrupado? ¿Acaso intentaban matar al camarógrafo oculto pensando que eso podría salvarlos a ellos y a su jefe?

Se oyó un ruido de ramas y seguidamente un grito en hebreo:

—*'Al tira!*

«¡No disparen!»

Uri oyó que sonaba una respuesta desde lo alto.

—*'Hadel esh!*

«¡Alto el fuego!»

Uri se puso en pie lentamente. Maggie seguía tirada en el suelo, mortalmente quieta.

Entonces oyó un clamor de voces que hablaban en hebreo. Una docena de hombres bajaban corriendo por la escalera. La policía israelí. Con sus armas semiautomáticas apuntaban directamente a los dos individuos que acababan de salir de entre los árboles.

—¡Identifíquense! —gritó el oficial al mando.

Silencio.

—¡Identifíquense o abriremos fuego!

¿Eran palestinos que habían aprendido a hablar en hebreo en la cárcel y que se aprestaban a llevar a cabo algún tipo de acción suicida? Uri sabía lo que les esperaba si vacilaban un segundo más en contestar: un tiro en la frente, el único modo seguro de evitar que accionaran un detonador.

Sin embargo, no llevaban ropa abultada, que solía ser el indicio más obvio de sus intenciones; vestían como cualquiera. A decir verdad, parecían israelíes.

—¡Somos los Defensores de Jerusalén Unido! —dijo en perfecto hebreo el mayor de los dos.

Cuando los policías acabaron de rodearlos, Uri vio que llevaban en la coronilla una kipá de ganchillo, el símbolo inequívoco que identificaba a los miembros del movimiento de los colonos.

—Vaya, así que ellos también nos pisaban los talones...

Uri se dio la vuelta y vio a Maggie incorporándose, frotándose los ojos.

—¡Maggie! ¡Estás viva!

—Siento lo de antes. No sabía que fuera tan gallina.

—¿De qué hablas?

—Se supone que soy una diplomática curtida y que no me desmayo cuando alguien dispara un arma cerca.

La policía los retuvo a los tres —Maggie, Uri y Mustafa— durante varias horas mientras prestaban una larga y detallada declaración. Les acompañó un abogado, el cuñado de Uri, que insistió en el derecho de sus clientes a conservar sus efectos personales, incluida la tablilla, como pertenencias privadas. Después de su intervención, la tuvieron con ellos todo el tiempo. En cuanto a los pequeños papeles, Maggie los había escondido en lo más hondo de sus bolsillos y allí siguieron.

Cuando salieron de la comisaría se encontraron con una escena que Maggie y Uri habían presenciado muchas veces pero que nunca habían creído que vivirían en carne propia: cientos de cámaras los apuntaban entre destellos de flash.

Apenas habían puesto un pie en la calle cuando la multitud lanzó un rugido colectivo mientras los fotógrafos y periodistas la llamaban a gritos: «¡Maggie! ¡Maggie!», «Maggie, ¿qué dice el testamento de Abraham?», «Maggie, ¿qué pone en la tablilla?».

Uri y Mustafa se situaron uno a cada lado para protegerla y abrirse camino hasta el taxi que los esperaba. El conductor tuvo que dar dos largos rodeos para lograr despistar a las furgonetas y motos que los seguían antes de poder dejar a Maggie a salvo en su hotel.

Una vez a salvo en el refugio de su habitación, Maggie encendió el televisor. Ya tenía una idea de lo que la esperaba. Cuando la policía le había devuelto el móvil, en la pantalla aparecía el mensaje «Bandeja de entrada llena». Escuchó los primeros mensajes de voz: la BBC, la NPR, la CNN, Reuters, la AP, *The New York Times*, todos solicitándole una entrevista tan pronto como le fuera humanamente posible. El *Daily Mail* de Londres le ofrecía una cantidad de seis cifras si aceptaba venderles la exclusiva de las aventuras de una mujer en busca del testamento de Abraham. También había unos cuantos mensajes de la Casa Blanca.

Cuando empezó a pasar de un canal a otro, lo único que vio fueron imágenes de ella sosteniendo la tablilla ante la cámara de

Uri. La cadena Fox News emitía sin cesar, en una especie de bucle, la grabación donde Bruce Miller confesaba sus múltiples fechorías y terminaba con las palabras «¿Avergonzarme? Me siento orgulloso». Al final, dejó BBC World.

«Contamos con la compañía de Ernest Freundel, del Museo Británico de Londres, uno de los pocos expertos del mundo capaz de leer la escritura cuneiforme de la crucial tablilla.

»—Señor Freundel, ¿qué opina de lo que se dice que hay escrito en ella?

»—Bien, en principio cualquier información de esta naturaleza debería ser tratada con el mayor escepticismo. Sin embargo, tengo entendido que esta tablilla fue encontrada y traducida por el profesor Shimon Guttman, que era una de las mayores autoridades en este tema. Si él decía que era auténtica, me inclino a creerle.

»—¿Y cuál es su reacción ante la idea de que se trata de la última voluntad de Abraham?

»—Bueno, habrá que realizar las pruebas pertinentes, pero Guttman no era un hombre dado a la credulidad. También hay que considerar que si los estadounidenses han llegado hasta donde han llegado para hacerse con la tablilla, quiere decir que debían de estar bastante convencidos de su autenticidad.

»—¿Y eso qué supone desde el punto de vista emocional para un erudito como usted, doctor Freundel?

»—No puedo negar que daría cualquier cosa por poder examinar esa tablilla y tenerla en mis manos. Por desgracia no he tenido esa oportunidad. En cualquier caso, su importancia es inconmensurable.»

Mientras Maggie seguía sentada en el borde de la cama, Uri se le acercó con el ordenador portátil y le mostró una serie de páginas web: *al-Ahram*, *Washington Post*, *Guardian*, *Times of India* y *China Daily*. Todos trataban la misma noticia. Por último, le mostró el titular de *Haaretz*:

EL MUNDO EN VILO: ISRAELÍES Y PALESTINOS
ESPERAN LA PALABRA DE ABRAHAM

Debajo había un artículo con el relato de los acontecimientos de aquella tarde en el Museo de Israel. En él se explicaba que la policía había detenido a Akiva Shapira, líder de los colonos y presunto cabecilla de los Defensores de Jerusalén Unido. El portavoz de la policía había añadido que, además, tenían pruebas de que Maggie Costello y Uri Guttman también estaban en el punto de mira de una célula islamista radical vinculada a Salim Nazzal, uno de los terroristas más buscados.

Maggie fue de una página a otra. Había interminables columnas y discusiones que debatían sobre lo que Abraham podía haber dicho o dejado de decir. Ambos bandos se lanzaban acusaciones alegando la falsedad del texto, especialmente los «halcones» israelíes y los islamistas radicales, que negaban respectivamente la posibilidad de que el gran patriarca hubiera legado Haram al-Sharif a los musulmanes o el Monte del Templo a los judíos. La blogosfera era un hervidero de conspiraciones que insistían en que la oportuna aparición de la tablilla hacía imposible pensar que pudiera ser auténtica.

—Maggie, creo que vas a tener que desvelar la verdad, el texto completo del testamento. La situación no puede esperar.

Maggie volvió a contemplar el televisor, donde en esos momentos aparecía el primer ministro británico, ante el número 10 de Downing Street, declarando: «La historia contiene ahora el aliento».

Maggie suspiró.

—Lo sé, Uri. Solo tengo que decidir quién debe anunciarlo.

Cuando miró hacia atrás, como haría en tantas ocasiones en los años venideros, llegó a la conclusión de que el desliz más valioso de Bruce Miller fue una sola frase: «Tienen abierto un canal secundario, así que siguen negociando, créame». Eso era lo que había dicho. Otros lo habrían pasado por alto, pero no Maggie ni ningún mediador profesional. Los canales secundarios eran demasiado intrigantes para que uno se olvidara de ellos. A pesar de haberse visto sometida a la violencia del registro corporal y a las palizas de los hombres de Miller, aquel comentario se había quedado grabado en su cerebro.

Quizá no debería haberle sorprendido. Era una práctica común, incluso entre los más enconados enemigos, mantener una línea de comunicación abierta ya fuera a través de algún magnate de confianza, de un amigo personal o de un gobierno extranjero. En cualquier caso, no había duda de que palestinos e israelíes debían de contar con una vía secreta para seguir hablando.

Le dio vueltas en la cabeza una y otra vez, mientras se tumbaba en la cama y se permitía unos minutos de duermevela. Soñó que deambulaba por las calles de Jerusalén, no con su propio cuerpo, sino como la pechugona figura creada por su hermana en Second Life. Soñó que flotaba por encima de la Cúpula de la Roca y sobrevolaba el Muro de las Lamentaciones. Abajo, hombres barbudos con traje negro y el chal para la plegaria alzaban la vista y la miraban boquiabiertos...

Se despertó de repente, con la frente bañada en sudor. ¿Podía ser? ¿Era posible? Cogió el ordenador y entró directamente en Second Life y se registró de nuevo como el álter ego de Shimon Guttman, como Saeb Nastayib. Se teletransportó al instante al seminario de la Universidad de Harvard.

«Por favor, sigue ahí.»

En efecto, allí estaban los avatares que había visto en su primera visita: Yaakov Yariv y Jalil al-Shafi. Se acercó, apretó el botón CHAT y tecleó un mensaje sencillo: «Tengo la información que el mundo está esperando».

Por razones que entendería más adelante, la respuesta no fue instantánea. Tanto la oficina de Yariv como la de al-Shafi mantenían a sus respectivos avatares del seminario de Second Life en estado durmiente para que al menos contaran con una presencia. De ese modo podían mantener el canal abierto y asegurarse de que la otra parte estaba disponible las veinticuatro horas del día. Amir Tal, el ayudante personal del primer ministro, comprobaba cada hora si había actividad, y lo mismo hacía su equivalente en el bando palestino. Incluso por las noches. La idea había partido de al-Shafi: durante su estancia en la cárcel había leído sobre las simulaciones en internet de conversaciones de paz en Oriente Próximo y poco después de salir de la cárcel se había registrado en una, adoptando el papel de Jalil al-Shafi. Entonces se dio cuenta de que lo único que necesitaba para tener abierto un canal de comunicación era que se uniera cualquier alto funcionario israelí. Ya no harían falta vuelos nocturnos a Oslo ni fines de semana clandestinos en una cabaña perdida en los bosques de Escandinavia. A partir de ese momento, el diálogo podría hacerse a la luz del día y ser desmentido en cualquier momento: si alguien preguntaba qué estaba pasando, «Yaakov Yariv» y «Jalil al-Shafi» solo tenían que contestar que eran estudiantes estadounidenses jugando a una simulación.

La primera respuesta llegó de al-Shafi. Maggie le pidió que la telefoneara para que pudiera verificar que se trataba realmente de él y no tardó en escuchar su familiar voz en el móvil. Convino en reunirse con su más próximo colaborador al cabo de una hora.

A continuación concertó una cita equivalente con Amir Tal.

Se encontraron en la lujosa mansión que cierto hombre de negocios estadounidense tenía en Jerusalén Occidental. Maggie no estaba para cortesías diplomáticas, de modo que fue directamente al grano:

—Como saben, tengo la tablilla en mi poder. Esta tarde he estado a punto de revelar el contenido del texto por televisión porque temía que, si no lo hacía y algo me pasaba, el testamento de Abraham se perdería para siempre. Por suerte, ahora está a salvo.

Les explicó que todavía no estaba dispuesta a mostrar la tablilla, y que eso tendría que esperar a que se reuniesen los máximos dirigentes, pero sacó las traducciones de Guttman, leyó en voz alta la inglesa y les entregó las versiones en árabe y en hebreo para que pudieran leerlas. Ambos palidecieron a la vez.

—Como es natural, podrán verificar la autenticidad de estos textos y de la tablilla tan pronto como pasemos a la siguiente fase —dijo tranquilamente, deseosa de concederles el tiempo que necesitaran para asimilar lo que acababan de leer.

—¿Y cuál será la siguiente fase, señorita Costello? —preguntó el palestino.

Maggie le contestó que correspondía a los dos líderes dar a conocer al mundo la decisión de Abraham. No estaría bien que el comunicado saliera de ella, una extranjera. Lo que debían hacer era convocar una conferencia de prensa para el día siguiente, una vez finalizado el sabbat. Uri Guttman y Mustafa Nur aparecerían con ellos, en representación de sus difuntos padres, mientras los dos líderes realizaban el anuncio.

Maggie siguió la conferencia de prensa por la televisión. Habría sido divertido asistir en persona, pero no quería provocar un tumulto mediático como el que se había montado ante la comisaría. Además, el segundo plano era el terreno que le correspondía. Para que aquello funcionara, las palabras debían salir de boca de Yaakov Yariv y Jalil al-Shafi, de nadie más.

Se preguntó cómo lo harían. ¿Empezaría primero Yariv en hebreo y seguiría a continuación al-Shafi en árabe? ¿O sería al revés? Al final, hicieron otra cosa, algo mucho mejor.

Al-Shafi habló el primero, y lo hizo en inglés. Dijo que iba a leer el texto grabado en la tablilla dictada por Abraham. Leyó:

«Yo, Abraham, hijo de Terach, ante los jueces doy testimonio de lo siguiente. La tierra adonde llevé a mi hijo para sacrificarlo al Altísimo, el monte Moria, esa tierra se ha convertido en fuente de discordia entre mis dos hijos...»

Se detuvo, y Yariv siguió, también en inglés:

«... de cuyos nombres dejo constancia: Isaac e Ismael. Así pues, ante los jueces declaro que el monte sea legado como sigue...»

Entonces, los dos, como buenos veteranos, hicieron una pausa antes de seguir leyendo al unísono, perfectamente sincronizados:

«Será compartido por mis dos hijos y sus descendientes de la manera que ellos elijan, pero quedando claro siempre que no pertenece a ninguno de los dos, sino a los dos conjuntamente desde ahora y para siempre. Deben convertirse en sus custodios y guardianes y protegerlo en nombre del Todopoderoso, el único Dios que es soberano de todas las cosas y todos los hombres. Firmado con el sello de Abraham, hijo de Terach, en presencia de sus hijos, en Hebrón, en este día.»

Epílogo

Jerusalén, dos días después

Tenía todos los papeles en el regazo, dentro de un elegante maletín negro. En una negociación, menos era siempre más, o eso creía ella. En realidad, una libreta de notas debería haber bastado. Los fajos de documentos solo se necesitaban en las fases finales de las negociaciones; normalmente se trataba de mapas. Y no habían llegado a esa fase. Todavía no.

Contempló la estancia, la larga mesa de madera oscura que se extendía ante ella, de una gastada elegancia acorde con el edificio. Le recordó el estilo del hotel Colony, un recuerdo del gran pasado imperial y de las vanas ilusiones de un siglo antes. Miró la hora. Había llegado con veinte minutos de antelación. Cinco minutos más y empezarían.

La espectacularidad de la conferencia de prensa conjunta había tenido un impacto aún más grande de lo previsto. La televisión era un medio sentimental, y la visión de aquellos dos veteranos combatientes uniendo sus voces para dar lectura a las palabras de su común ancestro había resultado irresistible. Las cadenas de noticias emitían las veinticuatro horas y siempre sobre lo mismo: Abraham, Abraham y Abraham, olvidándose de los episodios de violencia anteriores. Los sabios de pacotilla empezaron a preguntarse si la paz no había sido desde siempre el destino de Oriente Próximo, un destino que le había sido cruelmente sustraído. La revista *Time* sacó una portada en la que aparecía una ilustración renacentista de Abraham bajo un escueto titular: «EL PACIFICADOR».

Un eufórico Amir Tal y su equivalente palestino habían llamado por teléfono a Maggie poco antes de la medianoche del sábado para preguntarle qué deseaba a cambio de haber proporcionado a sus respectivos jefes un soberbio salvavidas político al haber permitido que fueran ellos quienes se llevaran el mérito de un descubrimiento que iba a otorgarles una autoridad formidable y duradera.

—Solo que reanuden las conversaciones cara a cara inmediatamente —había contestado—. Y no a través de altos funcionarios, sino ellos dos solos, en una habitación y acompañados de un único mediador.

La existencia de la tablilla significaba que ya no había excusa para no resolver la última y definitiva cuestión: la situación del Monte del Templo. El objetivo era llegar a un acuerdo de paz listo para ser firmado en el plazo de una semana, un acuerdo que sus respectivos pueblos pudieran aceptar, un acuerdo que pudiera recibir la bendición del propio Abraham.

Los dos funcionarios le dieron su conformidad provisional. Entonces Maggie sacó provecho de su ventaja.

—Y también quiero una última cosa.

—¿De qué se trata, señorita Costello?

—Bueno, tiene que ver con la identidad del mediador.

Todo eso había ocurrido dos días antes. Desde aquella llamada, había pasado las siguientes cuarenta y ocho horas preparándose. Había leído hasta la última nota, hasta el último resumen de las conversaciones anteriores, todos y cada uno de los documentos oficiales de ambos bandos, solicitando en ocasiones la traducción de los papeles clave preparados para uso interno tanto por israelíes como por palestinos. También se compró un poco de ropa.

Entretanto, vio a Uri. Después de haber presenciado la conferencia de prensa en la televisión, el momento culminante en que Uri y Mustafa se abrazaban ante las cámaras, se habían encontrado en el Somebody to Run With, el café con internet abierto las veinticuatro horas donde habían encontrado el mensaje en Second Life antes de huir, perseguidos por los hombres de Miller.

—Seguimos siendo los más viejos de este sitio —le dijo, y él sonrió.

Se preguntaron por sus respectivos planes y ambos se encogieron de hombros. Uri le dijo que tenía algunos asuntos por resolver en Jerusalén, la casa de sus padres, todos los papeles de su padre.

—Tu padre te dio una última sorpresa, ¿verdad?

—¿Sabes? Tiene gracia. El mundo entero se ha vuelto loco con esa tablilla y con lo que hay escrito en ella. Sin embargo, para mí lo más increíble es todo lo que mi padre llegó a hacer para mantenerla a salvo, y eso a pesar de que dice lo que dice.

—Ante todo era arqueólogo.

—No es solo eso. ¿Recuerdas lo que repitió a mi madre una y otra vez, que esto lo cambiaba todo? Tal vez también lo cambió a él.

Vacilante, Maggie desvió la conversación hacia Bruce Miller y la razón por la que este la había enviado a Jerusalén. Le contó que Miller había planeado que se acostaran y que la había utilizado como un —vaciló en el momento de pronunciar las palabras— «cebo sexual». Le dijo lo mucho que aquello la había avergonzado y repugnado.

Uri la escuchaba mirándola fijamente, sin sonreír.

—Pero tú no sabías que eras un cebo sexual, ¿verdad? No fue culpa tuya. No puedes ser una trampa si no sabes que lo eres. Además, yo tuve la culpa, fui yo quien te abordó, y no al revés. En cualquier caso, eres mucho más que eso.

Se fundieron en un largo e intenso abrazo y después, tímidamente, como dos escolares que se despiden tras un campamento de verano, intercambiaron sus direcciones de correo electrónico. Ninguno tenía una residencia permanente. Cuando Maggie se disponía a decir adiós, Uri le puso un dedo en los labios.

—No digas adiós. Di mejor *«l'hitraot»*. Quiere decir «hasta que volvamos a vernos». Y será pronto.

Y se besaron hasta que ambos supieron que esa promesa no era en vano.

El lejano reloj de pie dio las diez. Sin duda había sido un regalo de despedida de los británicos que habían construido Government House durante el tiempo que gobernaron Palestina. Maggie oyó un repentino rumor en el exterior: el ruido de coches que se detenían, el acoso de la prensa, el bombardeo de las preguntas y los destellos de flash. Un par de minutos después se repitió la misma escena. Maggie ordenó sus papeles una última vez.

Luego, oyó ruido de pasos en el pasillo y vio al negociador israelí entrando por una puerta y al palestino haciendo lo mismo por la opuesta. Ambos iban solos. Respiró hondo.

Les estrechó la mano, les invitó a que hicieran lo propio y les indicó con un gesto que tomaran asiento.

—Gracias, caballeros —dijo Maggie Costello, ofreciéndoles una cálida sonrisa.

Era una sonrisa franca. La sonrisa de una mujer que por fin había regresado a donde debía estar.

Se aclaró la garganta.

—¿Empezamos?

Agradecimientos

Dicen que escribir es una tarea solitaria, pero eso no es del todo cierto. Los escritores cuentan con la ayuda de gente que está dispuesta a compartir con ellos su tiempo y su sabiduría, y yo estoy encantado de tener la oportunidad de dar las gracias a algunos de ellos desde estas páginas.

John Curtis, conservador de la sección del Antiguo Oriente Próximo del Museo Británico y uno de los primeros en hacer sonar la alarma ante el pillaje del patrimonio iraquí tras la invasión de 2003, me explicó pacientemente los detalles de esa serie de trágicos sucesos. Irving Finkel, su colega en el museo, tuvo la amabilidad de ilustrarme acerca de las costumbres del período de Abraham e introducirme en el especializado campo de la escritura cuneiforme babilónica, terreno en el que seguramente es el mayor experto del mundo. La muestra de dicha escritura que aparece en este libro es creación suya, y algunas de las vivencias de Shimon Guttman como académico están inspiradas en las del doctor Finkel. Me siento profundamente en deuda con él por haber podido contar con sus conocimientos y su apoyo para este proyecto.

Los detalles sobre el extraordinario tráfico internacional de antigüedades me los proporcionaron Karen Sanig, del bufete londinense Mishcon de Reya, y el ex sargento de la policía Richard Ellis, fundador de la División de Antigüedades de Scotland Yard. Admiro enormemente su determinación en la lucha contra una delincuencia que busca privar a la civilización de sus mayores tesoros. También estoy agradecido a Rupert L. Chapman III, antiguo secretario ejecutivo de la Palestine Exploration Foundation, y a Edward Fox, cuyo libro *Palestine Twilight* explica tan acertadamente la carga política implícita en las exploraciones arqueológicas de Oriente Próximo. Tanto el personal de BA Cargo en Heathrow como el Servicio de Aduanas de Su Majestad fueron de lo más amable.

Fueron mis amigos del *Guardian* Aleks Krotoski y Victor Keegan quienes me iniciaron en Second Life. Vic desempeñó generosamente el papel de cicerone guiándome por las profundidades de ese misterioso mundo virtual. Una vez más, Tom Cordiner y Steven Thurgood estuvieron a mi lado para compartir sus ilimitados conocimientos en todo lo relacionado con los ordenadores.

En cuestiones de Oriente Próximo estoy en deuda con los cientos de palestinos e israelíes a los que he conocido estudiando o escribiendo sobre esa región a lo largo de dos décadas. Muchas de sus historias me han servido de base para este libro. Debo dar particularmente las gracias al doctor Meron Medzini; a Aryeh Banner, de la Western Wall Heritage Foundation; a Chris Stevens, del departamento de Estado de Estados Unidos; a Doug Krikler; y a mi viejo amigo Marshall Yam, que me ofreció reflexiones clave justo cuando empezaba a dar forma a esta historia. Mis padres, Michael y Sara Freedland, y mi suegro, Michael Peters, leyeron el primer borrador y me brindaron sus mejores consejos a lo largo del camino.

Jane Johnson, de Harper Collins, es la clase de editora por la que cualquier escritor daría su brazo derecho. Es perspicaz, entusiasta, exigente y posee la irritante costumbre de tener siempre razón. Ella y Sarah Hodgson forman un equipo formidable.

Tres personas merecen un agradecimiento especial. Jonathan Cummings no solo es capaz de desenterrar la más recóndita brizna de información a la velocidad de la luz, sino que se ha convertido también en un querido colega y co-conspirador. Jonny Geller es el padrino de todo este proyecto: no solo ha creído en él desde el principio, sino que lo ha acompañado a lo largo de todo el camino con sus sabios consejos. Lo he dicho en otras ocasiones y lo repito en esta: es el mejor agente del ramo y un amigo modélico. Nada de todo esto hubiera visto la luz de no ser por él.

Por último, mi mujer, Sarah. Su entusiasmo e interés por esta historia no decayó nunca, ni siquiera cuando el trabajo me mantuvo encadenado al ordenador más horas de las oportunas. Leyó el manuscrito con perspicacia y atención y me apuntó numerosas mejoras. Es una fuente constante de ánimo, risa y amor. Al igual que este libro, mi historia tiene su heroína... y es ella.

ESTE LIBRO HA SIDO IMPRESO
EN LOS TALLERES DE
RODESA
VILLATUERTA
NAVARRA